D0453118

Immigration, diversité et sécurité

PRESSES DE L'UNIVERSITÉ DU QUÉBEC
Le Delta I, 2875, boulevard Laurier, bureau 450
Québec (Québec) G1V 2M2
Téléphone : 418-657-4399 • Télécopieur : 418-657-2096
Courriel : puq@puq.ca • Internet : www.puq.ca

Diffusion / Distribution :

CANADA et autres pays

PROLOGUE INC.
1650, boulevard Lionel-Bertrand
Boisbriand (Québec) J7H 1N7
Téléphone : 450-434-0306 / 1 800 363-2864

FRANCE

AFPU-DIFFUSION
SODIS

BELGIQUE

PATRIMOINE SPRL
168, rue du Noyer
1030 Bruxelles
Belgique

SUISSE

SERVIDIS SA
Chemin des Chalets
1279 Chavannes-de-Bogis
Suisse

Micheline Labelle, François Rocher et Rachad Antonius

Immigration, diversité et sécurité

Les associations arabo-musulmanes face à l'État au Canada et au Québec

2009

Presses de l'Université du Québec
Le Delta I, 2875, boul. Laurier, bur. 450
Québec (Québec) Canada G1V 2M2

Catalogage avant publication de Bibliothèque et Archives nationales du Québec et Bibliothèque et Archives Canada

Labelle, Micheline, 1940-

Immigration et multiculturalisme : les associations arabo-musulmanes face à l'État canadien et québécois

Comprend des réf. bibliogr.

ISBN 978-2-7605-2372-2

1. Canada - Émigration et immigration - Politique gouvernementale. 2. Québec (Province) - Émigration et immigration - Politique gouvernementale. 3. Multiculturalisme - Canada. 4. Canadiens d'origine arabe - Associations. 5. Droits de l'homme - Canada - Associations. I. Rocher, François. II. Antonius, Rachad, 1947- . III. Titre.

JV7233.L32 2009 325.71 C2009-940060-X

Nous reconnaissons l'aide financière du gouvernement du Canada par l'entremise du Programme d'aide au développement de l'industrie de l'édition (PADIE) pour nos activités d'édition.

La publication de cet ouvrage a été rendue possible grâce à l'aide financière de la Société de développement des entreprises culturelles (SODEC).

Intérieur
Mise en pages : Infoscan Collette-Québec

Couverture
Conception : Richard Hodgson
Illustration : *Sans titre*, 2007, bois, papier, graphite, aquarelle, trombone sur papier arche. Collection *Vincent et moi*
James Arthur Cameron est titulaire d'un baccalauréat en Beaux-Arts (avec honneurs) de l'Université du Manitoba (Winnipeg). Artiste polyvalent, il maîtrise plusieurs disciplines artistiques dont le dessin, la gravure, la photographie, la sculpture (bois, céramique, bronze). Il a à son actif plusieurs expositions individuelles et collectives. Sa démarche artistique actuelle se distingue par un processus de juxtaposition où il intègre divers artefacts à ses propres dessins, images photographiques et aquarelles. Sous plusieurs aspects, ses œuvres constituent un véritable témoignage du passé et expriment sa quête vers la vérité.
Photo de l'illustration : Simon Lecompte

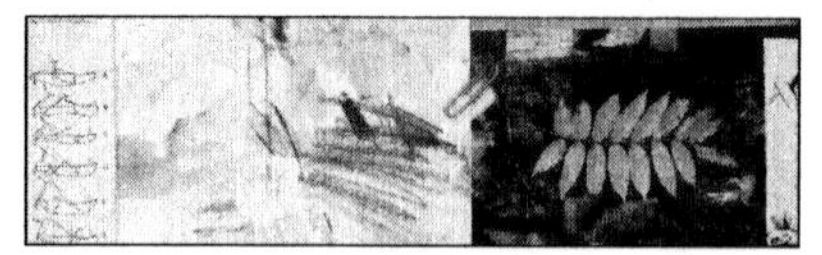

1 2 3 4 5 6 7 8 9 PUQ 2009 9 8 7 6 5 4 3 2 **1**

Dépôt légal – 2e trimestre 2009
Bibliothèque et Archives nationales du Québec / Bibliothèque et Archives Canada
Imprimé au Canada

Table des matières

CHAPITRE 3

Introduction

La prise en compte de la diversité ethnoculturelle, à la lumière des flux migratoires internationaux récents, constitue l'un des défis majeurs auxquels doivent faire face les démocraties occidentales. Cette réalité représente un enjeu politique important pour la société québécoise, particulièrement dans un contexte de gouvernance à niveaux multiples qui implique non seulement l'intervention du gouvernement fédéral, mais aussi celle des gouvernements provinciaux et quelquefois des administrations municipales.

Bien avant les événements de septembre 2001 et la « guerre à la terreur » qui a prévalu depuis, l'État canadien s'est affairé à revaloriser et à renforcer l'identité canadienne, ainsi que la cohésion sociale, suivant en cela un courant observé dans toutes les sociétés occidentales confrontées aux nouveaux enjeux du pluralisme et de la redéfinition des identités nationales.

En effet, au cours de la décennie 1990, l'État canadien prenait note des inquiétudes de la population devant la nature de plus en plus « visible » de l'immigration, devant la perception d'abus de la générosité canadienne par des ressortissants des pays du Sud et devant la crainte que les valeurs culturelles portées par les nouveaux arrivants ne menacent les valeurs canadiennes. Les documents du gouvernement canadien publiés au cours de cette période témoignent de ces inquiétudes et plusieurs thèmes forts en émergent : l'indispensable concertation internationale de l'immigration et de la sécurité ; la qualité de la main-d'œuvre immigrée dans les sociétés d'information et de savoir, la nécessaire consolidation du sentiment d'appartenance au Canada, de l'identité et de l'unité canadienne (Citoyenneté et Immigration Canada, comités permanents de la Chambre des communes et du Sénat, Bureau du Conseil privé, etc.). La Loi sur l'immigration de 1976 a été jugée obsolète alors que l'immigration est bel et bien passée d'un enjeu de *low politics* (démographie et main-d'œuvre) à un enjeu de *high politics* (relations internationales et sécurité). De même, plusieurs projets de loi ont visé la réforme de la Loi sur la citoyenneté afin qu'elle reflète mieux, selon certains, les valeurs libérales de la société canadienne et les responsabilités des nouveaux citoyens.

Ces documents gouvernementaux reconnaissaient que l'immigration est profondément enracinée dans l'imaginaire canadien. Cependant, sa nature et sa fonction devaient désormais répondre aux nouvelles exigences de la cohésion sociale et de la prospérité économique d'un monde globalisé et d'un nouveau contexte géopolitique. Parallèlement, les orientations traduisaient de nouvelles préoccupations en matière de sécurité.

De plus, l'État canadien insiste particulièrement sur le partenariat avec les provinces en matière de niveaux d'immigration, de sélection, de programmes d'intégration, de programmes d'établissement, de renseignements et de recherche pour améliorer la gestion des programmes et pour limiter au minimum les risques d'abus. Des accords-cadres en matière d'immigration ont été conclus avec toutes les provinces et territoires. L'accord le plus détaillé vise le Québec, à qui il confère la responsabilité de la sélection des immigrants indépendants et des services d'aide à l'établissement. Le fédéral garde ses prérogatives sur les réfugiés et les parrainés, conserve la responsabilité des normes et des objectifs nationaux, de même que celle de déterminer l'admissibilité au Canada et d'accorder la citoyenneté.

Le 11 septembre 2001 est venu changer la donne et a provoqué, au Canada comme ailleurs, un nouveau codage de l'ennemi extérieur et intérieur, et le renforcement d'un discours réducteur sur le choc des civilisations. Un nouvel air du temps, conservateur et frileux, a pénétré l'État et la société civile. L'idéal multiculturaliste, longtemps célébré dans le monde entier comme étant la marque de commerce par excellence du Canada, a été remis en question dans le nouveau contexte des lois visant la sécurité nationale.

Plus que toutes les autres minorités, les minorités arabo-musulmanes ont été directement affectées par les reconfigurations des priorités politiques. La discrimination s'est faite plus évidente et plus percutante à leur égard, selon le témoignage du Rapporteur spécial sur les formes contemporaines de racisme au Haut Commissariat des droits de l'homme et selon diverses études. Ces reconfigurations témoignent d'une exacerbation de tendances existant déjà (Antonius, 2002; Khoury, 2002).

Nonobstant ce nouvel environnement, entre 1998 et 2007, le nombre de résidents permanents venant d'Afrique et du Moyen-Orient (de toutes confessions religieuses) n'a cessé d'augmenter; plus de 100 000 personnes (de catégories diverses, avec un nombre important de la catégorie des demandeurs d'asile et de la classe humanitaire) ont été accueillies en 2006, selon Citoyenneté et Immigration Canada. Ces personnes doivent relever les défis de l'intégration économique, et ceux qui résultent de l'impact de la politique étrangère du Canada au Moyen-Orient et de l'environnement médiatique national et international.

Cet ouvrage présente les résultats d'une étude dont l'objectif est d'analyser les principales orientations qui ont marqué les politiques publiques canadiennes et québécoises d'immigration, de multiculturalisme, d'interculturalisme et de lutte contre le racisme, dans le nouveau contexte sécuritaire des années 2000. Selon une perspective inversée, il analyse également les revendications des associations arabo-musulmanes face à l'État canadien et à l'État québécois, de même que les prises de position des ONG-parapluie de défense des droits des immigrants et des minorités racisées. Le rapport à l'État est donc fondamental dans notre perspective.

Il appert que les revendications de ces associations et ONG-parapluie, de même que les nouvelles orientations étatiques, aux paliers fédéral et québécois, et l'interface entre ces deux éléments n'ont pas fait l'objet d'études systématiques et approfondies. Ce double examen constitue l'originalité de cet ouvrage. De plus, nous nous sommes retrouvés devant un constat: l'absence de données empiriques systématiques et de recherches approfondies sur le sujet. En conséquence, beaucoup de conclusions et d'intuitions discutées dans des colloques universitaires sont restées fondées sur des impressions et ont constitué des essais fort intéressants auxquels il manquait un fondement empirique.

PRINCIPAUX ENJEUX

Les orientations théoriques axées sur l'étude des diasporas, des communautés et des réseaux remettent en question les paradigmes classiques fondés sur les concepts d'assimilation et d'intégration. De nombreuses études illustrent les pratiques transnationales des minorités et la façon dont elles ont instrumentalisé, sinon intensifié l'exercice d'une citoyenneté qui ne coïncide plus strictement avec les frontières politiques de l'État nation (Schmitter Heisler, 2000; Labelle et Marhraoui, 2002; Aleinikof et Klusmeyer, 2000 et 2001; Daher, 2001).

Parallèlement, la revalorisation de la citoyenneté et la gestion de la diversité accordent une place prépondérante aux mécanismes de *contrôle* social et de valeurs communes, au nom de l'identité nationale. Elles posent la question du degré de tolérance du libéralisme à l'égard des identités qui proposent des visions du monde et des valeurs tirées de traditions anciennes mais étrangères, fort différentes de celles qui sont dominantes dans les sociétés occidentales. Ces « nouvelles » valeurs seraient susceptibles de menacer certains acquis (conception des rapports de genre, déplacement de la frontière entre privé et public, rapport entre droits individuels et collectifs, etc.). Lorsqu'elles sont portées par les communautés arabo-musulmanes, ces visions autres sont perçues comme plus menaçantes pour les valeurs fondamentales canadiennes, en raison à la fois de leur contenu et des facteurs sociopolitiques qui ont façonné l'histoire récente des sociétés d'origine de ces communautés.

Une autre problématique est liée aux effets de la mondialisation néolibérale, laquelle entraîne non seulement l'accroissement des inégalités socioéconomiques, l'aggravation des disparités entre riches et pauvres, travailleurs protégés et travailleurs précaires, mais également l'augmentation des discriminations et du racisme (Stavenhagen, 2002; Felice, 2002; Borrillo, 2003). Comment penser la dynamique contradictoire qui sous-tend l'avancée des luttes des groupes minoritaires, leur impact sur les politiques publiques et la pensée sociale à leur propos, de même que les moments de recul observés au cours des dernières années?

Arrêtons-nous ici sur la montée des mouvements sociaux se réclamant de la politique de la reconnaissance ou de la politique identitaire. L'idéologie des droits de l'homme, après 1945, a impulsé de nombreuses revendications visant l'élimination des discriminations fondées sur le sexe, l'origine nationale, le phénotype, la langue, etc. Les groupes sociaux en lutte visaient la justice sociale et la reconnaissance d'une identité méprisée. D'un autre point de vue, l'idéologie des droits de l'homme a été accompagnée de phénomènes moins positifs: prolifération parallèle, sinon contradictoire, des demandes sociales; nouveaux rapports de force autour d'intérêts contradictoires; hiérarchisation des ONG auprès des organisations internationales en fonction de leur pouvoir; impact limité des instruments internationaux; effritement du politique (Gauchet, 2003; Lochak, 2002).

Or, on a observé au cours de la dernière décennie une dominance de courants idéologiques conservateurs et une remise en question relative de la «politique identitaire», perçue comme susceptible de fragmenter les sociétés et de faire obstacle au bien commun ou à une citoyenneté partagée transcendant les particularismes. Confrontée à la montée des ayants droit et aux dangers de fragmentation sociale, la théorie sociale néo-fonctionnaliste a revalorisé les thèmes de la cohésion sociale et du bien commun, et elle leur a redonné saillance et légitimité (Alexander, 1995; Schnapper, 2002).

Ce virage idéologique, conjugué à la logique sécuritaire mentionnée ci-dessus, ne peut manquer d'affecter la gestion canadienne de la diversité et des politiques publiques qui lui sont afférentes. Un autre phénomène observé est celui de la recrudescence des diverses manifestations du racisme, de ses logiques et de ses niveaux (infraracisme, racisme politique, etc.) (Khoury, 2002). Le renforcement des frontières territoriales, lié au contrôle des flux migratoires et à la logique sécuritaire, a été accompagné dans les sociétés occidentales de mouvements d'opinion et d'émergence de partis politiques visant le renforcement des frontières symboliques de la nation, comme lieux de démarcation entre le Soi et l'Autre. Dès les années 1980, les spécialistes ont qualifié l'idéologie qui sous-tend ce phénomène de néo-racisme, celui-ci étant conjugué au racisme classique toujours présent et dont les manifestations ont cours en Grande-Bretagne et dans les principaux pays européens d'immigration, en Australie, aux États-Unis, etc. La conjoncture internationale actuelle, liée à l'insécurité provoquée par le terrorisme et les discours sur les cellules dormantes au sein de nos sociétés, ne fait qu'accentuer ce phénomène.

Nouvelle articulation de doctrines, de pratiques et de mouvements politiques, le néo-racisme coexiste avec le racisme biologique. Il ne le déloge pas. Ainsi en témoigne le « profilage racial » dont ont historiquement souffert les Afrodescendants, les Amérindiens et les immigrants, et qui affecte aujourd'hui les minorités arabes et musulmanes. Le profilage racial se manifeste dans divers domaines : sécurité, services, système judiciaire, logement, surveillance des frontières, éducation, etc.

La thèse générale de notre ouvrage est la suivante. Les événements du 11 septembre 2001, le contexte géopolitique international qui a suivi et, dans une moindre mesure, la Conférence mondiale des Nations Unies contre le racisme, la discrimination raciale, la xénophobie et l'intolérance qui y est associée (CMCR), qui s'est tenue en 2001 à Durban en Afrique du Sud, ont amené les gouvernements canadien et québécois à recentrer leurs politiques d'immigration et d'aménagement de la diversité, et ce, parfois de manière contradictoire. Les citoyens d'origine arabo-musulmane ont été affectés de manière distincte. Ils ont développé une perception des politiques à la lumière du virage sécuritaire pris par l'État canadien. Cela a contribué à teinter leur interprétation des changements dans les politiques, et ils ont appréhendé celles-ci fonction du nouveau contexte. Cette dynamique qui conduit à renforcer le sentiment d'exclusion est renforcée par le fait qu'ils estiment que leurs revendications ne sont pas prises en considération en dépit des multiples démarches entreprises dans les années qui ont suivi 2001 pour faire valoir leur point de vue auprès de l'État canadien et de l'État québécois.

L'APPROCHE MÉTHODOLOGIQUE

En ce qui concerne l'analyse des politiques publiques, la démarche a tenu compte de deux espaces publics qui s'inscrivent dans un contexte de gouvernance à niveaux multiples : les scènes politiques fédérale et québécoise. Le niveau fédéral s'impose d'emblée dans la mesure où les politiques d'immigration, de citoyenneté et de multiculturalisme se sont développées à ce niveau étatique. Les associations des minorités ethnoculturelles et racisées sont membres de grandes fédérations qui ont développé un discours et des pratiques de démarchage qui visent le gouvernement fédéral. Le niveau étatique québécois s'impose aussi pour plusieurs raisons: d'une part, l'État québécois participe au processus de sélection et d'intégration des immigrants, et il a établi une norme juridique (notamment la Charte des droits et libertés de la personne) qui s'arrime à la Charte canadienne des droits et libertés. Par ailleurs, les pratiques de discrimination ou au contraire d'inclusion se vivent dans des domaines qui sont de compétence provinciale (santé et éducation, par exemple). Une première étape a donc consisté à analyser les documents présentant les politiques publiques ainsi que la législation produite par les gouvernements fédéral ou québécois.

Nous avons également eu recours à l'enquête sur le terrain. Entre mars et novembre 2006, nous avons réalisé 31 entrevues auprès de 37 personnes, principalement à Montréal (15), mais également à Québec (2), à Ottawa/Gatineau (10) et à Toronto (4).

Un premier échantillon se compose de 15 fonctionnaires des gouvernements canadien et québécois qui agissent à titre de porteurs de dossiers liés aux problématiques choisies. Les 10 fonctionnaires fédéraux (6 hommes et 4 femmes) viennent de trois ministères: Ressources humaines et Développement social Canada, Patrimoine canadien et Citoyenneté et Immigration Canada. Les 5 fonctionnaires du Québec (2 hommes et 3 femmes) ont été choisis au sein du ministère de l'Immigration et des Communautés culturelles.

Un deuxième échantillon est composé de 6 ONG-parapluie: la Table de concertation des organismes au service des personnes réfugiées et immigrantes (TCRI); le Conseil canadien pour les réfugiés (CCR); la Ligue des droits et libertés (LDL); la Fondation canadienne des relations raciales (FCRR); le National Anti-Racism Council of Canada (NARCC); et, enfin, L'Hirondelle (les 6 entrevues ont été menées auprès de 9 personnes, soit 6 hommes et 3 femmes).

Le Conseil canadien pour les réfugiés se penche sur les questions d'immigration et des droits des réfugiés. Plus spécifiquement, il traite surtout des questions suivantes: l'accès au droit d'asile (y compris les effets de l'Entente sur les tiers pays sûrs avec les États-Unis), la section d'appel pour les réfugiés, la question de la réunification familiale (les barrières ou les délais dans le traitement des demandes de réunification familiale), la réglementation des personnes sans statut, les longs délais dans les demandes de parrainage privé, l'érosion des droits des immigrants et des réfugiés, la professionnalisation des secteurs d'établissement et les questions liées aux jeunes. Le CCR est interpellé par la lutte contre le racisme, bien qu'il n'intervienne pas auprès de Patrimoine canadien, le ministère qui a la responsabilité de cette question au fédéral.

La TCRI œuvre aussi dans le domaine de la protection des droits des personnes réfugiées et immigrantes. Cet organisme est surtout actif dans le contexte québécois, bien qu'il appuie les démarches du Conseil canadien pour les réfugiés au niveau pancanadien. Son travail se fait principalement auprès du ministère de l'Immigration et des Communautés culturelles du Québec. La TCRI a pour mission de représenter 140 organismes membres, surtout des organismes de services pour les immigrants et réfugiés. Elle comporte également un volet d'activités de formation portant, entre autres choses, sur la question des droits, des règlements et des changements législatifs. La TCRI joue aussi un rôle important dans la diffusion de l'information, tant auprès des médias qu'auprès des organismes de services, et même de la population en général.

Contrairement au CCR et à la TCRI, L'Hirondelle n'est pas un réseau d'organisations, mais plutôt un organisme de services qui se préoccupe de l'insertion sociale et professionnelle des personnes immigrantes. La portée de ses actions demeure plutôt locale. Située à Montréal, L'Hirondelle est membre de la TCRI et appuie cette dernière dans ses démarches ou activités de représentation auprès des gouvernements.

Les deux ONG engagées dans la lutte contre le racisme sont des organisations pancanadiennes situées à Toronto: la Fondation canadienne des relations raciales et le National Anti-Racism Council of Canada. La FCRR « s'est engagée à instaurer un réseau national consacré à la lutte contre le racisme au sein de la société canadienne. Elle mettra en lumière les causes et les manifestations du racisme, s'exprimera ouvertement et agira à titre de chef de file national indépendant. Grâce à ses diverses ressources, elle favorisera la concrétisation des droits de tous les Canadiens et de toutes les Canadiennes en matière d'équité, d'égalité et de justice sociale » (<www.crrf.ca>, consulté le 6 avril 2006).

Pour sa part, le NARCC est un réseau pancanadien d'ONG qui s'est constitué dans la foulée des préparatifs à la Conférence mondiale contre le racisme, la discrimination raciale, la xénophobie et l'intolérance qui y est associée (CMCR) qui s'est tenue sous l'égide des Nations Unies à Durban en 2001. Le NARCC voulait s'assurer que la voix des ONG est entendue par les gouvernements, un objectif qu'il poursuit toujours. La mission du NARCC est la suivante:

> *NARCC is committed to being a national, community-based, member-driven network that provides a strong, recognized, effective and influential national voice against racism, racialization and all other forms of related discrimination in Canada, We strive to effectively address racism, racialization and all other forms of related discrimination by sharing and developing information and resources; by building, supporting and helping to coordinate local, regional, national as well as international initiatives, strategies and*

relationships; and by responding to issues and events in a timely and effective manner (<action.web.ca/home/narcc/contacts.shtml>, consulté le 25 mai 2006).

Le NARCC travaille surtout sur des questions liées à la situation des peuples autochtones, sur l'éducation, sur les politiques publiques (en général) et sur les questions des droits des immigrants. Les dossiers traités par la FCRR sont semblables à ceux du NARCC : la situation des peuples autochtones, l'éducation et sensibilisation, l'équité en emploi et la recherche. De plus, les deux ONG poursuivent l'objectif d'étudier les politiques publiques à travers les perspectives des groupes racisés (*looking at public policy through a racialized lens*).

La dernière ONG-parapluie retenue est la Ligue des droits et libertés (LDL). La Ligue ne limite pas ses préoccupations à des questions qui touchent la prise en compte de la diversité. Par exemple, elle a récemment publié un rapport sur les droits économiques et sociaux qui, sans exclure les problèmes propres aux groupes racisés, se veut beaucoup plus large. La Ligue des droits et libertés a pour principale préoccupation la défense des libertés civiles. Elle s'intéresse aussi aux questions d'accès à la justice, à la protection de la vie privée, à la liberté d'expression, aux droits des femmes, aux droits des citoyens face à la police, etc. Il va sans dire que cela l'a amenée à se pencher sur des dossiers qui touchent de près aux groupes racisés, par exemple la lutte contre le racisme et la propagande haineuse, les droits des immigrants et des réfugiés, de même que les droits des autochtones. Depuis le 11 septembre 2001, la Ligue aborde aussi des sujets qui touchent plus particulièrement les communautés arabes et musulmanes, tels que la question des certificats de sécurité et de la Loi antiterroriste.

Un troisième échantillon est composé de 13 personnes représentant 10 associations arabo-musulmanes : la Fédération canado-arabe (Toronto) ; la Fédération canado-arabe (Montréal) ; le Canadian Islamic Congress ; Présence musulmane ; le Conseil national des relations canado-arabes ; le Centre culturel algérien ; le Centre islamique de Québec ; le Carrefour culturel Sésame de Québec ; le Forum musulman canadien ; le Council on American Islamic Relations Canada (CAIR-CAN). Les 10 entrevues ont été menées auprès de 13 personnes, soit 9 hommes et 4 femmes. La mission de ces associations sera décrite dans le chapitre 1.

ORGANISATION DE L'OUVRAGE

Le premier chapitre trace un portrait des communautés arabo-musulmanes du Québec et vise à situer les revendications émanant des associations arabo-musulmanes dans le contexte social propre à leurs groupes de référence. Un tel contexte se rapporte tant au vécu en situation de migration qu'aux conditions prévalant dans les pays d'origine. De l'histoire prémigratoire de ces groupes, nous postulons que les questions identitaires (en particulier le statut de minorité ou de majorité dans les pays d'origine), les rapports avec l'État, les courants idéologiques dominants et les questions géopolitiques ont un effet structurant sur la vie associative en situation de migration ainsi que sur les orientations politiques qui se traduisent en revendications en matière d'aménagement de la diversité.

Le deuxième chapitre présente un tour d'horizon des principales orientations qui ont marqué les politiques d'immigration au Canada et au Québec au cours des 30 dernières années. Il analyse les positions des ONG-parapluie de défense des droits de la personne. Une attention particulière est portée aux revendications exprimées et aux moyens d'intervention employés par certains leaders des communautés arabo-musulmanes au Canada et au Québec, puisque la manière dont les politiques canadiennes d'immigration et de sécurité ont été déployées a récemment produit des effets différenciés sur les membres appartenant à ces communautés.

Le troisième chapitre aborde les questions d'intégration, de multiculturalisme et d'interculturalisme, de même que de lutte contre le racisme. Une première partie propose une analyse des principales transformations de la politique fédérale du multiculturalisme et de la politique québécoise de l'interculturalisme depuis la fin de la décennie 1990. À l'instar de la mise en place de l'appareillage législatif et réglementaire sur l'immigration, les modalités de l'intégration des immigrants et des minorités, les paramètres de la prise en compte de la diversité et les nouveaux enjeux suscités par de nouvelles formes de racisme sont sources d'inquiétude dans le contexte de l'après 11 septembre 2001. La deuxième partie de ce chapitre traite des revendications et des stratégies d'action définies par les porte-parole d'ONG-parapluie de défense des immigrants, des minorités ethniques et racisées, de même que par les leaders de groupes arabo-musulmans, particulièrement exposés au climat social et politique de la décennie 2000. La manière dont les politiques du multiculturalisme canadien et de l'interculturalisme au Québec sont appréhendées par les individus et les groupes qui œuvrent dans ce domaine renvoie à des préoccupations qui ciblent certains programmes plus que d'autres, par exemple la lutte contre le racisme comme obstacle à l'intégration. Si les événements du 11 septembre 2001 ont amené les gouvernements canadien et québécois à recentrer leurs politiques dans ces domaines, les revendications formulées et les moyens d'intervention employés par certains leaders des communautés arabo-musulmanes au Canada et au Québec ont également été recentrés et nous en prendrons la mesure.

⁂

Cette recherche a été réalisée grâce au soutien financier du Conseil canadien de recherches en sciences humaines (CRSH). Nous exprimons notre gratitude aux représentants et représentantes des associations arabo-musulmanes ainsi qu'aux fonctionnaires interviewés.

Nous remercions les assistantes et les assistants de recherche qui ont travaillé à la collecte des données documentaires et au déroulement des entrevues, à leur codification, à leur analyse et à la rédaction de communications scientifiques et de rapports préliminaires de recherche, à partir desquels cet ouvrage a été rédigé: Ève Morin Desrosiers, Marie-Pier Dostie, Priscilla Fournier, Myriam Francoeur, Naïma Bendriss, Valérie Martel, Kim O'Bomsawin, Béchir Oueslati, Nada Saghie.

Des remerciements particuliers vont à madame Ann-Marie Field, coordonnatrice de la Chaire de recherche en immigration, ethnicité et citoyenneté. À titre de professionnelle de recherche, madame Field a coordonné la stratégie de recherche et effectué les analyses préliminaires qui ont mené à cet ouvrage avec un souci de rigueur remarquable pour lequel nous lui exprimons notre reconnaissance.

Chapitre 1

LES COMMUNAUTÉS ET LES ASSOCIATIONS ARABO-MUSULMANES

Le présent chapitre vise à situer les revendications émanant des associations arabo-musulmanes dans le contexte social propre à leurs groupes de référence. Un tel contexte se rapporte tant au vécu en situation de migration qu'aux conditions prévalant dans les pays d'origine. La prise en compte de ce contexte est importante pour l'interprétation des données observées ainsi que pour la délimitation de l'étendue de leur validité.

De l'histoire prémigratoire de ces groupes, nous postulons que les questions identitaires (en particulier le statut de minorité ou de majorité dans les pays d'origine), les rapports avec l'État, les courants idéologiques dominants et les questions géopolitiques ont un effet structurant sur la vie associative en situation de migration, de même que sur les orientations politiques qui se traduisent en revendications. En ce qui concerne le contexte postmigratoire, nous estimons que deux facteurs contextuels influencent la dynamique associative ou communautaire, bien qu'ils lui soient extérieurs : la politique étrangère canadienne et les représentations médiatiques. Les politiques publiques sur l'immigration, la sécurité et le multiculturalisme ou l'interculturalisme, pour leur part, font l'objet de chapitres particuliers, et ne sont pas des facteurs contextuels. Nous ne prétendons pas démontrer de relation de cause à effet entre ces facteurs et les revendications exprimées. Nous souhaitons simplement évoquer ce qui permet de comprendre *quels sous-groupes* des communautés arabes ou musulmanes peuvent se reconnaître dans les revendications analysées dans cet ouvrage ainsi que l'étendue des appuis que ces revendications sont susceptibles de recueillir. Nous croyons qu'une telle discussion favorisera une lecture plus fine des revendications et de la dynamique des mobilisations qui les sous-tendent. En d'autres termes, nous prétendons que *l'une* des clés de la compréhension de ces revendications, de l'étendue des mobilisations qu'elles peuvent susciter et des appuis qu'elles peuvent recueillir se trouve en dehors du contexte canadien et québécois. Cette clé se situe plutôt dans le contexte prémigratoire, dont les effets se perpétuent par le biais des dynamiques identitaires à l'œuvre ici. Ces assertions seront validées dans la mesure où elles permettent des lectures plus convaincantes des modes de mobilisation observés.

PRÉCISIONS TERMINOLOGIQUES

Plusieurs termes sont utilisés dans les écrits sur le sujet pour désigner l'objet sociologique dont nous parlons : communautés arabes, communautés originaires du monde arabe, communautés arabophones. Ces termes sont tous un peu problématiques, tant à cause des connotations du terme « communauté » qu'à cause de celles du terme « arabe » et de ses dérivés.

Le terme « communauté » suppose un certain degré de perceptions et d'orientations communes aux individus qui la composent, un certain nombre d'intérêts partagés, ainsi que l'existence d'institutions communautaires à travers lesquelles s'opère la participation à la société plus large. Dans les cas des immigrants d'origine arabe pris dans leur ensemble, ces facteurs sont rarement tous présents, et le terme ne pourrait s'appliquer qu'à des groupes plus restreints, par exemple les coptes orthodoxes (chrétiens d'Égypte), pour lesquels les associations religieuses jouent un rôle important. Même pour ce groupe, le terme « la communauté copte orthodoxe » ne rend compte que d'une facette, sans doute importante, de la vie des personnes qui en font partie, car une certaine proportion de ces personnes choisissent, en situation de migration, de vivre loin de ces structures associatives et de s'intégrer à la société d'accueil en tant qu'individus. La plupart des groupes sociaux originaires du monde arabe ont de telles structures associatives, mais la proportion des personnes qui évoluent dans ces structures (jamais mesurée, selon ce que nous en savons) varie grandement. Il y a donc, au Québec, de multiples groupes originaires du monde arabe, dont certains ont une vie communautaire plus intense que d'autres, de même qu'il y a une forte proportion de personnes d'origine arabe qui vivent loin des structures communautaires auxquelles elles auraient pu appartenir, mais il n'existe pas de « communauté arabe » au singulier. Le concept désigne un horizon, un objectif politique qui n'est d'ailleurs pas partagé par tous, et non une réalité sociologique. Au pluriel, le terme est plus acceptable si l'on tient compte du fait que l'aspect « communautaire » de ces groupes est très variable. La situation est différente en Ontario et dans le reste du Canada, où des associations telles que la Fédération canado-arabe ou le Centre communautaire arabe ont une présence et une légitimité qui ne se comparent pas à la situation au Québec et qui en font de véritables institutions communautaires. Pour ces raisons, un terme qui suppose moins de structures que celui de « communauté », comme « groupe », aurait été préférable, et nous l'utiliserons lorsque cela sera approprié. Mais c'est le terme « communauté » qui est le plus fréquemment employé par les auteurs, au singulier ou au pluriel.

Quant au terme « arabe », il est aussi problématique, et cela se traduit au niveau associatif : certains des groupes originaires du monde arabe, même quand ils ont la langue arabe comme langue maternelle, hésitent parfois à se désigner comme « arabes » et à se joindre à des associations ou à des fédérations qui se disent arabes. Nous discuterons cette question en détail plus bas.

Pour ces raisons, il serait plus précis de parler de « groupes arabophones » (au pluriel) plutôt que de « communauté arabe », si l'on veut inclure tous les individus originaires des pays arabes et qui parlent cette langue, mais qui ne se définissent pas nécessairement comme arabes. En tenant compte de ces remarques, nous emploierons quelquefois le terme « communautés arabes », parfois même au singulier lorsque nous ferons état de travaux qui l'emploient eux-mêmes. Mais nous l'emploierons dans un sens faible, sans supposer des attitudes communes dans le groupe au regard de l'insertion, ni l'existence d'institutions unificatrices.

Il faut aussi apporter une précision concernant les termes « Arabes » et « musulmans ». Les deux mots se chevauchent, dans le sens où la plupart des citoyens des pays arabes sont musulmans (environ 85 %). Mais la plupart des musulmans, à l'échelle mondiale, ne sont pas arabes : seulement 20 % des musulmans sont arabes. De plus, la proportion de non-musulmans parmi les immigrants arabes, particulièrement au Québec, est bien plus grande que dans les sociétés d'origine. Nous discuterons plus bas la problématique liée à cette dimension identitaire, qui est compliquée par les multiples dimensions de la composante arabe de l'identité.

HISTORIQUE DE L'ARRIVÉE DES ARABES ET DES MUSULMANS AU QUÉBEC

Plusieurs ouvrages ont inclus des pages descriptives visant à dresser un portrait des communautés arabes du Canada ou du Québec. Mentionnons l'incontournable *La Présence arabe au Canada* de Baha Abu-Laban (1981), mais aussi les travaux de Brian Aboud (1991), d'Ali Daher (1999), un rapport de la Fédération canado-arabe (CAF, 1999), les textes de Karim Lebnan (2002), de Paul Eid (2003), de Naïma Bendriss (2005) et de Houda Asal (2003). Statistique Canada a aussi produit un portrait de « la » communauté arabe au Canada (Lindsay, 2007).

On peut distinguer quatre vagues d'immigration en provenance des pays arabes. La première date de la toute fin du XIXe siècle et du début du XXe, la deuxième des années 1950 à l'année 1975 environ, la troisième de 1975 à 1992 et la quatrième, de 1992 au moment présent. Elles se distinguent les unes des autres par les pays d'origine de la majorité de ces immigrants, ainsi que par leurs caractéristiques sociodémographiques. Il va sans dire que les années précises que nous suggérons ne constituent que des repères, surtout pour les deux dernières vagues qui débordent partiellement avant et après ces dates.

C'est en 1882 que les premiers immigrants originaires des pays arabes seraient arrivés au Canada, à Montréal plus précisément (Abu-Laban, 1981, p. 53). Ils étaient originaires de la Grande Syrie, région qui à cette époque regroupait plusieurs provinces ottomanes et qui incluait ce qui allait devenir par la suite le Liban. Abu-Laban estime à près de 2 000 le nombre d'immigrants syriens au Canada en 1901, et à près de 7 000 en 1911. Mais l'immigration arabe s'arrête entre les deux guerres, et seule la croissance naturelle est responsable de la croissance de la communauté (Aboud, 2000). Surtout composée de chrétiens, la première génération de ce groupe a été économiquement active dans le petit commerce, mais les générations subséquentes ont vu émerger, à côté de grandes entreprises familiales de commerce, surtout dans le secteur du textile et de l'habillement, des personnalités connues. Pensons au juge Albert Malouf, célèbre pour son enquête sur le coût des Jeux olympiques de Montréal en 1976. À Montréal, la communauté (et ce terme est adéquat dans ce cas) était regroupée surtout autour de la paroisse St. George et de l'Association communautaire libano-syrienne, mieux connue sous son sigle anglais, la LSCA (Lebanese Syrian Community Association) qui avait, jusqu'à tout récemment, pignon sur rue au coin des boulevards Saint-Laurent et Jean-Talon. Ce sont des membres montréalais de ce groupe qui sont à l'origine de la fondation du Conseil national des relations canado-arabes, dont les bureaux sont à Ottawa et qui figure parmi les associations dont nous avons interviewé les porte-parole dans le cadre de cette étude. Sur le plan politique, les membres les plus influents de cette communauté furent surtout actifs au sein du Parti libéral du Canada, et quelquefois du Parti libéral du Québec. Cette vague migratoire a fait l'objet, en 2005, d'une exposition intitulée *Min Zaman* (trad. : Il y a longtemps) au Centre d'histoire de Montréal, qui a été conçue et organisée par M. Brian Aboud. Mais il n'est pas certain qu'on puisse encore parler, aujourd'hui, de « communauté » pour désigner ce groupe. Car si la paroisse et la LSCA existent encore, elles ne jouent plus le rôle social important qu'elles ont déjà joué dans un passé pas si lointain.

La deuxième vague commence au lendemain de la Deuxième Guerre mondiale et elle se poursuit jusqu'en 1975. Les immigrants arabes à ce moment viennent surtout d'Égypte (37,3 %) et du Liban (33,6 %), mais aussi du Maroc (14,9 %), de la Syrie (7,6 %) et de divers autres pays arabes (6,6 %) (Abu-Laban, 1981, p. 59). Pris dans leur ensemble, ces groupes comptent, en 1971, 28 550 personnes au total selon les chiffres officiels, compilés selon le critère de la langue maternelle et non du pays d'origine. Or, Baha Abu-Laban souligne que ce critère a tendance à sous-évaluer la taille réelle du groupe. Après analyse des chiffres de la migration arabe, il conclut plutôt « qu'en 1971, le Canada comptait 50 000 à 60 000 personnes d'ascendance arabe, et 70 000 à 80 000 en 1975 » (*Ibid.*).

Si les immigrants d'origine égyptienne forment le plus gros contingent de cette vague, et que la plupart se sont installés à Montréal, il faut souligner qu'une majorité de ces Égyptiens étaient eux-mêmes des chrétiens d'origine syro-libanaise, issus d'un groupe immigré en Égypte à la fin du XIXe siècle. Plusieurs autres groupes originaires d'Égypte constituent cette deuxième vague migratoire : des coptes (les chrétiens autochtones d'Égypte), des musulmans (surtout des classes privilégiées, ayant pris peur de la montée du nassérisme) et enfin, en moindre nombre, quelques juifs égyptiens ainsi que des membres de cette Égypte cosmopolite ouverte sur l'Europe : Arméniens, Grecs, Juifs d'origine européenne, etc. La plupart de ces personnes, toutes origines ethniques confondues, faisaient partie des classes moyennes et quelquefois de milieux aisés, et étaient des urbains.

Les immigrants originaires du Liban de cette deuxième vague, quant à eux, étaient majoritairement mais non exclusivement chrétiens. Le courant politique syrien national, d'orientation laïque, y était fortement représenté, surtout parmi les Libanais de confession grecque-orthodoxe et parmi les musulmans libanais, qu'ils soient sunnites, chi'ites ou druzes. Cela se traduisait par la présence importante de membres de cette cohorte dans une fédération telle que la Fédération canado-arabe, dont le siège social est à Toronto, qui a vu le jour durant cette période (fin des années 1960) et au sein de laquelle militaient plusieurs immigrants originaires de pays arabes établis au Québec. Il y avait aussi, durant les années 1970, plusieurs associations libanaises qui se situaient dans la mouvance dite progressiste, qui regroupaient des Libanais de toutes confessions, mais qui ne se définissaient pas par leur groupe confessionnel. Ils se mobilisaient surtout autour d'enjeux internationaux (la question palestinienne, par exemple) et d'enjeux propres à la politique libanaise. Les Libanais maronites (catholiques) ont eu moins tendance à endosser ce courant politique et ils revendiquaient une spécificité libanaise par opposition à une appartenance arabe. Les questions d'intégration ou de lutte aux discriminations ne préoccupaient pas beaucoup ces associations, car le marché de l'emploi était alors favorable, et peu de demandes d'accommodements étaient évoquées.

Ces groupes étaient généralement d'orientation laïque, et ceux qui étaient religieux pratiquaient la religion dans l'espace privé et dans un esprit fort différent de celui qui prévaut depuis la montée de l'islam conservateur dans les 20 dernières années.

Dans son texte écrit pour l'*Encyclopédie canadienne des groupes ethniques,* Baha Abu-Laban considère que la « deuxième vague » de l'immigration arabe s'étend de 1945 à 1992. Mais il y a lieu de considérer que la période d'après 1975 diffère sensiblement de celle d'avant 1975, ce qui nous amène à parler de la troisième vague, et cela pour plusieurs raisons. D'abord, le profil sociodémographique des nouveaux arrivants s'est diversifié à plusieurs égards à partir de 1975. Il inclut de plus en plus des personnes qui n'ont pas été socialisées en français ou en anglais, contrairement aux groupes égyptiens et libanais arrivés dans les décennies 1960 et 1970, qui étaient souvent trilingues (arabe-français-anglais) à leur arrivée, ou du moins bilingues (arabe et français ou arabe et anglais). La guerre des milices au Liban, qui a duré une quinzaine d'années, et la facilitation des procédures d'immigration, notamment le « Programme libanais », ont permis à de nombreux Libanais qui désiraient fuir la guerre de s'installer au Canada. Des individus et des groupes en provenance du sud du Liban, majoritairement musulmans chi'ites, ont commencé aussi à émigrer au Québec, ce qui a permis de constituer à Montréal, à Toronto et ailleurs au Canada de nouvelles associations, surtout religieuses, qui les regroupaient, et ces groupes ont commencé à avoir une présence plus marquée sur la scène associative. De plus, les pays d'origine ne se limitent plus à l'Égypte et au Liban. Ils incluent désormais les autres pays du Levant (Irak, Jordanie, Syrie, Palestine), ainsi que des pays pétroliers de la péninsule arabe, et le pourcentage d'immigrants en provenance de la Tunisie et du Maroc a également augmenté.

Une partie importante des personnes dont le « dernier pays de résidence » (catégorie utilisée dans les statistiques officielles) était un pays pétrolier de la péninsule arabe (Koweït, Émirats arabes unis, par exemple) étaient elles-mêmes originaires d'autres pays (Palestine, Égypte, Liban, Syrie, Jordanie et Irak). Ces personnes travaillaient dans les pays pétroliers avec un statut temporaire, même si elles y étaient depuis 30 ans, comme c'était le cas de nombreux Palestiniens. La guerre entre l'Irak et l'Iran (1980-1988) les avait inquiétés, les poussant à considérer la solution migratoire vers le Canada. À la suite de l'invasion du Koweït par l'Irak en 1990 et de ses conséquences, la plupart des Palestiniens du Koweït furent simplement expulsés, et certains d'entre eux immigrèrent au Canada et atterrirent au Québec. Ces immigrants étaient surtout anglophones. De plus, les catégories « réfugiés » et « immigrants investisseurs » se retrouvent en proportion plus importante dans cette troisième vague. Et, dernier facteur non négligeable, cette dernière vague reflétait plus que les précédentes le paysage politique émergent dans la région arabe, celui de l'islam comme facteur politique et comme pôle identitaire se superposant aux identités nationales, et quelquefois se posant comme voie alternative à ces identités nationales. Ce facteur aura un impact important sur la vie associative au Canada et au Québec et sur les revendications émanant de ces groupes, surtout en ce qui a trait aux demandes d'accommodements raisonnables à motif religieux.

En 1992, le nombre de personnes d'origine arabe immigrées au Canada se chiffrait à 215 331, dont 93 % étaient arrivées entre 1962 et 1992 (Abu-Laban, 1999). En tenant compte de l'accroissement naturel, Abu-Laban arrive, dans ce même ouvrage, au chiffre de 275 000 à 300 000 personnes d'origine arabe au Canada en 1996.

Dans les années 1990, une quatrième vague amène au Québec un grand nombre de Maghrébins : des Algériens surtout, fuyant la violence politique dans leur pays, ainsi que des Tunisiens et des Marocains, ces trois groupes étant avant tout francophones. Le dernier recensement canadien, celui de 2006, donne le nombre de 504 355 personnes vivant au Canada qui ont des origines arabes. De ce nombre, 316 610 ont des origines arabes uniques (par exemple deux parents égyptiens) et 187 725 ont des origines multiples, dont au moins une origine est arabe (par exemple un parent arabe et un parent québécois, ou un parent syrien et un parent égyptien). Nous n'avons pas compté les individus qui se sont définis comme assyriens ou comme berbères, car ils ne se considèrent pas comme arabes même si leur pays d'origine est un pays arabe (<www12.statcan.ca/english/census06/data/highlights/ethnic/>, consulté le 23 janvier 2009).

Cette quatrième vague se distingue des autres sous plusieurs aspects. La majorité des immigrants en provenance des pays arabes sont désormais musulmans et ils viennent de groupes majoritaires dans leur pays d'origine, contrairement aux vagues précédentes. Et, de plus en plus, ils sont francophones ou plutôt bilingues (arabe/français), par opposition à la vague précédente d'immigrants du Proche-Orient dont une forte proportion était anglophone plutôt que francophone, même si une majorité d'entre eux étaient aussi trilingues (arabe/français/anglais) (Asal, 2003 ; Helly, 2004). Même si une large proportion d'Algériens fuient la violence (celle des groupes islamistes ou de l'État) et sont d'orientation laïque, beaucoup souscrivent à ce qu'on appelle le « renouveau islamique » et placent la religion au centre de leur identité collective. C'est au sein de cette dernière tendance que les demandes d'accommodements religieux se feront avec force. Nous ne pouvons établir laquelle de ces deux tendances est la plus forte dans ce groupe. Dernier facteur qui caractérise ce groupe, le facteur kabyle ou plus généralement berbère. D'une part, cette identité est de plus en plus revendiquée et, d'autre part, les associations algériennes lui accordent une certaine reconnaissance et élargissent leur définition de la culture d'origine pour inclure l'identité et la culture kabyles.

Être arabe
Le contexte géopolitique dans les pays d'origine et son importance pour les mobilisations en situation de migration

L'étude des groupes originaires de pays arabes et établis au Québec et au Canada soulève certaines questions méthodologiques spécifiques. Nous avons déjà souligné le fait que le terme « arabe » est problématique. Ses significations varient en fonction des contextes d'énonciation, et certains immigrants originaires de pays arabes ne se définissent pas comme arabes. Les observateurs extérieurs ne les classent pas tous comme arabes eux non plus, et les deux systèmes de classement ne coïncident pas. Il faudra donc définir clairement qui est inclus et qui ne l'est pas quand on parle des « communautés arabes » ou des « communautés issues de l'immigration arabe ».

Par ailleurs, nous voulons insister sur la nécessité de comprendre les grands paramètres et les enjeux sociaux et politiques de l'identité *dans les sociétés arabes d'origine* ainsi que les dynamiques complexes qui structurent les rapports entre majorités et minorités dans ces sociétés. En effet, certains positionnements politiques, certaines revendications, dans le contexte canadien et québécois, des associations qui regroupent des immigrants originaires des pays arabes ne se comprennent qu'en les replaçant dans le contexte de ces rapports dans les sociétés d'origine. La migration arabe est relativement récente, les liens transnationaux avec les pays d'origine sont relativement vivaces, et ils sont renforcés par les nouvelles technologies de l'information qui permettent à des personnes d'être branchées en temps réel sur ce qui se passe là-bas. Cette préoccupation méthodologique est sans doute sous-estimée dans la majorité des études sur les Arabes et les musulmans, mais nous tenterons de montrer son bien-fondé en illustrant sa capacité d'éclairer certains enjeux locaux.

Ces éléments caractéristiques des sociétés arabes sont fondamentaux pour comprendre et analyser les modes de mobilisation dans les milieux associatifs arabes du Québec, les priorités que les associations donnent à l'action politique et les alliances qui se tissent entre elles, de même que les visions qui orientent et soutiennent le regroupement identitaire. Bien que les personnes originaires du monde arabe s'identifient souvent sur des bases nationales (p. ex. : Je suis Marocain, Irakienne, etc.), il reste que la vie associative se structure bien plus autour des identités confessionnelles et communautaires que des identités nationales d'origine. Cela peut être démontré empiriquement : les associations religieuses, par exemple, sont plus vigoureuses, et elles ont bien plus de moyens que les associations de type national, surtout en ce qui concerne les associations regroupant des immigrants originaires du Proche-Orient. Cela signifie que les réseaux sociaux se construisent plus aisément et plus fréquemment autour d'une identité confessionnelle (par exemple, parmi les chrétiens, les melkites, maronites, coptes...) qu'autour de l'identité nationale du pays d'origine. Mais cette dernière affirmation est moins vraie pour les immigrants originaires du Maghreb. En effet, il n'existe pas de grandes divisions religieuses à l'intérieur des sociétés maghrébines, sauf pour les juifs marocains qui, pour la plupart, n'endossent pas l'arabité politique.

Définition : à quoi renvoie le terme « arabe »

Les Arabes ne forment pas un groupe ethnique : ils constituent un groupe linguistique qui a une histoire et une culture plus ou moins communes. L'islam[1], comme religion et comme civilisation, est un élément important de leur culture (Rodinson, 1979). Et l'arabité reste avant tout un projet politique, plus ou moins endossé par les peuples de culture arabe.

L'usage du terme « arabe » (comme nom ou comme adjectif) pour désigner l'identité des individus et des groupes est donc problématique, car ce terme renvoie à des réalités différentes en fonction de la perspective adoptée (ethnoculturelle ou politique) et des choix opérés par les personnes ou les groupes désignés. Le rapport à l'arabité varie dans le temps, en fonction des situations particulières. Il convient donc de clarifier les divers sens du terme « arabe » avant de décrire les groupes que nous classons comme arabes.

La mesure la plus objective du terme est l'appartenance à l'un des 22 pays membres de la Ligue arabe (fondée en 1945), et qui forment un ensemble géopolitique plus ou moins cohérent. Le terme « **pays arabes** » désignera donc ces 22 pays, le terme « **sociétés arabes** » désignera les sociétés de ces 22 pays et le terme « **les Arabes** », sans autre précision, désignera l'ensemble des peuples de ces pays, la connotation du terme étant plus politique que culturelle ou ethnique. Le projet politique du nationalisme arabe est mené avec plus ou moins de conviction par les États arabes, et les interactions entre les sociétés arabes se font sur une base régionale à l'intérieur du monde arabe, plutôt qu'à l'échelle de toute la région arabe. Mais ce projet a une base culturelle et historique objective, et il a des résonances profondes dans ces sociétés, car ces pays sont tous de langue arabe (avec des minorités linguistiques et confessionnelles dont nous parlerons plus loin) et ils ont tous été en interaction étroite mais variable pendant des siècles. Les interactions économiques restent généralement plus fortes entre chacun des pays arabes pris individuellement et les pays occidentaux qu'entre les divers pays arabes. Durant de longues périodes leurs destinées étaient tributaires des mêmes processus historiques,

1. Nous nous conformerons à la coutume qui consiste à écrire Islam (avec une majuscule) quand on parle de la civilisation, et islam (avec une minuscule) quand on parle de la religion.

en particulier durant les deux derniers siècles. La Somalie, qui fait partie de la Ligue arabe, est quelque peu périphérique dans le système arabe ; on y parle d'ailleurs plusieurs autres langues que l'arabe. Les groupes somaliens immigrés au Québec et au Canada ne sont pas en lien avec les autres associations arabes et nous ne les prendrons pas en considération ici. Cela est aussi vrai de la Mauritanie (Antonius, 1993 ; Ibrahim, 1996 ; Chabry et Chabry, 2001).

Le terme « **communautés arabes** » désignera les divers groupes issus de l'immigration en provenance des pays arabes, dont la langue d'origine était l'arabe, étant entendu que le terme « communauté » est pris ici dans un sens faible. Cette deuxième condition concernant la langue d'origine est nécessaire, car les pays arabes abritaient des minorités immigrées d'ailleurs : les Grecs d'Égypte, par exemple, ne seront pas inclus dans le terme « communautés arabes ».

Le terme « **associations arabes** » désignera celles qui assument et affichent la dimension arabe de leur identité culturelle et politique.

Le facteur identitaire et son impact sur les revendications des associations arabo-musulmanes au Canada et au Québec

La capacité de mobilisation identitaire des groupes arabes et musulmans au Canada est importante pour notre analyse à cause de son impact potentiel sur deux grands enjeux qui font l'objet de revendications : la politique étrangère du pays, d'une part, et les politiques d'insertion et d'intégration, qui incluent la politique des accommodements, d'autre part. Même la critique des politiques sécuritaires est affectée par les clivages identitaires, comme nous le verrons plus loin.

Or il n'y a pas de consensus, parmi les groupes originaires du monde arabe, sur ce que devrait être la politique étrangère canadienne, pas plus que sur les questions d'intégration et d'accommodements. Les clivages qu'il y a sur ces deux questions coïncident, *grosso modo*, avec les clivages identitaires qui divisent ces groupes et, dans une moindre mesure avec les tendances idéologiques à l'intérieur de ces groupes. Car ces dernières ne se traduisent pas par des associations qui les représentent. Ce sont les associations confessionnelles ou ethno-religieuses qui sont les plus vigoureuses et les plus visibles. Il y a peu d'associations musulmanes, par exemple, qui prennent publiquement position contre les demandes d'accommodements en provenance des tendances conservatrices, même si beaucoup d'individus qui se définissent comme « sociologiquement » musulmans sont absolument contre certains accommodements de nature religieuse. Les immigrants d'origine arabe qui se reconnaissent dans l'identité arabe auront tendance à se reconnaître aussi dans les demandes de la Fédération canado-arabe, par exemple, en ce qui concerne la politique canadienne à l'égard de la Palestine, alors qu'une proportion importante des associations représentant les minorités chrétiennes du monde arabe auront tendance à être indifférentes, et quelquefois hostiles, à de telles demandes (mis à part les chrétiens palestiniens qui ont joué un rôle fondamental dans le mouvement national palestinien, laïque et panarabe). Ces mêmes minorités chrétiennes auront tendance à être hostiles aux demandes d'accommodements en provenance de la mouvance islamique conservatrice, et pourraient même appuyer le discours sécuritaire qui oriente la politique canadienne. Dans certains cas, la peur de la mouvance islamiste qu'on trouve dans ces groupes, peur qui s'explique par les discriminations très réelles vécues par ces minorités dans les pays d'origine, donne lieu à des attitudes hostiles à l'égard de l'islam en général et pas seulement vis-à-vis de la mouvance islamiste. Par exemple, certains tracts alarmistes islamophobes qui circulent dans les milieux de droite nord-américains ou européens se retrouvent sur les listes d'envoi des groupes de défense des droits des chrétiens originaires du monde arabe, ainsi que sur les listes d'envoi privées de beaucoup d'individus. Rappelons l'exception de la communauté grecque orthodoxe, originaire du Liban et de la Syrie, qui a une longue tradition politique de nationalisme arabe. Il faut aussi noter que de nombreux chrétiens arabes militent au sein d'associations qui se disent arabes, et sont très critiques du discours sécuritaire ainsi que de la politique étrangère canadienne. Mais ces prises de position vont généralement à l'encontre des positions dominantes dans les groupes confessionnels chrétiens. Ces remarques sur l'absence de consensus nous permettront de comprendre pourquoi les revendications de divers groupes peuvent quelquefois être ignorées par les autorités gouvernementales.

Un exemple permet d'illustrer cette situation. En 2007, des étudiants de la prestigieuse Osgoode Law School de Toronto, dont certains étaient musulmans, ont demandé au magazine *Maclean* le droit de réplique à des propos incendiaires du journaliste Marc Steyn, propos qu'ils jugeaient islamophobes. Devant le refus du magazine de publier une réponse, ils se sont adressés à la Commission ontarienne des droits de la personne, qui a déclaré qu'elle n'avait pas d'autorité sur des textes d'analyse, mais qu'elle trouvait les propos du journaliste alarmants et islamophobes. Le ministre conservateur Jason Kenney, approché par les étudiants, a refusé de les appuyer et leur a répondu de façon cavalière et insultante. Parallèlement, il était invité et applaudi chaleureusement lors de l'inauguration à Montréal de la cathédrale Saint-Sauveur (melkites arabophones du Proche-Orient), ce qui démontre que son attitude hostile aux demandes des musulmans n'interfère pas avec ses bonnes relations auprès des groupes arabes chrétiens du Proche-Orient.

Les trois niveaux d'identité

Trois niveaux d'identité sont à l'œuvre dans les sociétés arabes, et ils sont mobilisés différemment en fonction du contexte : le niveau supranational, qui permet une identification soit arabe, soit islamique pour la majorité des ressortissants des pays arabes (sans oublier une identification cosmopolite, globalisée, pour une petite minorité) ; le niveau national, qui fait qu'on se considère comme étant citoyen de l'un ou l'autre des 22 pays arabes ; et enfin le niveau infranational, où des appartenances de type ethnique, linguistique, confessionnel peuvent devenir l'élément central de l'identité, appartenances qui affectent les relations entre groupes et entre personnes. Ces trois niveaux forment un registre identitaire qui offre des choix de combinaisons multiples. Chaque positionnement de type identitaire fait intervenir les trois niveaux, ainsi qu'une priorité de l'un ou de l'autre, en fonction du contexte. Cette priorité d'un niveau par rapport aux autres devient un enjeu social et politique : va-t-on faire des choix en tant qu'Arabe ou en tant qu'Égyptien dans un contexte donné ? En tant qu'Égyptien, ou en tant que membre de tel ou tel groupe confessionnel ? Quelles sont les conséquences de chacun de ces choix ?

Au niveau supranational, l'identité arabe est tiraillée entre, d'une part, un courant nationaliste arabe d'orientation plus ou moins laïque, qui a été dominant immédiatement après les indépendances (décennies 1950 et 1960) et, d'autre part, un courant islamique qui privilégie, pour les sociétés arabes, l'appartenance à l'Islam comme culture, comme civilisation et comme cadre d'action politique. Ce courant *islamique* est accompagné par un courant *islamiste* qui cherche à redéfinir l'identité culturelle des sociétés arabes essentiellement par la religion de leurs majorités, l'islam, au détriment des droits des minorités. La tendance dominante parmi les courants islamistes est celle du conservatisme religieux plutôt rigide, en rupture avec les cultures islamiques locales dans les pays arabes, généralement souples et accommodantes. Ce dernier courant est clairement dominant à présent au niveau des sociétés civiles, et son impact se fait sentir en contexte de migration. Mais un troisième courant existe aussi, qui est fortement représenté en contexte migratoire et qui se manifeste surtout sur le plan de la culture : c'est le courant cosmopolite, dont les ressortissants mettent en avant une culture universelle, qui transcende les appartenances religieuses ou nationales.

Les liens entre les ressortissants des divers pays arabes sont d'abord d'ordre culturel (touchant surtout la culture savante), et ils partagent aussi des référents historiques communs. L'histoire récente de la décolonisation, et puis, en particulier, celle de la recolonisation de la Palestine ont des résonances émotives communes. Les différences entre les orientations politiques des divers pays se traduisent, au Canada et au Québec, par une coopération difficile entre les associations de citoyens en provenance de ces pays, un constat que la dynamique associative démontre clairement. Une observation, même rapide, entre les journaux communautaires maghrébins et ceux du Machreq (Proche-Orient) révèle, par exemple, une disjonction entre les annonceurs (commerces ainsi que professionnels) des deux ensembles de journaux, un constat qu'il serait intéressant de démontrer par des études quantitatives.

Quant au niveau infranational, nous avons dit plus haut qu'à l'intérieur des pays arabes il existe trois types de minorités : des minorités linguistiques, des minorités ethniques et des minorités confessionnelles (chrétiennes, juives, ou minorités musulmanes par rapport au groupe majoritaire, qui se rattache à l'islam sunnite) (Esman et Rabinovich, 1988 ; Ibrahim, 1996). La vie associative en situation de migration tourne beaucoup plus autour de ces regroupements identitaires infra-étatiques qu'autour des regroupements nationaux liés au pays d'origine. L'appartenance à l'une ou l'autre de ces minorités a un lien direct avec les prises de position des individus et des associations qui les regroupent en contexte canadien et québécois. Il est donc utile de faire un bref rappel de la situation des minorités dans le monde arabe.

Les minorités dans le monde arabe

Une proportion importante des citoyens d'origine arabe qui vivent au Québec, peut-être même la majorité des personnes venant du monde arabe, surtout parmi les deux premières vagues d'immigration, est constituée de groupes qui étaient minoritaires dans leur pays d'origine (généralement des chrétiens, mais aussi des druzes et des chi'ites, ainsi que des Libanais de confession juive). Même au Liban où les communautés chrétiennes libanaises formaient globalement plus de 50 % de la population[2], aucune communauté ne se sentait majoritaire, car les processus politiques et les mobilisations se faisaient sur des bases confessionnelles plus étroites, celles du groupe confessionnel (maronite, melkite, etc.) plutôt que du groupe religieux comme tel (par exemple, l'ensemble des chrétiens). De plus, ces groupes se sentaient minoritaires à l'échelle de l'ensemble arabe. Ce fait a un impact important sur la vie associative en situation de migration et sur les revendications portées par ces groupes.

L'adhésion des membres de ces minorités au projet politique arabe qui a été élaboré durant les deux derniers siècles, et surtout durant l'ère des indépendances, après 1945, a été variable. Aujourd'hui, une proportion non négligeable des minorités chrétiennes originaires de pays arabes ne se considèrent pas comme arabes, et certains considèrent l'arabité comme une identité politique

---

2. Sur la base du dénombrement fait en 1932, aucun autre recensement n'ayant été fait au Liban depuis cette date. Il n'existe donc pas de statistiques démographiques rigoureuses permettant d'établir le poids relatif des diverses communautés confessionnelles.

et culturelle qui leur a été assignée d'autorité et qu'ils n'ont pas choisie[3]. Dans ce cas, c'est souvent l'identité ethnique ou confessionnelle qui sera avancée comme base de l'action associative, en opposition à l'identité arabe. Les immigrants issus de ces groupes seront réticents à endosser les revendications portées par les associations d'orientation nationaliste arabe, et ils le seront encore plus pour les revendications portées par les associations islamiques.

En effet, les minorités confessionnelles non musulmanes ont été les premières à émigrer dans la période contemporaine, et surtout depuis l'ère des indépendances, et la plupart de leurs associations sont réticentes à se définir comme arabes. Elles ont en effet vécu et vivent divers degrés de discrimination dans leur société d'origine, et ce fait explique un certain nombre de prises de position politiques qui ont un impact direct sur la dynamique associative. L'expérience de la discrimination vécue par des minorités chrétiennes dans leur pays d'origine explique la virulence des propos que nous ont tenus, dans une recherche apparentée, des citoyens chrétiens originaires de pays arabes, contre l'islam politique et contre les revendications de certains groupes musulmans ici (Oueslati, Labelle et Antonius, 2006). C'est le cas, par exemple, des Libanais chrétiens, des Coptes, des Égyptiens d'origine syro-libanaise, des Druzes du Liban, etc.

Tous ces groupes se considéraient comme minoritaires et certains d'entre eux se sentaient notamment menacés simultanément par le nationalisme arabe et par l'islamisme politique naissant, même dans ses formes non violentes. C'est d'ailleurs pourquoi beaucoup d'entre eux ont décidé de quitter leur pays d'origine. Il est fondamental de prendre en considération cet élément dans l'analyse des groupes arabo-musulmans, parce qu'il explique en partie pourquoi ils éprouvent parfois des difficultés à travailler ensemble et pourquoi les mobilisations se font bien plus sur des bases culturelles et religieuses que sur des bases citoyennes au sens politique du terme. Ces « communautés » sont peu susceptibles d'endosser les demandes d'accommodements religieux, par exemple, et auront tendance à y voir l'effet de l'islamisme qu'elles ont fui et qui les rattrape en pays d'immigration. Cela est illustré par le fait que durant les audiences de la commission Bouchard-Taylor, à l'automne 2007, on a pu voir des affrontements verbaux entre des Arabes chrétiens et des musulmans.

Mais des nuances importantes sont à apporter. S'il est peu probable que les associations coptes originaires d'Égypte ou maronites originaires du Liban se joignent à des coalitions ou des fédérations arabes, les associations de la

3. Cette opinion est formulée de façon assez vigoureuse par certaines associations berbères originaires d'Algérie, ainsi que par certaines associations coptes, maronites ou chaldéennes, par exemple.

communauté grecque-orthodoxe[4], originaire du Liban, ont été au contraire parmi les premières à se positionner en appui aux revendications nationales arabes, et en particulier en appui aux droits nationaux des Palestiniens. La communauté melkite (ou grecque-catholique), cependant, est très minoritaire dans tous les pays du Proche-Orient, y compris au Liban où sa sœur jumelle, la communauté grecque-orthodoxe, est bien plus nombreuse. Cette situation explique peut-être le fait que les membres de cette communauté ont eu tendance à éviter l'activisme politique. Cette différence est très perceptible dans les prises de position des associations de ces communautés au Québec et au Canada. À Montréal, jusqu'au début des années 1970, ce sont ces communautés qui étaient les plus visibles et qui constituaient les interlocuteurs des gouvernements fédéral et provincial en ce qui concerne les immigrants d'origine arabe, qu'on désignait alors comme les « communautés du Proche-Orient ». L'identification arabe était considérée comme portant un message politique que ces communautés, dans leur grande majorité, n'endossaient pas.

Au-delà de la dimension identitaire, le statut de minorité est en lien avec le rapport qu'entretiennent ces groupes avec les gouvernements et avec l'activité politique. On retrouve, chez les minorités du Proche-Orient, une culture politique qui est héritière du système ottoman des *millet*: les minorités confessionnelles avaient toutes les libertés en matière sociale et économique, mais il ne fallait pas qu'elles s'engagent dans des activités politiques, car cela pouvait les amener à critiquer ou même à contester le pouvoir. Cette culture politique ne se retrouve pas parmi les groupes majoritaires du Maghreb. Est-ce ce facteur qui explique que les individus issus de ces groupes ont été plus nombreux à se présenter comme candidats aux élections provinciales de 2006, et plus rapidement après leur immigration ?

Rappelons cependant que nous parlons de tendances générales, que de nombreux individus ne sont pas prisonniers de cette logique identitaire et que leur action politique se fait sur des bases idéologiques et politiques, et non pas sur la base d'identités confessionnelles ou religieuses. Même sur le plan associatif, certaines associations importantes échappent à cette logique et elles regroupent des individus de confessions diverses : par exemple la Fédération canado-arabe, le Festival du monde arabe et l'Association des femmes arabes, association essentiellement sociale et culturelle qui n'a pas été interviewée dans le cadre de cette étude.

---

4. Le mot « grecque » renvoie à l'origine religieuse de cette communauté chrétienne, qui relevait de Byzance et non pas de Rome, et pas à la signification ethnique du mot. L'origine byzantine est aussi valable pour la communauté grecque-catholique, appelée aussi communauté melkite. La séparation entre les deux communautés fut consommée en 1724. Comme pour plusieurs communautés religieuses au Proche-Orient, l'identité confessionnelle s'est transformée au cours des siècles et « fonctionne » comme une identité ethnique.

La dissociation entre une culture folklorisée et l'identité politique

L'une des caractéristiques de l'identité arabe contemporaine en situation de migration, c'est la désarticulation entre ses dimensions culturelle et politique, phénomène qui concerne surtout les communautés proche-orientales qui étaient minoritaires dans leur pays d'origine. Cela est aussi vrai, en partie, pour la communauté juive marocaine, dans son rapport avec la culture arabe, mais non pas dans ses liens politiques avec Israël. Quand cette dissociation a lieu, la culture aura tendance à être réduite à son aspect folklorique et quelquefois artistique, mais elle sera amputée de ses dimensions sociales et politiques. Ainsi, on a vu des Libanais maronites qui connaissent par cœur les chefs-d'œuvre de la poésie ou de la musique arabes contemporaines dire dans une langue arabe d'une grande pureté – leur langue maternelle – qu'ils ne sont pas arabes, mais phéniciens. Et ceux qui comprennent la langue arabe ne manqueront pas d'être émus, durant les messes de rite maronite (catholique), par la beauté des psaumes chantés en langue arabe. Mais, quelquefois, cette messe sera aussi une occasion de regroupement de tendances politiques (aujourd'hui minoritaires parmi les chrétiens libanais) qui contesteront avec virulence l'appartenance du Liban à la nation arabe, lui préférant une identité phénicienne plutôt mythique. Et plusieurs de ceux et celles qui travaillent à mettre sur pied des activités culturelles se rapportant à la culture arabe (musique, théâtre, etc.) refuseront obstinément que les associations dans lesquelles ces activités ont lieu prennent position sur des questions de politique internationale, ou deviennent membres de la Fédération canado-arabe, par exemple. Cela est vrai, en particulier, des associations qui regroupent les Québécois égyptiens d'origine syro-libanaise. Des troupes de musique arabe andalouse de haut niveau ont comme participants et animateurs des juifs marocains qui sont très fiers de cet héritage culturel, mais qui ne s'identifient pas comme arabes, mais bien comme juifs originaires du Maroc ou comme juifs sépharades. Et ils auront tendance à prendre des positions politiques qui se situent à contre-courant de l'ensemble des tendances politiques arabes, notamment sur les questions de politique internationale, telles que sur la question des droits revendiqués par les Palestiniens, sur la prétendue « guerre au terrorisme », sur la question irakienne, etc.

À cette tendance s'oppose un autre courant, qui inscrit dans l'activité culturelle des interrogations profondes sur la société arabe, ou sur les groupes arabes en situation de migration. Pour ce dernier courant, la culture est fortement ancrée dans l'expérience sociale et politique. Cette tendance est représentée plus par des personnes, comme Naïm Kattan, Wajdi Mouawad et d'autres, que par des associations. Mais il y a des exceptions, surtout dans la mouvance des partis nationalistes libanais, qui ont mis sur pied des associations culturelles dont les activités ont eu tendance à fluctuer en fonction de la situation politique au Liban, étant ravivées dans les moments où les tendances nationalistes avaient le vent dans les voiles, et se faisant plus discrètes dans les moments de recul.

Le Festival du monde arabe, pour sa part, tient une place unique dans ce portrait. Il a su se positionner à contre-courant des tendances conservatrices, et a réussi le pari d'organiser un événement de grande envergure et rassembleur, année après année. Le Festival valorise une culture arabe libérale, non conventionnelle (pour ne pas dire iconoclaste) et dans une certaine mesure politisée. Son existence témoigne du fait que les courants « cosmopolites » (voir plus bas) et modernisants, qui font une synthèse sereine de l'identité arabe et de la modernité, sont bien vivants tant à Montréal qu'à l'échelle du monde arabe, et qu'ils constituent une alternative laïque viable, opposée aux courants fondamentalistes.

À partir des considérations précédentes, nous pouvons énumérer ainsi les aspects relatifs à l'identité dans les sociétés arabes, qui se répercutent de façon majeure sur les modes de mobilisation en situation de migration :

1. La *structure communautaire et confessionnelle* des sociétés du Proche-Orient et, dans une moindre mesure, des sociétés d'Afrique du Nord, où ce facteur est moins important. Les liens communautaires et les identités confessionnelles prennent, dans les sociétés arabes, davantage d'importance que les identités nationales historiques (Besson, 1991 ; Lewis, 1999).
2. L'*origine minoritaire ou majoritaire des immigrants* qui viennent du monde arabe.
3. *La faiblesse des traditions associatives*, qui ne se sont pas institutionnalisées, et qui restent tributaires de la personnalité charismatique du chef. Cette faiblesse se reflète dans plusieurs associations, mais à des degrés divers. Une des plus grandes fédérations d'associations islamiques du Canada avait, au moment d'écrire ces lignes, le même président depuis plus de 16 ans.
4. *L'étroite mixité de l'arabité et de l'islam dans la problématique de l'identité arabe.* Il n'est pas toujours aisé de départager ce qui relève de l'un ou de l'autre dans les interactions sociales entre individus. En effet, tant dans les situations de discrimination (un individu se fait dire qu'un logement est déjà loué alors qu'il ne l'est pas) que dans les situations de solidarité (un marchand accueille particulièrement bien et fait un prix à un client duquel il se sent proche culturellement), on ne peut pas vraiment dire si c'est l'identité arabe ou musulmane qui explique les comportements, d'autant plus que les situations de quiproquos sont fréquentes.

Nous ferons référence à ces distinctions quand il s'agira de décrire les associations que nous avons interviewées et d'expliquer la composition de notre échantillon.

LES ASSOCIATIONS ARABO-MUSULMANES

DESCRIPTION, POSITIONNEMENT

Les associations fondées par les immigrants originaires des pays arabes reflètent les tensions et les divisions sociales et politiques que l'on trouve dans les sociétés d'origine et que nous avons exposées plus haut. Plusieurs critères peuvent être invoqués pour classer ces associations et pour les décrire. Du point de vue de la référence identitaire de l'association, on peut mentionner la référence religieuse ou pas de l'association, son membership restreint à une minorité confessionnelle particulière ou à des groupes plus larges et son statut de fédération ou de regroupement de membres individuels. Du point de vue de l'orientation de l'action, certaines associations ont un objectif principal de représentation et de plaidoyer, alors que d'autres visent surtout à organiser des activités communautaires, sociales ou religieuses.

Les associations retenues dans cette étude

Un échantillon de dix associations arabo-musulmanes a été retenu pour cette étude. Parmi ces associations, quatre agissent à un niveau pancanadien. Il s'agit de la Fédération canado-arabe (CAF)[5], du Canadian Islamic Congress[6], du Conseil national des relations canado-arabes et du Canadian Council on American-Islamic Relations (CAIR-CAN). Quatre associations sont situées à Montréal : le Centre culturel algérien (CCA), Présence musulmane Canada[7], le Muslim Council of Montreal (MCM) et le Forum musulman canadien (FMC). Deux sont situées à Québec : le Carrefour culturel Sésame de Québec (ou Sésame) et le Centre culturel islamique de Québec (CCIQ). Nous allons les présenter brièvement.

5. Le logo de la Fédération présente le sigle anglais. Celui-ci est donc utilisé ici, puisque les gens et les documents y font référence communément en parlant de la CAF et non de la FCA (qui serait l'équivalent français).
6. Nous utilisons généralement des sigles afin d'alléger le texte, sauf pour le Canadian Islamic Congress qui partage le même acronyme que Citoyenneté et Immigration Canada. Pour éviter toute confusion, l'acronyme CIC dans ce texte fait toujours référence au ministère du gouvernement fédéral.
7. Présence musulmane Canada a établi une représentation à Ottawa. Toutefois, la documentation et l'entrevue ne font pas référence à cette présence. Les réseaux sont établis avec des groupes ou des institutions situés à Montréal. Cela explique pourquoi le collectif Présence musulmane est vu ici comme étant un organisme qui agit surtout sur la scène montréalaise.

La Fédération canado-arabe (CAF)

Fondée en 1967, la Fédération canado-arabe s'est donné pour mandat d'« identifier, d'articuler, de défendre et de veiller par d'autres moyens aux intérêts de la communauté arabo-canadienne ». Elle souhaite contribuer à donner aux Canadiens d'origine arabe (*Arab-Canadians*) les moyens d'agir (*empower*) et de s'intégrer dans la société canadienne, en plus de leur donner une voix dans les affaires publiques. Ces objectifs sont mis en œuvre en maintenant des liens avec les médias, avec les trois ordres de gouvernement ainsi qu'avec des institutions nationales et avec les ONG-parapluie. La CAF entend jouer un rôle dans la lutte au racisme, aux stéréotypes et aux discours et crimes haineux.

La CAF comprend une quarantaine d'organisations membres (son site en mentionnait 32 en avril 2008), dont certaines comptent des centaines de membres individuels. Elles sont situées de Vancouver aux Provinces atlantiques, mais la participation des organisations du Québec est plutôt limitée, même si des individus résidant au Québec ont joué un rôle majeur dans l'histoire de l'association. Environ un tiers de ces associations se définissent par le pays d'origine (Yémen, Maroc, Égypte, Palestine, Irak, Syrie, Liban) ; quelques-unes (moins d'une dizaine) se décrivent par une affiliation confessionnelle, en particulier islamique ou druze. D'autres se définissent comme arabes. Même si de nombreuses personnes parmi les leaders de l'association sont issues de communautés arabes chrétiennes, il n'y a pas d'associations chrétiennes parmi les associations membres, mais on y trouve plusieurs associations islamiques. Enfin, plusieurs associations membres sont des groupes de solidarité ou de défense des droits, et quelques associations membres ont une mission culturelle (un orchestre de musique arabe, par exemple).

La Fédération reste donc l'association arabe la plus représentative à l'échelle canadienne, ainsi que celle qui a le discours le plus articulé en faveur d'une participation citoyenne et l'action la plus stable au fil des ans. En dépit de quelques succès ponctuels, elle n'a jamais pu percer au Québec et devenir une véritable force qui serait en interaction continue avec les trois ordres de gouvernement, comme elle l'est en Ontario : la présence d'associations basées au Québec a fluctué au gré du leadership de la Fédération, et de sa capacité de fonctionner en français. Mais elle reste l'expression la plus forte et la plus cohérente de l'action associative arabe au Canada. Elle concentre son action sur le travail de lobbying et de représentation politique, et semble avoir plus de succès sur les questions de multiculturalisme et de citoyenneté (sauf les questions de sécurité) que sur les questions de politique étrangère. Elle coordonne certaines activités avec le Centre communautaire arabe de Toronto pour le travail social et communautaire à la base, et maintient des liens avec des ONG de défense des droits.

Le Canadian Islamic Congress

Le Canadian Islamic Congress est une coalition d'associations islamiques vouées «à la promotion, à l'avancement, à la coordination, à la facilitation, à la démonstration et la mise en œuvre des enseignements et des pratiques de l'islam parmi les musulmans et les non-musulmans, au Canada et à l'étranger[8]». Il y a au moins une trentaine d'associations religieuses qui sont membres de cette fédération (la liste des membres n'est pas fournie sur le site), mais la taille de leur *membership* varie de quelques dizaines de personnes à quelques centaines.

L'objectif central du Canadian Islamic Congress est la promotion de l'islam comme religion, mais cette coalition s'investit aussi beaucoup dans des luttes politiques pour l'égalité, contre la discrimination et pour la participation politique des musulmans du Canada et du Québec, actions perçues comme contribuant à la promotion de l'islam. Durant les dernières élections fédérales, le Canadian Islamic Congress a publié un guide pour les électeurs, détaillant la façon dont les divers candidats se positionnent sur des questions d'intérêt pour l'organisme. Sur le plan identitaire, le Canadian Islamic Congress regroupe tant des musulmans arabes que des non-arabes. Il se prononce surtout sur des questions touchant l'intégration des musulmans, la discrimination qu'ils subissent et leur participation politique, mais il aborde aussi des questions touchant la politique étrangère canadienne et la politique internationale. Son président, M. Mohamed El Masri, a été au centre d'une controverse concernant des déclarations qu'il aurait faites sur le terrorisme, mais, pour le discréditer, ses accusateurs ont eu tendance à déformer ses propos et à les sortir de leur contexte.

Le Conseil national des relations canado-arabes (CNRCA)

Établi en 1985 par des gens d'affaires d'origine arabe, le Conseil national des relations canado-arabes joue à Ottawa un rôle important de liaison entre des associations arabes et l'élite politique canadienne. Il s'emploie à promouvoir de bonnes relations avec les pays arabes, à valoriser la culture arabe, à encourager la participation des communautés arabes aux processus politiques. Techniquement, ce n'est pas une association arabe, mais le Conseil coordonne ses activités avec des associations arabes ou musulmanes. Il se situe, par son *membership* et ses prises de position, dans la tendance nationaliste arabe laïque,

---

8. Notre traduction du texte anglais original : « *The Canadian Islamic Congress is committed to promote, advance, co-ordinate, facilitate, demonstrate and implement the teachings and practices of Islam amongst Muslims and Non-Muslims in Canada and abroad* » (<www.canadianislamiccongress.com>), consulté en mai 2008.

mais se porte à la défense des droits des citoyens canadiens d'origine arabe, ou de confession musulmane, ce qui l'amène à collaborer avec des associations islamiques ainsi qu'avec des associations de défense des droits de la personne. Le plus clair de son action porte sur des questions de politique internationale, pour lesquelles il tente de faire parvenir au gouvernement canadien tant des points de vue de citoyens d'origine arabe que de forces politiques actives dans les pays arabes.

Parmi son conseil d'administration et ses membres on trouve des personnes qui ne s'identifient pas comme arabes, mais qui sentent la nécessité d'améliorer les relations entre le Canada et le monde arabe. En ce sens, le CNRCA joue un rôle non négligeable, à Ottawa et dans les médias, pour faire valoir des points de vue qui sont généralement marginalisés. Sans nous pencher sur l'évaluation de l'efficacité de ce rôle, nous remarquerons simplement qu'au cours des dix dernières années la politique étrangère canadienne a évolué dans un sens contraire à celui proposé par le CNRCA et que cette association n'a pas réussi à infléchir le cours des choses en dépit de ses efforts.

Le Canadian Council on American-Islamic Relations (CAIR-CAN)

Le CAIR-CAN est à l'origine la branche canadienne du Council on American-Islamic Relations, mais il fonctionne à présent de façon autonome, en partenariat avec cette organisation. Il a des représentants à Montréal et dans les principales villes canadiennes. Son mandat principal, selon son site Web, est de favoriser la pleine participation des musulmans à la société canadienne et à ses processus décisionnels (*empowerment*) et d'informer les Canadiens au sujet de l'islam. Le CAIR-CAN est très actif dans la promotion des droits des musulmans, surtout les droits religieux, articulés et justifiés en tant que droits humains. L'interprétation dominante des obligations religieuses, dans l'organisation, est conservatrice[9]. Le CAIR-CAN fait des campagnes médiatiques et du lobbying contre l'islamophobie, pour le droit de porter des signes religieux, pour les salles de prières dans les établissements d'enseignement, et il a appuyé le projet ontarien d'arbitrage religieux fondé sur la *charia*. L'organisme dénonce les violations de droits affectant les musulmans au Canada mais aussi à l'étranger, surtout les violations résultant de la « guerre au terrorisme ». Actif dans le dossier des certificats de sécurité, il l'a également été dans l'affaire Maher Arar. Il combine donc un discours citoyen centré sur la

9. Sa directrice actuelle (2008), par exemple, porte le *hidjab* et refuse d'échanger une poignée de main avec des hommes, comme l'auteur de ces lignes l'a découvert lors d'une conférence sur l'islamophobie.

participation, l'égalité, la non-discrimination avec une conception conservatrice de l'islam, porteuse elle aussi de discriminations potentielles. Il a acquis, au cours des dernières années, une crédibilité auprès des communautés musulmanes et des institutions canadiennes et est devenu un acteur incontournable sur les droits des musulmans au Canada et dans une moindre mesure au Québec.

Le Centre culturel algérien (CCA)

Le Centre culturel algérien a été créé en 1999 à l'initiative d'un groupe de bénévoles algériens, « tous immigrants », comme le souligne son site d'entrée de jeu. « Ils ont voulu par leur expérience, contribuer à aider d'autres personnes, anciens ou nouveaux immigrants, quelque [*sic*] soit leur origine et particulièrement issus de la communauté algérienne dont les mouvements associatifs n'ont jusque-là pas eu un large succès[10] ».

En examinant les objectifs du CCA sur son site Web, on réalise que son orientation est résolument citoyenne, le Centre se voulant un organisme qui donne des services aux nouveaux arrivants, qui favorise la prise de parole par ses membres sur les questions d'intégration et qui valorise tant la promotion de la culture maghrébine auprès des autres Québécois que la promotion des cultures canadienne et québécoise dans les pays du Maghreb. Il se voit aussi et surtout comme un organisme de services et d'aide à l'intégration (insertion sur le marché de l'emploi, formation), et il participe à des activités de consultation, par exemple à la Table de concertation Maghreb au ministère de l'Immigration et des Communautés culturelles du Québec. Sur le plan identitaire, il met en avant la culture maghrébine, se montrant aussi sensible aux questions identitaires kabyles. Les fêtes religieuses sont soulignées, mais la promotion de l'islam ne fait pas partie de ses objectifs ni de ses actions. Des cours de langue arabe y sont donnés, mais c'est la seule référence à l'arabité dans ses activités. Le Centre culturel algérien est le seul organisme, parmi ceux dont les porte-parole ont été interviewés, qui se définit par référence à l'identité nationale d'un pays arabe en particulier. Il ne regroupe donc que des Algériens et des Algériennes. Les autres associations rassemblent des individus ou des groupes originaires de plusieurs pays différents.

---

10. <www.ccacanada.qc.ca>, consulté en juillet 2008.

Présence musulmane Canada

Présence musulmane Canada se définit comme « un collectif de musulman(e)s qui promeut une citoyenneté participative nourrie d'une compréhension de l'islam et d'une identité ouverte, tout en cultivant un vivre ensemble harmonieux dans notre société ». Sa raison d'être est de « Promouvoir un meilleur vivre et agir ensemble entre Québécois(es) de confession musulmane et leurs concitoyen(ne)s en favorisant : *a*) la connaissance et le respect mutuels ; *b*) la reconnaissance des valeurs universelles communes ; *c*) la contribution active, participative et créative à la société québécoise[11] ». En dépit d'un *membership* plutôt réduit, le collectif Présence musulmane est devenu, par son dynamisme et l'engagement de ses membres, une référence incontournable sur l'islam au Québec. Son colloque annuel regroupe plusieurs centaines de participants, surtout des musulmans, mais aussi des personnes et des personnalités publiques qui souhaitent le dialogue. L'invité de prestige qui a marqué ce colloque chaque année est Tariq Ramadan, dont la pensée est sans doute LA référence pour l'association. Sur le plan identitaire, l'association se définit avant tout comme islamique, et elle fonctionne surtout en français. Son orientation est citoyenne, et elle promeut la participation ouverte et citoyenne, mais ancrée dans une identité religieuse, comprise de façon assez ouverte, incluant des conceptions tant libérales que conservatrices du dogme religieux et des obligations vestimentaires. Elle est donc très critique des tendances laïques québécoises, estimant qu'une laïcité « ouverte », qui permet l'expression des identités religieuses dans l'espace public est préférable au modèle de laïcité qui est dominant au Québec.

Muslim Council of Montreal (MCM)

Le Muslim Council of Montreal est une fédération des mosquées et lieux de prière (*masallah*) musulmans à Montréal[12]. De tendance plutôt conservatrice et très pratiquante, le MCM aura tendance à appuyer fortement les demandes d'accommodements, se prononcera contre la discrimination que subissent les musulmans, mais ne s'impliquera pas beaucoup sur des questions de politique internationale. Il reste essentiellement une fédération d'associations religieuses, et il se prononce et se mobilise quand il estime que les droits religieux sont

---

11. <www.presencemusulmane.org>, consulté en avril 2008.
12. Une mosquée regroupe généralement des activités diverses, et constitue un centre de vie associative, un peu comme une paroisse, à la différence qu'on n'y trouve pas d'autorité religieuse suprême. Chaque mosquée peut nommer son imam selon ses propres critères. Une *masallah* est essentiellement une salle de prière où l'on n'offre pas des services sociaux ni d'activités communautaires autres que les prières.

menacés. Son président, Salam Elmenyawi, que nous n'avons pas réussi à interviewer, est une personnalité publique. Le MCM a regardé favorablement les demandes d'arbitrage religieux en Ontario.

Le Forum musulman canadien (FMC)

Le Forum musulman canadien regroupe au moins huit associations membres, dont certaines sont fort importantes, comme le Congrès islamique du Canada et l'Association musulmane du Canada, qui est proche idéologiquement de l'Association des frères musulmans. Le FMC n'est pas une association religieuse, mais une fédération d'associations musulmanes, qui vise la défense des droits des citoyens musulmans. Le FMC « représente les intérêts collectifs et communs de la communauté musulmane et de ses institutions membres. Le FMC s'engage à promouvoir l'intégration de la communauté musulmane au sein de la société québécoise et canadienne » et son action se situe aux niveaux local, provincial et fédéral. Son action vise à « promouvoir et à protéger les droits civils des musulmans et des organisations musulmanes[13] ». Visant aussi à préserver l'identité des musulmans et à promouvoir leur participation civique, plusieurs membres du FMC sont actifs au niveau associatif et participent activement aux élections provinciales et fédérales. Le FMC aura donc tendance à appuyer les demandes d'accommodements religieux et se mobilisera avec vigueur contre les certificats de sécurité, par exemple. Il luttera contre les stéréotypes négatifs véhiculés par certains médias et se prononcera, généralement avec d'autres associations, sur ce qui touche les droits et libertés des citoyens et des associations musulmanes. Pas très actif sur les questions qui touchent la politique étrangère du Canada, il appuiera néanmoins l'action des organismes arabes qui le sont. Politiquement, ses revendications sont assez proches de celles de la Fédération canado-arabe, mais peut-être un peu plus axées sur des revendications de type religieux.

Le Carrefour culturel Sésame de Québec

Sésame est une association laïque qui regroupe surtout des Arabes et des Kabyles et qui est très ouverte sur la diversité tant dans la société canadienne et québécoise que dans les sociétés arabes. Sa mission est « de promouvoir au sein de la société québécoise la diversité culturelle du Maghreb et du monde arabe dans sa richesse et sa multiethnicité ». Dans ses objectifs, il mentionne

13. <fmc-cmf.com/index.php?option=com_content&task=view&id=1&Itemid=2>, consulté le 2 juin 2008.

explicitement les cultures arabe, berbère et kurde. Son action est avant tout sociale et culturelle, et il se veut un pont entre les cultures du monde arabe et du Maghreb, d'une part, et la culture québécoise, d'autre part. Mais Sésame porte aussi des revendications citoyennes : participation, refus de la discrimination, prises de position sur les questions de justice au niveau international. Son action n'est pas structurée autour de ces revendications. L'association prendra position et s'associera à d'autres acteurs de la société civile québécoise, surtout ceux qui sont dans la mouvance progressiste. Par exemple, il appuie explicitement l'idée d'une culture publique commune. Mais son action est avant tout culturelle est sociale plutôt que politique.

Le Centre culturel islamique de Québec (CCIQ)

Cette association est une association religieuse, qui vise à offrir des services religieux aux musulmans de Québec, de même qu'à promouvoir l'identité musulmane et la pratique de l'islam. Elle est aussi un interlocuteur dans le débat public sur la place des musulmans dans la société québécoise. Sa vision consiste à « [f]aire de la communauté musulmane de Québec une communauté fière de ses appartenances à la religion musulmane et à la société québécoise et exemplaire par ses comportements, son implication et son impact dans le développement cette société[14]. » « La mission du CCIQ est d'agir proactivement pour développer les outils qui permettraient un meilleur épanouissement spirituel, social et économique de la communauté musulmane en offrant notamment à ces membres des services adéquats, répondant à leurs spécificités musulmanes et favorisant leur intégration dans la société québécoise » (*Ibid.*) Elle regroupe surtout des musulmans francophones, surtout maghrébins.

En fonction des divers critères mentionnés, on peut constituer un tableau des associations interviewées (voir le tableau 1).

Les changements notés plus haut dans la composition des communautés en provenance des pays arabes au cours des quatre vagues migratoires se reflètent dans la vie associative de ces communautés. Les associations qui se définissent comme islamiques ont augmenté en nombre et attirent désormais, semble-t-il, plus de membres que les associations arabes de tendance laïque. Le moins qu'on puisse dire, c'est qu'elles sont plus visibles sur la place publique. Théoriquement, rien n'empêche qu'un individu soit membre des deux types d'associations. Mais dans la mesure où l'activisme politique et les actions de plaidoyer se font dans le cadre d'associations islamiques, dont les mandats ne se limitent pas à l'organisation du culte et aux activités sociales, il est plus

---

14. <<www.cciq.org/cciqnew/centre/mission.asp>, consulté le 2 juin 2008.

Tableau 1
CARACTÉRISTIQUES ESSENTIELLES DES ASSOCIATIONS INTERVIEWÉES

	Appartenance unique ou multiethnique	Identité laïque ou religieuse	Plaidoyer et lobbying	Fédération ou membership individuel	Activités sociales et communautaires
Fédération canado-arabe (CAF)	Multiethnique	Laïque	Oui	Les deux	Très peu
Sésame	Multiethnique	Laïque	Non	Individuel	Oui
Forum musulman canadien	Multiethnique	Religieuse	Principalement	Individuel	Peu
Muslim Council of Montreal	Multiethnique	Religieuse	En partie	Fédération	Surtout religieuses
CCIQ	Multiethnique	Religieuse	Peu	Individuel	Surtout religieuses
CCA	Algérienne	Laïque	Oui	Individuel	Oui
Présence musulmane	Multiethnique	Religieuse	Oui auprès de la société civile	Individuel	Oui
Canadian Islamic Congress	Multiethnique	Religieuse	Oui	Fédération	Peu
CAIR-CAN	Multiethnique	Religieuse	Principalement	Individuel	Peu
CNRCA	Multiethnique	Laïque	Exclusivement	Individuel	Non

difficile de combiner l'action politique dans les deux types d'associations simultanément, même s'il existe des convergences et même des coopérations, fussent-elles malaisées par moments.

Cette difficulté est exacerbée par plusieurs facteurs. La montée de l'islam politique et sa position de plus en plus hégémonique dans les sociétés arabes signifient qu'une proportion accrue d'immigrants musulmans originaires du monde arabe mettent l'islam au cœur de leur identité politique, d'une part, et que la tendance conservatrice est beaucoup plus forte que dans un passé récent, d'autre part. Cela aura un impact sur les attitudes des nouveaux venus par rapport à la société d'accueil et sur leur conception de l'intégration, sur les demandes d'accommodements, etc.

Par ailleurs, cet islam politique, et particulièrement les groupes qui font usage de violence à l'échelle internationale, ont acquis une visibilité accrue dans l'espace public. Ce facteur a été exacerbé par la couverture médiatique qui a eu tendance à ne pas situer cette violence dans son contexte, la présentant plutôt comme inhérente à la doctrine de l'islam, une distorsion que les extravagances verbales de certains acteurs de l'islam politique à l'échelle internationale ont certainement facilitée. Mais cette couverture médiatique trouve aussi son origine dans la montée des tendances néoconservatrices aux États-

Unis, qui ont réussi à instrumentaliser la grande presse en faveur de leurs politiques coloniales[15]. Cette situation a signifié que les citoyens musulmans sont quelquefois perçus comme des « ennemis intérieurs » potentiels, objets de méfiance sinon d'hostilité, et simultanément objets de sollicitude de la part de ceux et celles, dans les instances gouvernementales et dans la société civile, qui veulent lutter contre les discriminations que pourraient subir les musulmans. C'est autour de la place des musulmans dans la cité que de nouveaux débats sont lancés, que des positions opposées se polarisent et que des remises en question de l'ordre normatif dominant se font. Il y a donc beaucoup plus de raisons de structurer l'action politique de plaidoyer contre les discriminations autour des droits des musulmans plutôt qu'autour des droits des Arabes, car les violations de ces droits affectent plus directement les musulmans. Et c'est en tant que musulmans, plutôt qu'en tant qu'Arabes, que les individus qui détiennent les deux identités sont marginalisés. Enfin, tant les pouvoirs politiques que les universitaires et les médias accordent plus d'attention aux revendications faites par les musulmans, en tant que porteurs de droits menacés, qu'à celles des Arabes. Dans ce contexte, c'est la composante islamique de l'identité qui aura tendance à prendre le dessus sur la composante arabe de l'identité. C'est ce qui amène Nadine Naber à conclure, en ce qui concerne les Arabes américains, que le slogan d'une majorité parmi eux est désormais *Muslim First, Arab Second* (Naber, 2005). Cela est en partie vrai dans le contexte canadien et québécois. Et c'est d'autant plus vrai qu'il est plus facile de plaider pour la non-discrimination sur le territoire québécois ou canadien que de remettre en question la politique pro-israélienne des divers gouvernements canadiens.

Le rôle des médias est très marquant dans ce processus. Ceux-ci ont eu tendance à monter en épingle des questions qui ne méritent pas autant d'attention et à mettre à l'avant-scène des figures emblématiques dans lesquelles les musulmans ne se reconnaissent généralement pas, mais qui – sensationnalisme oblige – sont présentées comme étant « les » représentants de « la » communauté musulmane. Tel est le cas de M. Said Jaziri, imam d'une petite mosquée à Montréal, qui est devenu le point focal de l'attention médiatique au grand dam de nombreux musulmans qui ne souhaitaient pas être représentés par lui[16]. Il est d'autant plus important de souligner ce fait que le titre d'imam n'est pas un titre qu'on obtient après une qualification ou des études : n'importe

15. Une situation que même le *New York Times* a fini par remarquer. Dans un reportage daté du 20 avril 2008, David Barstow a analysé comment la Maison Blanche a réussi à placer des anciens généraux acquis à ses visions politiques comme « experts » sur la politique irakienne pour les grands réseaux de télévision (<www.nytimes.com/ 2008/04/ 20/washington/20generals.html>, consulté le 17 août 2008).
16. M. Jaziri a été déporté en Tunise en 2007, car il avait falsifié des documents pour être admis comme réfugié au Canada.

quel individu choisi par un petit groupe pour diriger les prières et pour faire le prêche de façon régulière devient l'imam de ce groupe. Cette situation a eu pour effet de stigmatiser les musulmans globalement (Antonius, 2008).

Les associations non retenues dans cette étude

Les associations dont nous avons choisi d'interviewer les porte-parole sont celles qui se sont prononcées publiquement sur des sujets pertinents pour cette étude, soit les politiques publiques d'aménagement de la diversité (immigration, sécurité, multiculturalisme, interculturalisme, lutte contre le racisme). Nous avons estimé que ces associations auraient quelque chose à dire sur ces questions, d'autant plus qu'elles sont crédibles et représentatives. Mais bien d'autres associations actives au sein des groupes arabo-musulmans existent, et il faudrait en dire quelques mots.

Une connaissance du terrain associatif arabe nous permet de faire les commentaires généraux suivants. Il existe trois catégories d'associations autres que les associations qui ont des activités de plaidoyer : les associations liées aux lieux de culte (mosquées et églises), les associations regroupant des citoyens originaires d'un pays particulier, en général très proches des consulats de ces pays ainsi que des associations culturelles et sportives. Ces trois catégories d'associations s'engagent rarement dans le plaidoyer auprès des gouvernements ou dans la politique. Occasionnellement, les associations islamiques participent à des activités de protestation quand elles perçoivent que les droits ou les intérêts de leurs membres sont en jeu, surtout en lien avec des demandes d'accommodements. Cela est moins vrai pour les associations chrétiennes, sauf pour les associations libanaises qui s'impliquent fortement sur les questions qui touchent le Liban. Nous avons de bonnes raisons de penser que ces trois catégories d'associations forment la grande majorité des associations qui regroupent les citoyens originaires des pays arabes.

La plupart des associations mentionnées ci-dessus ont des objectifs beaucoup plus sociaux, culturels ou religieux que directement politiques, et elles ont des activités limitées de plaidoyer auprès du gouvernement (fédéral ou provincial). Les associations religieuses islamiques ont généralement des programmes vigoureux de prosélytisme interne (qui s'adressent à des musulmans, pour les amener à des pratiques qu'elles estiment être plus proches de leur lecture du message de l'islam) et externe (en vue de convertir des non-musulmans à l'islam). Quand ces associations font du lobbying, elles le font sur un mode entièrement différent de celui des associations interviewées.

Les associations chrétiennes ne sont pas regroupées dans des associations parapluie qui formulent des revendications concernant l'immigration ou la citoyenneté. Leur mode de fonctionnement est différent : elles agissent à travers un lobbying discret, dont l'efficacité n'a pas fait l'objet d'études sociologiques ou politiques, et qui se manifeste surtout par les visites et la participation des élus ou des élus potentiels lors de fêtes rituelles et d'occasions sociales, et sans doute par des contributions financières au moment des élections.

Enfin, il faut mentionner que des groupes de solidarité qui ne sont ni exclusivement arabes ni musulmans sont également actifs dans plusieurs des dossiers qui concernent les politiques du gouvernement canadien : contre les certificats de sécurité, contre les déportations de réfugiés, contre la politique étrangère canadienne au Proche-Orient. Ces groupes mènent souvent des actions communes avec les associations que nous avons interviewées, mais ils ont tendance à être plus radicaux dans leurs demandes et dans leurs moyens d'action. Plusieurs citoyens et citoyennes d'origine arabe ou sociologiquement musulmans y militent, mais il ne s'agit pas d'associations arabes ni musulmanes, et elles ne se définissent même pas en termes identitaires, mais en termes politiques. Leur action s'apparente ici à celle des associations qui nous intéressent, et elle est en interaction avec elle, mais nous n'en traitons pas ici.

CONCLUSION

Nous avons tenté, dans ce chapitre, de rappeler des facteurs propres au contexte sociopolitique dans les pays d'origine qui permettent de mieux comprendre la dynamiques associative parmi les groupes immigrés d'origine arabe ou de confession musulmane. Nous croyons que, parmi ces facteurs, les questions identitaires, les courants idéologiques qui redéfinissent l'identité et le statut de minorité ont un impact important tant sur les dynamiques associatives dans les communautés arabo-musulmanes que sur les revendications émanant de leurs associations. Les deux chapitres suivants examineront ces revendications en détail.

Chapitre 2

LES POLITIQUES D'IMMIGRATION ET DE SÉCURITÉ

L'histoire du Canada est intimement liée à celle de son peuplement. À l'exception des peuples autochtones, la population canadienne est issue des migrations de colonisation et des migrations de travail. Dès la fin du XIXe siècle, la politique canadienne d'immigration a été caractérisée par la volonté de peupler l'Ouest canadien d'agriculteurs et d'assurer l'expansion économique du Canada. Les immigrants venaient essentiellement des îles britanniques, des États-Unis et d'Europe (Verbeeten, 2007). Cette politique, discriminatoire à l'endroit des Asiatiques et des Noirs, et plus tard des Juifs qui tentaient de fuir l'Europe (Labelle, Larose et Piché, 1983 ; Li, 1988 et 2003), a eu cours jusqu'en 1962, année où le gouvernement canadien a modifié sa politique en vue de l'adoption de critères de sélection universels et non racistes (Stevenson et Nguyen, 2008). Dans le but de répondre aux besoins démographiques et économiques, un système de points fut instauré en 1967. Les demandes d'immigration furent alors évaluées en fonction de critères prédéterminés qui tenaient compte de facteurs tels que l'âge, la santé, la connaissance de l'anglais ou du français, la scolarité, la formation professionnelle, etc. Une nouvelle Loi sur l'immigration entra en vigueur en 1978. Aux objectifs démographiques et économiques s'en ajoutèrent de nouveaux concernant des objectifs sociaux (tels que la réunification des familles), humanitaires (accueil de réfugiés) et politiques (respect des traités internationaux) (Labelle, 1988).

Bien que les flux migratoires suivent la courbe de la croissance des besoins économiques et que le Canada continue à se présenter et se représenter comme une terre d'accueil, le contexte international a des incidences sur la manière dont les politiques publiques sont discutées, définies et mises en place. Ainsi, et de manière intuitive, on pourrait penser que les événements du 11 septembre 2001 ont joué un rôle sur la façon dont le Canada appréhende les dynamiques complexes liant sa relative ouverture à l'immigration aux impératifs de sécurité. Or, une étude plus approfondie nous montre que les préoccupations sécuritaires ont toujours été au cœur des préoccupations du gouvernement canadien et que les événements de septembre 2001 n'ont fait que renforcer des tendances déjà existantes.

L'objectif de ce chapitre est de présenter d'abord un tour d'horizon des principales orientations qui ont marqué les politiques d'immigration au Canada et au Québec depuis la fin des années 1990, alors que le gouvernement du Canada entamait une révision en profondeur de la Loi sur l'immigration de 1978 ainsi que des politiques et des usages en matière d'immigration. La préparation du document intitulé *Au-delà des chiffres : l'immigration de demain au Canada* (Canada, CIC, 1998) avait débuté à la fin de 1996.

Dans la même veine, dès les années 1960, le gouvernement du Québec s'est intéressé au processus de sélection des immigrants et a conclu avec le gouvernement fédéral des ententes particulières, marquant ainsi un élargissement systématique de l'intervention provinciale dont il faut faire état. Les changements majeurs sur la scène politique internationale ont aussi eu des répercussions sur la composition des flux migratoires, obligeant les États à adopter de nouvelles stratégies de sélection et d'intégration des immigrants.

L'ouverture des frontières dans le cadre de la signature d'accords commerciaux bi- ou multilatéraux et les préoccupations liées à la sécurité dans la foulée des événements du 11 septembre 2001 ont aussi amené les gouvernements à revoir les paramètres de la politique d'immigration. Il importe d'en faire état pour saisir dans quelle mesure les politiques d'immigration se sont restructurées.

Dans la première moitié de ce chapitre (les trois premières sections) nous examinerons successivement la dimension économique et sécuritaire des politiques d'immigration canadiennes, leur dimension législative, puis nous les contrasterons avec les politiques québécoises.

La deuxième partie (quatrième section) portera sur les revendications déployées par les ONG-parapluie de défense des immigrants, des minorités ethniques et racisées, de même que par les associations arabo-musulmanes, dans le domaine de l'immigration et de la sécurité. La manière dont la politique d'immigration est appréhendée par les individus et les groupes qui œuvrent dans ce domaine renvoie à des préoccupations fort différentes. Bien que la question de l'intégration des nouveaux arrivants demeure importante, le processus de sélection et la mise en place de l'appareillage législatif et réglementaire sont aussi des sources d'inquiétude pour ces groupes. Si les événements du 11 septembre 2001 ont amené le gouvernement canadien à recentrer sa politique, il va sans dire que les intervenants dans le domaine de l'immigration en ont pris la mesure eux aussi, mais dans une perspective inversée.

LA DIMENSION ÉCONOMIQUE DES POLITIQUES D'IMMIGRATION CANADIENNES

L'UTILITARISME INSTITUTIONNALISÉ

On ne saurait appréhender les dimensions strictement juridiques de la politique canadienne d'immigration sans se reporter à ce qu'elles recouvrent. En d'autres termes, le cadre réglementaire et les mécanismes de sélection des immigrants répondent à des impératifs relevant d'objectifs sociétaux qui se transforment avec le temps. L'environnement domestique y joue certes un rôle important, ne serait-ce qu'en matière de « besoins économiques », mais le contexte politique international et les transformations associées à la mondialisation néolibérale exercent des pressions sur les paramètres qui président aux changements affectant les politiques publiques.

Dans un ouvrage publié en 2002, Yasmeen Abu-Laban et Christina Gabriel avançaient la thèse selon laquelle les politiques en matière d'immigration, de multiculturalisme et même d'équité en emploi ont été subordonnées aux impératifs et à la logique imposés par le monde des affaires. L'accent mis sur les notions de marché, d'efficacité, de compétitivité et d'individualisme était au cœur de la nouvelle articulation des politiques publiques de gestion de la diversité dans un contexte marqué par la mondialisation des échanges commerciaux et l'hégémonie de l'idéologie néolibérale (2002, p. 12). Ainsi, l'alignement au cours des années 1990 du processus de sélection des immigrants sur des critères d'employabilité (définis en fonction des besoins du marché et de la formation préalable des individus sélectionnés) a contribué à renforcer les clivages en matière de genre, de pays d'origine et de hiérarchies liées à la classe sociale (*Ibid.,* p. 63). Les mesures de contrôle insérées dans la nouvelle loi adoptée en 2001, sur laquelle nous reviendrons, contribuent à maintenir des préjugés à l'endroit des immigrants et des réfugiés en les associant à la criminalité, à la menace à la sécurité et au fait qu'ils représentent un fardeau pour les services de santé et sociaux (Li, 2003).

Les travaux qui se sont penchés sur la politique canadienne d'immigration insistent fortement sur le fait que les impératifs liés au développement économique l'emportent sur toutes les autres considérations. Ainsi, la promotion de la diversité se présente plus comme une conséquence du type d'immigrants recrutés que comme une valeur intrinsèque guidant les choix gouvernementaux (Parant, 2001, p. 25; Satzewich et Wong, 2003, p. 366; Woroby, 2005, p. 252). Selon Reitz, la politique canadienne marque ainsi une transition institutionnelle vers une économie fondée sur le savoir (2004, p. 102). Il ajoute qu'un autre élément structurant est celui de l'intégration des frontières canado-américaines. Bien entendu, la question de la préservation et du renforcement de la cohésion sociale demeure une préoccupation importante dans la mesure où l'équilibre linguistique doit être pris en considération, tout comme le processus d'intégration des immigrants et la gestion des relations intercommunautaires. Le discours public doit donc s'ajuster à cette nouvelle réalité dans la mesure où l'immigration modifie sensiblement la composition démographique de la société canadienne et force les acteurs politiques à intégrer cette réalité dans l'image qu'ils entendent construire et projeter au sujet de l'identité canadienne. La promotion du multiculturalisme, projetée comme une « valeur canadienne », s'inscrit dans cette dynamique de recomposition des fondements de la nation canadienne présentée comme ouverte à la diversité, accueillante et consensuelle.

Dans une perspective quelque peu différente, A.G. Green soutient plutôt que l'histoire de la politique canadienne d'immigration a été marquée par une tension permanente entre des objectifs à court terme (ajustement au marché du travail) et à long terme (moteur de développement économique). Selon l'auteur, la politique des années 1990 « *differs from any earlier policy in that it appears to have no specific rationale apart from the belief in general long term benefits of immigration* » (2004, p. 135). Cette approche utilitariste de l'immigration qui met l'accent sur des objectifs économiques et démographiques (vieillissement de la population, capital humain, croissance économique) lui semble problématique, puisque les principaux changements structurels ont déjà eu lieu, et il suggère plutôt de prendre en considération des objectifs d'ordre social et humanitaire (2003, p. 43).

La question de l'harmonisation des politiques d'immigration entre le Canada et les États-Unis est incontournable en raison de la proximité des deux pays et, surtout, de l'importance des échanges commerciaux. Pour sa part, T. Woroby soutient que la croissance économique du Canada n'aurait pas été si forte si la politique canadienne d'immigration avait été harmonisée avec celle de son voisin du sud. Invoquant des facteurs d'ordre macroéconomiques, il soutient que le système canadien est à l'heure actuelle en mesure de s'ajuster rapidement aux pressions économiques, ce qu'il ne serait pas en mesure de faire s'il devait prendre en considération des impératifs d'harmonisation. Il favorise plutôt une approche permettant un accroissement des taux d'immigration puisque l'économie canadienne est en mesure d'absorber davantage d'immigrants (2005, p. 257-260).

Satzewich et Wong soulignent que les gouvernements provinciaux et certaines ONG ont affiché des réticences à l'endroit d'une plus grande harmonisation des politiques en matière d'immigration avec celles des États-Unis, en dépit des pressions qui s'exercent sur les gouvernements fédéraux. En ce sens, la politique d'immigration demeure un lieu de contestation et de conflits sociaux et politiques (Satzewich et Wong, 2003). Ce point de vue n'est toutefois pas partagé par tous. Sidney Weintraub, l'un des promoteurs de l'Accord de libre-échange nord-américain (ALÉNA), voit plutôt dans l'ouverture des frontières un processus inévitable, ne serait-ce qu'en raison des impératifs d'intégration économique, et ce, en dépit des mesures visant à les sécuriser. Bien que constatant un resserrement des mesures de contrôle depuis septembre 2001, ce qui nuit évidemment à la libre circulation des marchandises, Weintraub prévoit la mise en place, à long terme, d'un périmètre de sécurité nord-américain incluant le Mexique (2004). En somme, lorsque les enjeux commerciaux entrent en ligne de compte, les impératifs sécuritaires se présentent comme des contraintes supplémentaires auxquelles il faut trouver des solutions administratives qui ne remettent pas en question le processus d'intégration continentale qui s'est accéléré depuis la signature de l'ALÉNA. Cette réalité impose des aménagements réglementaires, comme c'est le cas pour les travailleurs temporaires, la quête de jeunes immigrants diplômés ou d'étudiants étrangers détenteurs d'un visa par exemple. La souveraineté de chacune des parties peut être protégée dans la mesure où l'objectif de préserver l'espace économique commun est atteint (Waller, 2002; Rekai, 2002).

La politique canadienne d'immigration est donc en grande partie déterminée par des préoccupations d'ordre économique, ce qui n'est pas nouveau par ailleurs (Labelle, 1988; Labelle et Salée, 1999). Pour les uns, cette situation doit être critiquée, puisqu'elle avantage essentiellement les travailleurs hautement qualifiés, le transfert des connaissances et, globalement, le capital humain, sans prendre en considération le fait qu'elle favorise les hommes, les personnes issues de la classe moyenne et certaines régions du globe. Abu-Laban et Gabriel rappellent que les dispositions relatives aux travailleurs temporaires font en sorte que les partis pris liés au genre, à la « race » et à la classe sociale seront reproduits (2002, p. 81). Le processus de mondialisation économique sert donc de justification à une gestion néolibérale de l'immigration. Des préoccupations d'ordre humanitaire devraient s'ajouter aux seuls déterminants économiques.

Pour d'autres, le caractère instrumental de l'immigration ne cause pas de problème. Au contraire, la législation canadienne leur apparaît comme étant trop laxiste et les mécanismes de tamisage des immigrants leur semblent inefficaces, au point où « *what is needed now is a complete review of the national security aspects of Canada's immigration and asylum policies and practices* » (Moens et Collacott, 2008a, p. 22; voir aussi Collacott, 2002, p. 41-42 et

Moens et Collacott, 2008b). La question est plutôt de savoir comment le gouvernement canadien peut conserver sa souveraineté dans ce domaine et maintenir une approche à la fois souple et flexible, pouvant s'ajuster rapidement aux nouvelles conditions du marché. Ces préoccupations utilitaristes ont d'ailleurs contribué à alimenter des critiques portant sur les coûts des programmes d'immigration, leur transparence, mais surtout l'absence de mesures contraignant les immigrants à s'établir en dehors des grands centres urbains tout en laissant le « marché » procéder aux « ajustements naturels » qui ne manqueront pas de s'imposer.

Si les considérations économiques amènent les uns et les autres à contraster les modèles utilitaristes et humanitaires, les préoccupations de nature sécuritaire se sont traduites par l'érosion des droits fondamentaux des étrangers qui arrivent au Canada dans l'espoir de s'y établir. De nouveaux dispositifs de gestion des frontières, d'échange d'information, d'internement, d'expulsion et même d'interception hors frontières ont vu le jour. Les voyageurs transfrontaliers doivent se munir de nouveaux documents (les citoyens canadiens doivent afficher leur passeport lorsqu'ils arrivent ou transitent dans des aéroports américains), le recours aux données biométriques se multiplie, etc. Ainsi, en dépit des pressions économiques, et peut-être à cause d'elles, les contrôles aux frontières se sont accentués, de nouvelles dispositions législatives en matière d'immigration facilitent l'expulsion d'individus soupçonnés de participer à des activités illicites. Comme le soulignent François Crépeau et Delphine Nakache, « *although the link between migration and security is not new, growing security concerns in the last few years have fundamentally changed the playing field of immigration regulation* » (2006, p. 12). Le nouveau régime canadien d'immigration se caractérise notamment par une excoriation des droits des immigrants et des demandeurs d'asile (Dench et Crépeau, 2003 ; Crépeau, Nakache et Atak, 2006). En somme, les transformations apportées aux régimes migratoires contribuent à un rapprochement des politiques interétatiques. Ce phénomène n'est certainement pas limité à l'Amérique du Nord, même si les modalités mises en place lui sont particulières (Pellerin, 2004).

En somme, l'immigration est présentée comme une nécessité, mais elle doit être modulée, harnachée, circonscrite afin d'assurer que les personnes qui viennent s'établir au Canada ne constituent pas une menace non seulement à la cohésion sociale, mais aussi à la sécurité. Dans le contexte de l'après-11 septembre 2001, les membres des groupes arabo-musulmans se sont senti particulièrement pointer du doigt. Bien que sans propos discriminatoires dans leur formulation, les nouvelles politiques d'immigration et de sécurité ont assurément affecté la représentation et les conditions de vie des Arabo-musulmans sur le territoire canadien.

LA DIMENSION LÉGISLATIVE DES POLITIQUES D'IMMIGRATION CANADIENNES

Quels sont les principaux changements législatifs et réglementaires apportés dans les domaines de l'immigration et de la sécurité ? Quels sont les motifs qui ont poussé le gouvernement canadien à vouloir « moderniser » la Loi sur l'immigration ? Dans quelle mesure les préoccupations liées à la sécurité ont-elles été intégrées dans la nouvelle Loi sur l'immigration et la protection des réfugiés ? Quels débats ont été soulevés dans la foulée de ces transformations ? Ce sont ces questions qui retiendront notre attention.

De plus, il importe de tenir compte des changements introduits dans la façon dont le gouvernement du Québec participe au processus de sélection des immigrants, des différences et surtout des complémentarités entre les approches canadienne et québécoise. Étant donné la sensibilité historique du gouvernement du Québec à l'endroit des enjeux identitaires et linguistiques, l'enjeu de la diversité se combine avec les impératifs de développement économique, ces derniers étant fort vraisemblablement beaucoup plus structurants que les premiers.

Une approche utilitariste derrière un discours humanitaire

L'entrée en vigueur de la Loi sur l'immigration et la protection des réfugiés (LIPR) en juin 2002 a constitué une refonte en profondeur de l'ancienne Loi sur l'immigration rédigée en 1976 et adoptée en 1978 et de ses multiples amendements (plus d'une trentaine). Le processus ayant conduit à l'adoption de la nouvelle législation a été jalonné de plusieurs étapes. Dès 1996, le gouvernement fédéral a mis sur pied un groupe consultatif sur la révision de la législation qui a déposé son rapport en janvier 1998. Presque un an plus tard, le gouvernement publiait un livre blanc intitulé *De solides assises pour le 21e siècle : nouvelles orientations pour la politique et la législation relatives aux immigrants et aux réfugiés* (Canada, CIC, 1998a). En mars 2000, le Conseil permanent de la citoyenneté et de l'immigration présentait lui aussi son rapport, qui cherchait à maintenir un certain équilibre entre les impératifs liés à la sécurité et le maintien de la politique d'ouverture à l'endroit des réfugiés. C'est en avril de la même année que le gouvernement fédéral déposait son projet de loi sur l'immigration et la protection des refugiés (C-31). À la suite de l'élection générale à l'automne 2000, le projet de loi sur l'immigration et la protection des réfugiés (loi C-11) est déposé à nouveau. Il est conçu comme une loi-cadre, puisqu'il propose « un cadre réglementaire visant les programmes d'immigration et protection des réfugiés, et délègue les pouvoirs légaux nécessaires à l'adoption de règles administratives et procédurales précises» (Canada, CIC, s. d., *Projet de loi C-11*, aperçu). Il contient des changements apportés pour tenir compte des opinions exprimées par les Canadiens et fut adopté en juin 2002.

Le livre blanc de 1998 a fait l'objet de consultations auprès des citoyens canadiens, des provinces et des territoires, des organismes non gouvernementaux, du secteur juridique, des groupes d'intérêts particuliers et du monde des affaires. On y présente les orientations qui ont présidé à la réforme de la politique et de la législation de l'immigration et de la protection des réfugiés. Pour le gouvernement, il s'agit essentiellement d'ajuster les objectifs dans une loi qui se veut claire, simple et cohérente, de renforcer les partenariats, de favoriser la réunification des familles, de moderniser le mode de sélection des travailleurs qualifiés et des gens d'affaires, de faciliter l'admission de travailleurs temporaires et d'étudiants étrangers, d'améliorer la protection des réfugiés, d'assurer la sécurité des Canadiens et d'accroître l'efficacité des processus d'appel (Canada, CIC, 1998a). Le document rappelle la nécessité de poursuivre la tradition humanitaire du Canada par l'accueil des réfugiés obligés de fuir leur pays d'origine.

Dans l'ensemble, l'immigration est présentée comme un privilège qui entraîne des responsabilités et des obligations, dont celles des parrains de subvenir aux besoins de leurs proches dès leur arrivée au Canada dans le cadre du programme de réunification des familles. On y souligne aussi que l'immigration vise à «fortifier la santé économique et sociale du Canada» dans une société du savoir. Cette dernière référence n'est pas que rhétorique. Elle souligne que le Canada ne cherchera plus à sélectionner des immigrants qui possèdent des compétences correspondant à des professions précises, «mais plutôt les compétences flexibles et polyvalentes nécessaires pour réussir dans une économie du savoir en mutation rapide» (Canada, CIC, 2005, p. 17). Des impératifs de santé, de sécurité et d'ordre publics sont aussi évoqués pour que le Canada soit en mesure de refouler des personnes se livrant à des activités criminelles ou qui n'ont pas le droit de s'y établir (Canada, CIC, 1998a, p. 10-11).

L'article 12 de la LIPR reprend les trois catégories d'immigration déjà en place: le regroupement familial qui tient compte de la relation de la personne qui demande de venir s'établir au Canada avec un citoyen canadien ou un résident permanent (époux, conjoint de fait, enfant, père ou mère par exemple); l'immigration économique déterminée selon la capacité de réussir l'établissement économique; et les réfugiés, catégorie dont l'inclusion vise avant tout à sauver des vies et à protéger les personnes de la persécution.

Lors du dépôt du projet de loi C-11 le 21 février 2001, la ministre responsable de Citoyenneté Immigration Canada (CIC), madame Elinor Caplan, a réaffirmé son intention de faire preuve de sévérité à l'égard des criminels et d'améliorer les mesures pour attirer les immigrants hautement qualifiés (Canada, CIC, 2001). Des dispositions soufflent le chaud et le froid, affichant une certaine ouverture tout en adoptant un ton ferme à l'endroit des personnes qui tentent de contourner les règles. D'une part, la ministre a précisé que le projet de loi permettrait d'imposer des peines sévères, soit des amendes pouvant atteindre un million de dollars et l'emprisonnement à vie, aux individus qui amènent illégalement des personnes au Canada ou qui se livrent au trafic d'êtres humains. D'autre part, la ministre mentionne que ce projet de loi permettrait d'accélérer la réunion des familles et de maintenir la tradition humanitaire du Canada qui consiste à accueillir les personnes qui doivent être protégées. Selon le gouvernement, le contrôle du nombre de demandeurs est aussi essentiel sur le plan opérationnel, en raison du grand nombre de demandeurs potentiels à l'échelle mondiale. Ainsi, dissuader, par divers moyens, de nouveaux demandeurs de venir au Canada s'avère être un objectif de la plus haute importance. Pour y arriver, plusieurs mesures sont mises en place : imposition d'un visa de résident temporaire pour les pays d'où viennent un grand nombre de demandeurs ; amendes et pénalités pour les transporteurs qui amènent au Canada des personnes sans documents ; réseau de spécialistes en « intégrité » des mouvements migratoires (anciennement les agents de contrôle de l'immigration) qui collaborent avec les lignes aériennes pour empêcher ceux qui ne sont pas munis de documents valides de monter à bord des appareils (Dolin et Young, 2004, p. 15). Dans un autre débat tenu à la Chambre des communes quelques jours plus tard, la ministre a rappelé le caractère utilitaire et la prépondérance des critères économiques qui sont sous-jacents à la politique d'immigration :

> L'économie axée sur le savoir est désormais une réalité. Afin que le Canada puisse concurrencer les autres pays et réussir, nous devons continuer d'attirer des travailleurs qualifiés des quatre coins de la planète, de partager leurs connaissances et leurs compétences et d'établir des liens avec le reste du monde. Il faut pour cela non seulement attirer des personnes compétentes et vaillantes, mais faire venir le plus vite possible les membres de leur famille et les accueillir dans la famille canadienne. Il faut respecter notre fière tradition humanitaire qui commence par notre engagement d'offrir un refuge sûr aux personnes qui ont vraiment besoin de notre protection (Canada, Chambre des communes, 2001b).

Ainsi, la ministre affirme que le nouveau projet de loi :

> nous donne tout ce dont nous avons besoin pour remplir notre double mandat, à savoir fermer la porte aux personnes qui abusent de notre générosité et qui n'obéissent pas à nos règles et l'ouvrir toute grande aux immigrants et aux réfugiés qui, à l'instar de leurs prédécesseurs, viennent édifier notre magnifique pays (Canada, Chambre des communes, 2001b).

Parmi les éléments de la nouvelle législation qui furent initialement bien accueillis, il faut noter la mise en place d'une procédure d'appel sur le fond des décisions adoptées auprès de la Section d'appel des réfugiés (SAR). Initialement, la SAR « donnerait aux demandeurs d'asile le droit d'en appeler sur le fond des décisions défavorables rendues par la Commission de l'immigration et du statut de réfugié : Elle réviserait les dossiers individuels pour examiner s'ils contiennent des erreurs de fait, de droit ou mixtes ; Elle contribuerait à promouvoir la cohérence dans la prise de décision ; Elle se limiterait à la preuve présentée lors de l'audience initiale ; Elle serait un processus sur papier uniquement » (Canada, CIC, s. d., *Section d'appel des réfugiés : fiche de renseignements*). En effet, depuis l'élaboration du système de détermination du statut de réfugié au milieu des années 1980, les groupes de défense des réfugiés ont continuellement critiqué l'absence de mécanismes d'appel réels. La nouvelle législation permettait la création d'une nouvelle instance au sein de la Commission, la Section d'appel des réfugiés, dont le mandat serait d'entendre les appels émanant des demandeurs évincés ou du ministre.

Néanmoins, en dépit des obligations imposées au gouvernement par voie législative, la SAR ne fut jamais mise sur pied. Lors d'une réunion du Comité permanent de la citoyenneté et de l'immigration portant sur le budget supplémentaire des dépenses tenue en novembre 2005, le titulaire du ministère a justifié cette décision en invoquant le caractère équitable du système en place, de telle sorte qu'un mécanisme d'appel de décisions prises par un tribunal indépendant, par des décideurs bien formés ayant à leur disposition un soutien administratif solide, est, en quelque sorte, inutile. Cela serait même une source d'inefficacité : « *Canada's refugee system is by no means perfect. It still takes too long for decisions to be made and too long for decisions once they are made to have any effect. Simply adding another layer of review or appeal to what we already have will do little to address this shortcoming. In fact, it may make it worse* » (Canada, CIC, 2005). Pourtant, la LIPR, tout en élargissant les motifs pouvant être invoqués pour juger irrecevable un statut de demande de statut de réfugié, fait en sorte que la majorité des audiences auront lieu devant un seul commissaire au lieu d'un tribunal constitué de deux commissaires.

Un projet de loi a été déposé par le Bloc québécois à la Chambre des communes en mars 2007 pour forcer le gouvernement à mettre en place la section d'appel des réfugiés pourtant prévue par la LIPR de 2002. Il invoque le fait qu'auparavant deux commissaires statuaient sur les demandes d'asile et que l'avis favorable d'un seul suffisait pour accepter la demande déposée par un réfugié. Or, maintenant les demandes ne sont analysées que par un seul commissaire et les risques de commettre des erreurs de jugement sont plus élevés.

Mais le gouvernement a maintenu sa position, jugeant inutile de mettre en place une disposition pourtant prévue à la LIPR. Il invoque le fait qu'une telle mesure coûterait cher (12 millions de dollars) et allongerait indûment le processus, et que les dispositions déjà en vigueur respectent les obligations internationales du Canada (Canada, CIC, 2006a).

Interrogé sur cette question, un haut fonctionnaire fédéral interviewé dans le cadre de cette étude expliquait les raisons justifiant l'absence d'un mécanisme d'appel. Selon lui, celui-ci se traduirait par des délais plus longs et une croissance des coûts. De plus, l'expérience démontre que, dans le faits, fort peu de demandes de révisions ont été déposées et que ces demandes se sont soldées par des résultats généralement favorables aux demandeurs. En somme, le processus judiciaire fonctionne relativement bien :

> *We're not so concerned about people being shipped away, against so many others who do remain and get the pre-removal risk assessment done and do get the humanitarian compassionate claim – and application – within that we can also have another look at the humanitarian* [aspects] *and the risk if they're returned. So its being reviewed in certain stages. As I say, there's nothing in theory against the appeal. It's just that within the current system, it would be costly and slowing things down. And I don't think there's an urgent need for it. Especially because the courts are doing a good job in their decision making* (Fonctionnaire, CIC).

Au sujet de la rapidité et de l'efficacité du système dans son ensemble quant au traitement des demandes de citoyenneté, il ajoutait :

> [...] *the whole issue around whether or not there should be an appeal to the refugee process. That's an important thing we spent a lot of time on. Other issues we work on are* [...] *we're looking at issues around the IRB itself. We're looking at the slowness of the process, not just the* [Immigration and Refugee Board] *IRB refugee process, but the process from beginning to end. From the point where somebody makes a claim to the point where they either become a permanent resident or they're removed. We're concerned with all those things. We spent a lot of time last year looking at ways to speed up the landing process, when somebody sets foot down as a refugee, how do we make that faster?* (Fonctionnaire, CIC).

Une évaluation réalisée par le Ministère a révélé que le traitement d'une demande déposée devant la Commission de l'immigration et du statut de réfugié (CISR) prenait environ 20 mois. Récemment, la CISR a réussi à réduire ce processus à 14 mois. Le Ministère aimerait que le temps de traitement d'une demande soit d'environ un an sans pour autant affecter l'intégrité du système. En somme, il est plus préoccupé par le temps que peut prendre le traitement d'une demande de statut de réfugié que par les injustices (jugées comme étant théoriques) pouvant découler du processus.

Finalement, des amendements à la LIPR ont été apportés par le gouvernement conservateur et adoptés par la Chambre des communes en juin 2008. Ces modifications ont été insérées dans un projet de loi omnibus (ou composite) à caractère financier : C-50 – *Loi portant exécution de certaines dispositions du budget déposé au Parlement le 26 février 2008 et édictant des dispositions visant à maintenir le plan financier établi dans ce budget.* Pour le ministre des Finances, l'objectif était d'accélérer les procédures de demande afin que des candidats n'attendent plus des années avant qu'elles ne soient traitées (Canada, ministère des Finances, 2008, p. 16). La rhétorique gouvernementale fait moins appel à des motifs liés à la justice ou à l'équité qu'à ceux renvoyant à des impératifs d'efficience. Le député Ted Menzie, secrétaire parlementaire au ministre des Finances, soulignait que ces modifications devaient « être étroitement alignées sur les besoins du marché du travail » (Canada, Chambre des communes, 2008). Toutefois, les amendements proposés, en dépit du fait qu'ils s'inscrivent dans un projet de loi à caractère essentiellement financier, n'ont que peu à voir avec des considérations budgétaires. La principale modification vise à accroître substantiellement le pouvoir discrétionnaire du ministre qui peut maintenant modifier les catégories de demandes, donner les instructions sur leur traitement, notamment en ce qui concerne l'ordre et le nombre de demandes à considérer chaque année.

Les partis fédéraux d'opposition ainsi que les ONG ont fortement dénoncé, sans succès, ces changements qui contribuent à accroître le pouvoir arbitraire non seulement du ministre, mais aussi des agents d'immigration. De plus, ils reprochent au gouvernement d'avoir agi sans consultation préalable et dénoncent le fait que les immigrants ne soient pas considérés comme des participants à part entière de la société, mais plutôt comme des « facteurs de production » en fonction des besoins du marché du travail, sans prendre en considération la nécessité de favoriser la réunification des familles. Dans une lettre envoyée au premier ministre, plus de 40 organismes intervenant auprès des immigrants se disaient « préoccupés par le pouvoir arbitraire qui serait accordé à la ministre de la Citoyenneté et l'Immigration et qui lui permettrait d'effectuer des changements importants au système de traitement et d'acceptation des demandes d'immigration par le biais d'instructions données sans contrôle par le Parlement et sans l'obligation de tenir des consultations » (Conseil canadien pour les réfugiés, 2008). Ils considéraient que ces modifications constituaient un affront à la démocratie en ce qu'elles réduisaient le principe de l'imputabilité politique et permettait au gouvernement d'agir en dehors des limites établies par le Parlement.

En somme, la nouvelle Loi sur l'immigration cherche tout à la fois à renforcer l'image fondée sur le respect des valeurs humanitaires que projette le Canada sur la scène internationale (qui renvoie aux programmes de réunification des familles et d'accueil des réfugiés) et à s'assurer que le mode de sélection des immigrants répond aux finalités économiques et, plus particulièrement, aux besoins en main-d'œuvre qualifiée. Si le Canada est en mesure de choisir ses immigrants en fonction de ses besoins, établissant des critères de sélection tenant compte des compétences des postulants et de leur niveau d'adaptabilité à la société canadienne, le CIC affirme vouloir adopter une approche « équilibrée » et précise que le « programme d'immigration du Canada repose sur des principes de non-discrimination, c'est-à-dire que les étrangers sont traités selon les mêmes critères, quels que soient leur race, leur nationalité, leur origine ethnique, leur couleur, leur religion ou leur sexe » (Canada, CIC, 2005b, p. 16 et 2007b, p. 13). Si cette préoccupation est au centre de la politique canadienne, elle doit aussi s'arrimer avec la réalité politique, sociale et culturelle du Canada, de telle sorte que l'immigration doit aussi respecter son caractère fédéral, bilingue et multiculturel (Sinha et Young, 2002, p. 5). Le gouvernement du Canada entend aussi renforcer les mesures visant à mieux encadrer les processus pour resserrer les mailles du filet et ainsi diminuer les abus et mieux identifier les individus pouvant s'adonner à des activités criminelles. Le Canada affirme respecter les instruments internationaux relatifs aux droits de la personne dont le Canada est signataire.

Des préoccupations liées à la sécurité

Dans la foulée des événements du 11 septembre 2001, les préoccupations liées à la sécurité ont occupé une place beaucoup plus grande dans le discours gouvernemental et dans la législation. Alors qu'auparavant les mesures visant à assurer la sécurité des citoyens se limitaient à interdire l'entrée (ou à expulser) des criminels avoués, les craintes exprimées à l'endroit du « terrorisme » se sont imposées. La Loi sur l'immigration et la protection des réfugiés (projet de loi C-11) indique neuf catégories d'interdiction de territoire : sécurité, atteinte aux droits de la personne et aux droits internationaux, criminalité, activités de criminalité organisée, santé, motifs financiers, fausses déclarations, manquement à la loi, inadmissibilité familiale (Canada, CIC, s. d., *Projet de loi C-11*, aperçu). Parmi les motifs invoqués on ne trouve aucune référence à la notion de terrorisme. De plus, en vertu du nouveau projet de loi, « le ministre n'est plus obligé d'émettre un avis et les demandes d'asile d'individus déclarés interdits de territoire par la Section de l'immigration pour des motifs de risque pour la sécurité et d'atteinte aux droits de la personne ou aux droits internationaux sont irrecevables » (Canada, CIC, s. d., *Projet de loi C-11*, aperçu). Le tableau 2 en annexe de ce chapitre donne une idée du nombre de personnes interdites de séjour en fonction de ces neuf catégories.

La LIPR s'est ajoutée à la panoplie des moyens pour renforcer les dispositifs permettant de lutter contre le terrorisme. Ainsi, la ministre a indiqué que « les événements du 11 septembre dernier ont fait ressortir la nécessité urgente d'adopter rapidement de nouvelles mesures en matière de sécurité [...]. De plus, la mise en œuvre de la nouvelle loi proposée, la Loi sur l'immigration et la protection des réfugiés (projet de loi C-11), contribuera également à renforcer la sécurité des frontières du Canada» (CIC, s. d., *Renforcement des mesures en matière d'immigration pour lutter contre le terrorisme*). Le 12 octobre 2001, la ministre de la Citoyenneté et de l'Immigration, madame Elinor Caplan, a annoncé un plan visant à renforcer certaines mesures en matière d'immigration en vue de lutter contre le terrorisme. Le gouvernement a annoncé un investissement de 49 millions de dollars afin d'adopter rapidement les mesures suivantes : accélérer l'introduction de la carte de résident permanent délivrée à tous les nouveaux immigrants à compter de juin 2002[1] ; assurer un contrôle de sécurité au début du processus de détermination du statut de réfugié ; accroître la capacité de détention ; intensifier les mesures d'expulsion et augmenter le personnel (jusqu'à une centaine de nouveaux employés) afin de mettre en œuvre les mesures de sécurité aux différents points d'entrée (*Ibid.*).

Toutefois, bien avant les événements du 11 septembre 2001, le gouvernement fédéral avait commencé à se préoccuper des questions liées à la sécurité et à la mobilité des individus. Dès 1996, un premier projet d'entente canado-américain sur les tiers pays sûrs était à l'étude, et une entente, signée en décembre 2002, entra en vigueur à la fin du mois de décembre 2004. L'entente fait partie intégrante du plan d'action découlant de la Déclaration sur la frontière intelligente. L'objectif avoué du gouvernement est de permettre un traitement plus ordonné des demandes d'asile, de réduire le temps d'attente pour l'obtention d'une réponse et de respecter ses obligations juridiques internationales. Sauf exception, et en vertu des principes de regroupement familial, des intérêts de l'enfant et du non-renvoi d'une personne dans un pays où elle risquerait la peine de mort, les demandeurs d'asile sont donc tenus de soumettre leur demande aux postes frontaliers (ce qui exclut les aéroports et les bureaux intérieurs) dans le premier pays sûr où ils mettent les pieds (Canada, CIC, 2004c).

Le Comité permanent de la citoyenneté et de l'immigration (CIMM) a présenté, en décembre 2002, un rapport sur la version finale de l'entente. Ce rapport comprend aussi des mémoires des quatre partis officiels d'opposition, soit l'Alliance canadienne, le Bloc québécois, le Nouveau Parti démocratique et le Parti progressiste-conservateur. Le CIMM s'interroge sur les

1. Cette carte «offre à ses titulaires une preuve sûre de leur statut de résident permanent quand ils utilisent les transporteurs (avion, train, bateau et autobus) pour revenir au Canada, La carte de résident permanent aide aussi CIC à remplir son engagement de gérer l'accès au Canada et contribue à garantir que le Canada possède les instruments nécessaires pour se protéger contre l'usage frauduleux de ses documents d'immigration (Canada, CIC, s. d., Fiche de renseignements 22).

« véritables objectifs » poursuivis par le gouvernement ainsi que sur le financement de sa mise en application. De leur côté, les partis d'opposition se sont montrés encore plus critiques à l'endroit de l'entente. En général, on s'élève contre le fait que les États-Unis soient considérés comme un pays sûr, alors que, selon plusieurs sources nommées par le CIMM et les partis d'opposition, il semblerait que les États-Unis ne respectent pas les mêmes critères que le Canada en matière d'assistance aux réfugiés. On doute que le gouvernement s'assure que l'entente n'aura pas d'effets négatifs ou discriminatoires sur les droits de groupes ciblés, en particulier les femmes et les enfants, ainsi que les demandeurs d'asile qui fuient la violence familiale. De plus, en faisant référence à une expérience semblable menée en Allemagne, plusieurs croient que cette entente risque d'entraîner une hausse marquée du nombre de personnes qui entrent illégalement au Canada, favorisant ainsi le trafic de personnes. Enfin, le CIMM, et surtout les partis d'opposition, se demandent si cette entente a vraiment été signée dans le but de mieux servir les intérêts des demandeurs d'asile, ou simplement pour réduire le nombre de demandes pouvant être faites au Canada, On craint que cette politique ne soit en fait adoptée pour des raisons d'économie, en réduisant les coûts associés à la gestion des demandes d'asile (Canada, CIMM, 2002).

Le gouvernement du Canada, dans sa réponse au CIMM déposée en mai 2003, a souligné qu'il entendait, dans la mesure du possible, suivre éventuellement les recommandations du Comité. Comme la version finale de l'entente avait déjà été écrite et signée par les deux gouvernements, ces recommandations seront davantage prises en considération lors de la révision de l'entente dans un avenir plus ou moins éloigné (Canada, CIC, 2003b). Selon les statistiques colligées par CIC pour la période du 29 décembre 2004 au 30 mars 2005, c'est-à-dire pour les trois premiers mois suivant l'entrée en vigueur de l'entente, le nombre de demandes d'asile aux points d'entrée terrestres ont diminué de 40 % par rapport à la même période de l'année précédente. Cependant, les demandes d'asile pour les autres points d'entrée ont aussi diminué de 23 %. Le nombre de demandeurs d'asile est d'ailleurs tombé de 33 461 en 2002 à 19 735 en 2005 (Canada, CIC, 2006b). Il est donc difficile de conclure que la baisse de demandes soit causée exclusivement par l'Entente sur les tiers pays sûrs (Canada, CIC, 2005d).

Plusieurs programmes et mesures législatives abordant la problématique de la sécurité ont une incidence sur les politiques de gestion de la diversité et vont bien au-delà des dispositions inscrites dans l'Entente sur les tiers pays sûrs. Au premier chef, il faut mentionner l'entrée en vigueur, en 2001, de la Loi antiterroriste, la création du ministère de la Sécurité publique et de la Protection civile Canada (SPPCC) relevant de la vice-première ministre et ministre de la SPPCC. Ce ministère regroupe l'ancien ministère du Solliciteur général, l'ancien Bureau de protection des infrastructures et de la protection civile et le Centre national de prévention du crime. Relèvent de ce nouveau ministère la GRC, le Service canadien du renseignement de sécurité (SCRS), la Commission nationale des libérations conditionnelles, le Centre des armes à feu Canada, le Service correctionnel du Canada et l'Agence des services frontaliers du Canada (ASFC). Il regroupe aussi trois organismes d'examen : le Comité externe d'examen de la GRC, le Bureau de l'enquêteur correctionnel et la Commission des plaintes du public contre la GRC (Canada, SPPCC, 2005c).

En avril 2004, le gouvernement annonce la politique du Canada en matière de sécurité nationale : Protéger une société ouverte. Cette politique expose les principaux intérêts du gouvernement canadien en matière de sécurité nationale et propose un cadre pour permettre au gouvernement de réagir aux principales menaces qui pèsent sur les Canadiens. Les mesures énoncées, affirme le document, respectent et renforcent les valeurs fondamentales des Canadiens, « à savoir la démocratie, les droits de la personne, la primauté du droit et le pluralisme » (Canada, Bureau du Conseil privé, 2004, p. vii-xi).

La politique canadienne de sécurité nationale présente un cadre stratégique et un plan d'action pour assurer que le gouvernement canadien est prêt à faire face aux menaces à la sécurité. La politique comprend des chapitres portant sur six secteurs stratégiques clés : 1) renseignement ; 2) planification et gestion des opérations d'urgence ; 3) santé publique ; 4) sécurité des transports ; 5) sécurité à la frontière ; 6) sécurité internationale. Les secteurs qui doivent particulièrement retenir notre attention dans une perspective de gestion de la diversité sont la sécurité à la frontière et la sécurité internationale. La sécurité à la frontière concerne les mesures de technologie de la biométrie, le système d'identification dactyloscopique automatisé de la GRC, les mesures visant la simplification du processus de détermination du statut de réfugié, le plan d'action sur la frontière intelligente et l'internationalisation du modèle de frontières intelligentes. La sécurité internationale touche le rôle du Canada dans la lutte contre le terrorisme (Canada, Bureau du Conseil privé, 2004, p. vii-xi). Dans les deux cas, il s'agit des mesures le plus susceptibles d'avoir des répercussions sur le traitement des minorités racisées par les autorités publiques ou par la société en général, dans la mesure où les politiques publiques peuvent renforcer des stéréotypes ou avoir un effet sur la perception de la société à l'égard de certains groupes.

Le rapport d'étape du 17 décembre 2004 sur le plan d'action pour une frontière intelligente note le progrès dans divers secteurs. Il souligne entre autres la signature d'un protocole entre le Canada et les États-Unis qui rendra plus efficace l'échange de renseignements sur les dossiers relatifs à l'immigration. Les deux pays ont également conclu une entente qui permet l'échange systématique de renseignements sur les revendicateurs du statut de réfugié. Il est dit que cette mesure permettra de mieux repérer les personnes qui risquent de représenter une menace à la sécurité ou une menace criminelle. De plus, il y a eu entente pour que les deux pays comparent des indicateurs biométriques ainsi que de données signalétiques. Enfin, le Canada a déployé des agents d'intégrité des mouvements migratoires dans 39 pays clés pour combattre la migration clandestine. Le travail de ces agents consiste à intercepter avant même leur arrivée les personnes qui tentent de venir au Canada à l'aide de faux documents. Le rapport estime que les agents ont permis d'atteindre un taux de 72 % d'interceptions, soit 6 000 personnes, avant que celles-ci n'entrent au Canada (Canada, MAECI, s. d.).

Finalement, la Loi sur le ministère de la Sécurité publique et de la Protection civile est entrée en vigueur en 2005[2]. Cette loi définit le cadre législatif du ministère de la Sécurité publique et de la Protection civile Canada (SPPCC) créé le 12 décembre 2003 (SPPCC, 2005a).

Ces préoccupations relatives à la sécurité ont aussi trouvé un écho dans l'*Énoncé de politique internationale du Canada. Fierté et influence : notre rôle dans le monde,* rendu public en 2005 (Canada, MAECI, 2005). Cet énoncé, qui fixe l'orientation et les priorités internationales du gouvernement, s'articule autour de cinq priorités. L'une d'elles vise à « donner un nouvel élan au partenariat avec le Mexique et les États-Unis « par le renforcement de la sécurité et la promotion de la prospérité » (Canada, Bureau du Conseil privé 2005a, p. 52). Ainsi, le partenariat nord-américain pour la sécurité et la prospérité signale l'adoption d'une approche commune en matière de sécurité. L'objectif de cette politique est de s'assurer que « l'Amérique du Nord demeure l'espace économique le plus dynamique au monde et un milieu de vie sûr pour les Nord-Américains » (Canada, Bureau du Conseil privé, 2005a, p. 55).

Le gouvernement canadien justifie sa politique en matière de sécurité en faisant appel à deux arguments. D'une part, il insiste sur le fait que sa politique ne va pas à l'encontre des « valeurs canadiennes ». D'autre part, la politique canadienne est présentée comme un modèle qui doit être exporté ou adopté par d'autres États. Le Canada se présente donc comme un modèle de « bonne gouvernance ».

La politique canadienne de sécurité nationale précise qu'un engagement au regard de la sécurité n'est pas en conflit avec l'engagement des Canadiens à des valeurs, à savoir « un attachement profond à la démocratie, à la primauté du droit, au respect des droits de la personne et au pluralisme ». Plus

2. Malgré le fait que les pouvoirs et les fonctions de la SPPCC aient été établis par la Loi sur le ministère de la Sécurité publique et de la Protection civile (entrée en vigueur le 4 avril 2005), le cadre législatif touchant les questions de sécurité et de diversité comprend d'autres lois et programmes qui ont précédé la création de ce ministère, à savoir la Loi antiterroriste (2001) et la Loi sur l'immigration et la protection des réfugiés (2001).

précisément, la politique affirme que le Canada refuse de restreindre sa diversité ou son ouverture face à l'immigration pour des raisons de sécurité (Canada, Bureau du Conseil privé, 2004, p. 2). De même, dans le rapport d'étape sur la mise en œuvre de la politique, on affirme à nouveau que la « politique de sécurité nationale du Canada a été conçue de manière à promouvoir et à respecter ces valeurs fondamentales tout en nous permettant de faire échec à ceux qui cherch[ent] à abuser de notre ouverture » (Canada, Bureau du Conseil privé, 2005a, p. 5). Le gouvernement canadien affirme que le Canada doit collaborer de façon continue avec les États-Unis et les autres pays pour s'assurer que les frontières canadiennes restent ouvertes aux activités commerciales et aux voyageurs légitimes. L'obligation du gouvernement relative à l'engagement envers les Canadiens de « protéger le mieux-être social et économique et [de] protéger les droits et les libertés dont jouissent les Canadiens à titre de citoyens d'une société démocratique » (*Ibid.*, p. 43) justifie la collaboration avec les États-Unis pour des questions de sécurité à la frontière.

Les préoccupations sécuritaires ne sont donc pas nouvelles. C'est d'ailleurs l'avis partagé par les fonctionnaires fédéraux rencontrés. Dans le domaine de l'immigration, les changements les plus importants au cours de la dernière décennie sont liés à la question de la sécurité. L'un d'eux fait référence à la crainte qui s'est « installée » au Canada à l'endroit des réfugiés et des immigrants après les événements du 11 septembre 2001. Cette crainte est perceptible non seulement auprès du public, mais aussi à l'intérieur du gouvernement et de la fonction publique. Bien que le public perçoive les changements dans ce domaine comme résultant des événements du 11 septembre 2001, un des fonctionnaires interviewés précise que le Ministère avait déjà entrepris des démarches afin de renforcer l'aspect sécuritaire bien avant ce moment charnière. L'effet principal des événements de 2001 a été d'accélérer le financement et la mise en place de ces mesures. Il vaut la peine de citer un long extrait d'une entrevue où cet aspect a été mis en évidence :

> *Well, of course, security matters have changed over the last decade. It has become a bigger issue.* [...]. *The thing that changed was, and this happened around the year 2000, where there was sort of an awareness that we don't know who they are.* [...]. *They show up with documentation that's false, illegal documentation : 40 % of them were showing up at one point, with nothing.* [...] *So we started working on looking at ways we could bring a little more security into that. One of the things we came up with, which was implemented shortly after 11 September 2001, but was in fact all ready to go by that time, was the screening at ports of entry.* [...]. *The purpose of that, as I say, was really – because we were becoming more and more aware that we didn't know who people were.* [...] *there's a point at which it becomes absurd, to have too much security checking of people, costly. If that would be the case, then I would have to suggest that we have to be secure by checking everybody in Canada, including you and me. There's a point where it goes*

beyond, so when we implemented that, as I say, we did it immediately, we did it in November 2001. A lot of people thought that was our instant reaction. Anybody in government knows we couldn't put something like that in place in 2 months. [...] *It was the finality of security that pushed us in that direction.*

[...]

What happened was that yes, we got funding in place to do it. The pieces were all in place. We designed it. We got funding faster, as a result of 9/11. [...].

Q: So it moved up on the priority list.

A: That's right. We had a package and we were going to put it out there. And the same, likewise, with the Safe Third [Country Agreement] *was – we were able to get American agreement in something we had always wanted to do. How much of that was 9/11? I can't get into the Americans' minds, but the fact is that it got on their 30-point list. That would be, I would suggest, a pretty good indication where they were coming from.* [...] *We had been working on that project off and on over the years and we finally had it, put it into legislation. It was driven by the fact that looking at the numbers, we knew a lot of people were misusing their documentation.* [...] *Again, it wasn't driven by big security concerns. It was just driven by the fact that we had an illegal movement happening, because of our own poor documentation* (Fonctionnaire, CIC).

Un autre fonctionnaire a souligné les répercussions organisationnelles de cette nouvelle conjoncture pour le Ministère. Le gouvernement canadien a créé l'Agence des services frontaliers du Canada qui s'est vu attribuer certaines des responsabilités de Citoyenneté et Immigration Canada (CIC), particulièrement celles du contrôle à la frontière pour les réfugiés et les immigrants. Selon lui, il s'agit là d'un changement très significatif. Il signale une rupture avec la tradition de l'équilibre entre l'accès et la sécurité[3].

The biggest change, obviously, was in reaction to 9/11, and the decision, a couple of years ago, to create the Canada Border Services Agency. That was a very fundamental change of focus for the department. Before then, we talked about balancing facilitation and control and one of the biggest roles of CIC was balancing those two aspects of migration. But with the creation of the Border Services, that is no longer the case. Border Services are now in charge of the control side of that, while CIC is responsible for the facilitation aspect of the equation, and the balancing takes place outside of CIC; [...]. *It takes place between the structures, rather than within the structures as before* (Fonctionnaire, CIC).

3. Rappelons que le CCR avait mentionné que cette restructuration était significative, puisqu'en attribuant les fonctions de contrôle à l'Agence des services frontaliers le gouvernement laissait sous-entendre que les personnes réfugiées sont une menace à la sécurité.

Les attaques terroristes du 11 septembre 2001 sont constamment invoquées par le gouvernement pour justifier les mesures de sécurité accrues ainsi que les compromis en matière de droits civils et de libertés (Abu-Laban et Gabriel, 2003; Whitaker, 2003a et 2003b). Néanmoins, dans le document *Protéger une société ouverte,* le gouvernement canadien reconnaît que: «Bien avant les événements du 11 septembre 2001, le Canada avait pris des mesures importantes pour accroître la sécurité à la frontière, conscient du fait que les activités de filtrage des voyageurs ou des conteneurs devaient, le plus possible, se faire avant leur arrivée aux points d'entrée» (Canada, Bureau du Conseil privé, 2004, p. 45). De la même manière, bien que l'établissement d'une «frontière intelligente» soit souvent justifié par les préoccupations des autorités américaines, le même document soutient plutôt que c'est le Canada qui a pris les devants et qui a proposé aux États-Unis une stratégie visant à faciliter les passages frontaliers.

Toutefois, dans l'ensemble, le ton de la LIPR et la rhétorique politicienne à laquelle elle donne lieu insistent sur le fait que le Canada demeure une terre d'accueil pour les immigrants et les réfugiés, et sur la nécessité de poursuivre la tradition humanitaire du Canada. L'insistance est mise sur le caractère instrumental de l'immigration: enrichir les ressources humaines (attirer des travailleurs qualifiés et des gens d'affaires) et stimuler le développement économique, social et culturel du Canada (principalement répondre aux besoins du marché du travail). En d'autres termes, il est question de maximiser les avantages sociaux et économiques des migrations au Canada et d'améliorer le rendement des immigrants. Ce ton conciliant et utilitariste masque néanmoins le fait que la LIPR repose sur une logique sécuritaire (protection du Canada, contrôle des frontières, lutte contre les «menaces» migratoires et les «faux» réfugiés) plutôt que sur les impératifs liés à l'accueil et à l'intégration des immigrants (Nakache, 2003). Qui plus est, les restrictions apportées à la politique d'immigration se sont accompagnées d'une relative érosion de la protection juridique accordée aux immigrants (Crépeau et Nakache, 2006).

LA POLITIQUE QUÉBÉCOISE EN MATIÈRE D'IMMIGRATION

BESOINS ÉCONOMIQUES *VS* GESTION DE LA DIVERSITÉ

Bien qu'en vertu de l'Acte de l'Amérique du Nord britannique (AANB) de 1867 l'immigration soit une compétence partagée (avec prépondérance de l'État fédéral), ce n'est qu'à la fin des années 1960 que le gouvernement du Québec a créé un ministère de l'Immigration. Dans la foulée de la Révolution tranquille, marquée par la modernisation de l'État provincial et la transformation du nationalisme québécois, le Québec a cherché à affirmer son rôle dans le domaine de l'immigration et, surtout, à exercer un plus grand contrôle du processus de sélection et de recrutement des immigrants. Il a donc négocié une série d'ententes fédérales-provinciales, la première ayant été signée en 1971.

La dernière entente entre les deux ordres de gouvernement fut conclue en 1991. L'Accord Canada-Québec relatif à l'immigration et à l'admission temporaire des aubains (mieux connu sous le nom Accord Gagnon-Tremblay-McDougall, du nom des deux ministres responsables de l'immigration au Québec et au Canada) définit les responsabilités qui incombent respectivement aux gouvernements québécois et canadien (le tableau 3 en annexe donne un aperçu du partage des responsabilités). Le gouvernement fédéral demeure responsable de l'établissement des volumes annuels d'immigration pour le Canada, des critères de séjour (durée, autorisation de travail et d'études), des catégories d'immigrants, du parrainage familial et des demandes d'asile. Le Québec a pour sa part obtenu la responsabilité exclusive dans trois domaines relatifs à l'*immigration permanente:* 1) le volume d'immigrants qu'il désire accueillir; 2) la sélection des candidats qui veulent s'établir sur son territoire (à l'exception des demandeurs de statut de réfugié et des membres de la catégorie du regroupement familial); 3) la gestion et le suivi des engagements de parrainage ainsi que leur durée. Par ailleurs, en matière d'*immigration temporaire*, le Canada doit obtenir le consentement du Québec en ce qui concerne: 1) l'octroi de permis de travail; 2) la délivrance de permis d'études et l'admission des étudiants étrangers, sauf lorsque ces derniers participent à un programme canadien d'assistance aux pays en voie de développement; 3) l'autorisation donnée à un visiteur de se rendre au Québec pour y recevoir des traitements médicaux.

L'Accord de 1991 cherche à préserver le poids démographique du Québec au sein du Canada et à favoriser l'intégration des immigrants dans le respect de son «caractère distinct» (article 2). Dans cet esprit, le gouvernement du Canada s'est engagé à permettre au Québec de recevoir un pourcentage du total des immigrants admis au Canada égal au pourcentage de sa population par rapport à la population canadienne, avec le droit (jamais exercé à ce jour) de dépasser ce chiffre de cinq pour cent pour des raisons démographiques. Selon les termes de l'Accord Canada-Québec, l'État du Québec est responsable des services d'accueil et d'intégration linguistique et culturelle ainsi que des services spécialisés d'intégration économique offerts aux résidents permanents. Une compensation financière est versée pour que le Québec puisse remplir ces responsabilités dans la mesure où ces services correspondent à ceux offerts par le gouvernement canadien et qu'ils sont offerts aux résidents permanents qui auraient pu être sélectionnés par le Canada (Québec, MCCI, 1991, p. 5). Par ailleurs, le gouvernement canadien s'est engagé à consulter le Québec sur le nombre d'immigrants qu'il compte recevoir. Le Québec se voit aussi obligé d'accueillir un pourcentage du nombre total de réfugiés au moins égal au pourcentage d'immigrants qu'il s'est engagé à recevoir. Le gouvernement fédéral continue de déterminer les critères relatifs aux immigrants appartenant à la catégorie de la réunification des familles, bien que le Québec se soit vu accorder la responsabilité de leur application lorsque les nouveaux venus s'établissent sur son territoire, ainsi que celle d'assurer le suivi des engagements de parrainage et de fixer les normes financières auxquelles les répondants doivent se soumettre. Le Canada est le seul à accorder le statut de réfugié, bien que le Québec puisse choisir les candidats qui sont les plus susceptibles de s'établir au Québec ou de refuser ceux qui ne répondent pas aux critères du Québec. Les visiteurs (étudiants, travailleurs temporaires et personnes venant recevoir des soins médicaux) seront admis après que le Québec ait accordé son consentement. C'est donc dire que le Québec contrôle directement le processus de sélection de l'immigration dite économique, qui représente plus de la moitié des immigrants récents, alors qu'il participe plus ou moins activement à la sélection des autres catégories d'immigrants (Young, 2004).

Sur le plan juridique, la Loi sur l'immigration du Québec définit les rôles et responsabilités du ministère de l'Immigration et des Communautés culturelles (MICC). Les objectifs liés à la sélection des ressortissants étrangers qui désirent s'établir au Québec recoupent ceux énoncés par le gouvernement canadien, bien qu'un accent particulier soit mis sur les dimensions culturelles propres au Québec[4]. De plus, chaque année, le ministre doit établir un plan d'immigration précisant les volumes d'immigration projetés et fixer ceux-ci par catégorie et par « bassin géographique », c'est-à-dire soit par pays, par région ou par continent. En vertu de la législation québécoise, le ministre peut suspendre l'examen des demandes ou cesser de délivrer des certificats de sélection lorsque les objectifs fixés (par catégorie et bassin) sont atteints. Un premier projet de loi amendant la loi fut adopté en 2001, mais de nouvelles modifications furent apportées par le gouvernement libéral en 2004 qui eurent pour effet d'annuler celles de 2001. Dans l'ensemble, bien que ce projet de loi soit justifié par la nécessité de faciliter l'administration de la loi,

4. Quatre de ces cinq objectifs sont directement liés aux pouvoirs du Québec en ce domaine :
« a) contribuer à l'enrichissement du patrimoine socioculturel du Québec, à la stimulation du développement de son économie et à la poursuite de ses objectifs démographiques ;
b) faciliter la réunion au Québec des citoyens canadiens et résidents permanents avec leurs proches parents de l'étranger ;
c) permettre au Québec d'assumer sa part de responsabilités dans l'accueil des réfugiés et d'autres personnes qui se trouvent dans des situations particulières de détresse ;
d) favoriser, parmi les ressortissants étrangers qui en font la demande, la venue de ceux qui pourront s'intégrer avec succès au Québec » (MICC, 1994, Loi sur l'immigration au Québec, paragraphe 3).

les nouvelles dispositions permettent notamment la répartition de la sélection des immigrants par bassin géographique et autorisent le ministre à suspendre la réception de demandes certificats de sélection. Il renforce aussi les dispositions concernant l'usage de faux documents qui disqualifient complètement les demandeurs et introduit des modifications de concordance avec la nouvelle loi fédérale (Québec, Assemblée nationale, 2004a).

Les préoccupations gouvernementales à l'endroit de l'immigration reposent d'abord et avant tout sur des considérations d'ordre démographique et économique, auxquelles s'ajoute l'enjeu linguistique. Ainsi, le plan d'action 2004-2007 souligne clairement que: «Au cours des dernières années, les personnes immigrantes ont représenté plus de 60 % de la croissance de la population active, contribuant ainsi à atténuer les effets liés au vieillissement. En raison de la demande accrue de main-d'œuvre et de la pénurie prévisible de compétences, cette contribution est appelée à s'accentuer. Le Québec reconnaît donc plus que jamais l'apport stratégique de l'immigration à son développement social, économique et culturel» (Québec, MRCI, 2004a, p. iii). Ainsi, la faible fécondité au Québec, qui se situe sous le seuil de remplacement de la population, le vieillissement de la population, la baisse du poids démographique du Québec au sein du Canada et, dans une moindre mesure, le déficit du solde migratoire net justifient à eux seuls le recours à l'immigration. Mais l'enjeu démographique est aussi vu sous l'angle de ses répercussions économiques, puisqu'une réduction de la population correspond à une baisse du nombre «d'acteurs économiques» et, par conséquent, du volume d'activité économique, à une pénurie de main-d'œuvre, à une perte de la masse critique en éducation, à un financement plus difficile des systèmes collectifs de sécurité sociale et de santé (Québec, MRCI, 2000, p. 9-10). *A contrario*, les effets positifs de l'immigration sur l'économie sont nombreux: celle-ci alimente la demande de biens et services, les immigrants investisseurs réduisent les coûts associés aux investissements, l'immigration répond aux besoins en main-d'œuvre sans que l'État ait eu à débourser pour la formation.

Les changements dans les programmes d'immigration économique se sont déployés sur deux axes: changements dans la sélection des travailleurs et changements pour améliorer le taux de présence des immigrants investisseurs. Pour la sélection des travailleurs, selon un haut fonctionnaire du Québec, la justification pour les changements repose sur des considérations liées au marché du travail et, en particulier, aux besoins des régions périphériques:

> [...] le Québec sélectionnait des travailleurs assez et très scolarisés et dans plusieurs régions on signalait également des besoins au niveau des techniciens professionnels. L'apport d'immigration ne collait pas nécessairement aux besoins du Québec concernant le marché du travail. Alors la ministre a demandé qu'on revoie en profondeur les critères de sélection

> du Québec, de façon à s'assurer de sélectionner des candidats qui répondent pour l'avenir davantage aux besoins des employeurs, plus particulièrement dans les régions (Fonctionnaire, MICC).

Ce haut fonctionnaire mentionne que la problématique de l'immigration d'affaires est un peu différente de celle qui préside au processus de sélection des travailleurs. Le programme d'immigration d'affaires devrait être révisé afin de faire coïncider les objectifs avec les résultats souhaités. Les immigrants investisseurs ont l'obligation de satisfaire au critère d'investissement pour être admis, notamment en ce qui a trait au capital placé auprès d'Investissement Québec. Cependant, ils n'ont pas à demeurer au Québec. Le Québec affiche un faible taux de rétention de ses immigrants entrepreneurs qui, au-delà de leur placement initial, pourraient jouer un rôle économique important et générer un développement économique substantiel. Il s'agit donc de trouver des moyens pour améliorer le taux de présence au Québec de ces immigrants et ainsi contribuer en partie à apporter un élément de solution à la problématique de la relève «entrepreneuriale» (Fonctionnaire, MICC).

Par ailleurs, le MICC a effectué un changement important au chapitre de l'approche privilégiée pour procéder à la sélection des immigrants. Alors que l'accent avait d'abord été mis sur une analyse globale du «capital humain» de l'immigrant, un virage s'est opéré pour favoriser davantage une intégration plus rapide sur le marché du travail en fonction des compétences et des formations affichées par le demandeur de statut de résident permanent. Ainsi, au dire d'un fonctionnaire interviewé, de façon générale, le Ministère a su tirer profit de son expérience. Au-delà des changements de gouvernements et des ajustements dans les politiques, le Ministère a développé une expertise qui lui permet de mieux définir les besoins en immigration:

> [...] En matière d'immigration de travailleurs, on avait un programme qui avait un ensemble de critères de sélection et la logique d'ensemble, je dirais c'est une logique de capital humain. On préjugeait que quelqu'un qui a des caractéristiques favorables comme une bonne scolarité, jeune, connaissance de la langue, aurait tous les atouts requis pour s'insérer facilement sur le marché du travail, sans égard au domaine de sa formation. Donc on ne tenait pas compte du domaine de formation, de compétence de la personne. Et pas de lien non plus avec les domaines dans lesquels on aurait besoin de main-d'œuvre sur le marché sur travail. [...] Bien des gens, même jeunes, même scolarisés, même parlant français, vont avoir beaucoup de difficulté à s'insérer sur le marché du travail. Et ça c'est lié au domaine de formation. [...] De 1993 à aujourd'hui, la sélection était un peu basée sur le concept du capital humain. On est capable d'en faire le bilan, et on est capable d'avoir une action maintenant beaucoup plus mesurée, on va combiner les acquis à la fois du capital humain, en ajoutant aussi des subtilités qui vont tenir compte du domaine de formation.

> [...] On tient compte aussi des ordres professionnels et de la difficulté ou non de certaines formations professionnelles d'être reconnues pour établir quel jugement on va porter au moment de la sélection pour une personne formée dans tel domaine (Fonctionnaire, MICC).

En somme, l'approche québécoise ne diffère guère des préoccupations qui animent la politique fédérale dans la mesure où elle cherche à établir une adéquation entre la sélection économique et les besoins de main-d'œuvre.

Les autres axes d'intervention inscrits dans le plan d'action (accueil et insertion en emploi ; apprentissage du français ; valorisation sociale de la diversité) relèvent plus de la politique d'intégration que celle de l'immigration. Tous les documents gouvernementaux insistent sur les considérations économiques qui justifient l'accueil d'un grand nombre d'immigrants. Les problématiques liées à l'intégration s'avèrent importantes, mais s'inscrivent dans une logique d'ajustement et de gestion de la diversité dans l'espace social et politique. En d'autres termes, l'intérêt pour l'immigration est alimenté par les besoins économiques auxquels s'ajoutent des préoccupations sociales et culturelles. Cette rhétorique s'inspire de la logique économique : il s'agit de « stimuler l'offre d'immigration » en fonction des besoins du Québec en main-d'œuvre et de « savoir-faire entrepreneurial » (Québec, MICC, 2005a, p. 17), les candidats à l'immigration étant considérés comme une « clientèle » particulière (*Ibid.*, p. 19-20).

De la même manière, l'approche québécoise s'inscrit dans la même logique que celle suivie par le gouvernement canadien pour ce qui est des « valeurs » qui l'animent :

> le respect de l'égalité des personnes, principe consacré dans la Charte des droits et libertés de la personne et dans les différentes lois du Québec ; le respect des valeurs qui ont toujours animé la politique québécoise d'immigration en matière de regroupement familial et d'accueil humanitaire ; l'équité et l'intégrité du processus de traitement des dossiers qui reflète la volonté de concilier les différents objectifs de la politique d'immigration et de maintenir une diversification des flux migratoires ; une approche adaptée aux besoins des immigrants des différentes catégories d'immigration et des membres des minorités visibles ; la prise en compte des besoins différenciés des femmes et des hommes sur le plan de l'intégration et de la pleine participation ; l'arrimage le plus étroit possible entre les besoins du Québec et la sélection économique ; une approche spécifique adaptée aux particularités et aux conditions de chaque région du Québec ; l'amorce de l'intégration de l'immigrant dès l'acceptation du candidat à l'étranger ou au Québec même ; l'assurance d'un processus sécuritaire, le contexte international actuel exigeant que tous les moyens soient pris pour éviter l'usurpation d'identité ou d'autres fraudes et contribuer à la sécurité nationale (Québec, MRCI, 2004a, p. 8).

Le gouvernement du Québec doit donc déterminer le volume d'immigration souhaité. En vertu du plan d'immigration déposé pour l'année 2006 par exemple, le Québec voulait accueillir plus de 48 000 ressortissants étrangers. Il cible plus particulièrement les jeunes personnes actives ainsi que les jeunes familles tout en cherchant à maintenir la proportion de personnes connaissant le français à 50 % au moins, l'objectif visé étant de 57 %. L'accent mis sur l'âge des personnes admises vise, d'une part, à optimiser la contribution de l'immigration à la dynamique démographique québécoise et, d'autre part, à maximiser les retombées économiques « en accroissant la part de l'immigration qui est destinée à satisfaire les besoins du marché du travail québécois » (Québec, MRCI, 2004b, p. 2). Dans cette perspective, il n'est pas étonnant de constater que l'effort en vue de « stimuler l'offre d'immigration », pour reprendre le vocable cher au gouvernement du Québec, porte principalement sur l'immigration économique, devançant de loin les niveaux d'admission découlant du regroupement familial ou l'immigration qualifiée d'humanitaire (voir les tableaux 4 et 5 fournis en annexe pour des données récentes).

Contrairement à la politique fédérale qui conjugue les impératifs d'immigration et de sécurité, le gouvernement du Québec insiste peu sur cette dernière dimension. Puisque l'établissement des catégories d'immigrants et les mécanismes de vérification relèvent du gouvernement fédéral, cette fonction sécuritaire n'est remplie que par des mécanismes de concertation avec le gouvernement fédéral. En somme, les dispositifs sécuritaires se situent bien en amont par rapport à la marge de manœuvre accordée aux gouvernements provinciaux.

*
**

Pour les questions d'immigration, nous constatons que le fédéral et Québec partagent des priorités similaires. Dans les deux cas, les fonctionnaires auxquels nous avons parlé ont souligné la nécessité de réévaluer le système de sélection des immigrants afin de remédier au problème de l'accueil des immigrants qualifiés, mais dont les compétences ne correspondent pas aux besoins du marché du travail. Indirectement, les deux ordres de gouvernement sont interpellés par le besoin de faciliter la reconnaissance des compétences acquises à l'étranger pour permettre l'accès au marché du travail plus facilement.

Les changements dans le profil démographique des immigrants préoccupent aussi les deux niveaux de gouvernement. Au Québec, cette préoccupation se manifeste, entre autres, au sujet des programmes de francisation qui doivent être adaptés pour répondre aux nouvelles réalités démographiques (p. ex., des cours plus pointus pour les gens qui possèdent une connaissance du français usuel, sans pour autant avoir les connaissances requises pour accéder à un emploi dans leur domaine de compétence). Pour Citoyenneté et Immigration Canada (CIC), ce souci se retrouve dans l'élaboration des programmes d'intégration, dont les programmes linguistiques.

L'évaluation des programmes et des politiques en place est une préoccupation récurrente au sein du gouvernement fédéral. Par exemple, pour CIC, le besoin d'améliorer la rapidité du traitement des demandes de réfugiés par la Commission de l'immigration et du statut de réfugié (CISR) a été mentionné. De plus, la section des programmes d'intégration de CIC essaie d'accroître sa capacité de mesurer de façon globale l'intégration en ayant recours à des mesures autres que des indicateurs économiques.

UNE PERSPECTIVE INVERSÉE
LES POLITIQUES VUES PAR LES ONG-PARAPLUIE ET LES ASSOCIATIONS ARABO-MUSULMANES

Si les politiques publiques en matière d'immigration et de sécurité répondent d'abord et avant tout à des besoins économiques auxquels s'ajoutent des considérations sécuritaires, les ONG et les associations qui se préoccupent des problèmes vécus par les immigrants posent un regard beaucoup plus critique à la fois sur la rhétorique gouvernementale et sur les pratiques découlant de l'application de la LIPR, dans ses versions canadienne et québécoise. Il importe donc de faire état des revendications multisectorielles formulées par les représentants des associations arabo-musulmanes. Loin d'être un catalogue de leurs doléances, elles permettent de constater à quel point les changements apportés à la LIPR et surtout les modalités de mise en application ont été interprétés, et souvent vécus, par les personnes appartenant à ces communautés. Il n'est pas surprenant que les préoccupations liées à l'immigration renvoient au hiatus qui semble exister entre les intentions gouvernementales, qui se drapent souvent dans une rhétorique vertueuse, et la réalité telle qu'elle se présente sur le « terrain ». Ainsi, dans la foulée des événements du 11 septembre 2001, les enjeux relatifs à l'accessibilité, au caractère discriminatoire (pour ne pas dire raciste, selon les propos entendus) et à la sécurité sont étroitement imbriqués. De plus, la mise en place de la LIPR n'a été que partiellement réalisée. Le défaut de créer la Section d'appel des réfugiés nourrit la méfiance à l'endroit de l'administration de la politique canadienne d'immigration, perçue comme non transparente et, de ce fait, ouvrant la porte à des traitements injustes. C'est tout le régime canadien de protection des droits, consacré par les chartes, qui est ici sujet à caution.

Dans le cadre de cette étude, trois ONG-parapluie se sont particulièrement penchées sur les problèmes liés au système d'immigration. Il s'agit du Conseil canadien pour les réfugiés (CCR), du National Anti-Racism Council of Canada (NARCC) et de la Table de concertation des organismes au service des personnes réfugiées et immigrantes (TCRI).

Au chapitre de l'immigration, les revendications exprimées portent sur la question de l'accessibilité. Plus spécifiquement, elles remettent en question le caractère en apparence « neutre » de certains critères de sélection, qui sont en fait discriminatoires pour certaines populations ou pour certaines régions du monde. Par ailleurs, les ONG qui ont fait l'objet de notre analyse jettent un regard très sévère sur la manière dont l'enjeu sécuritaire a été géré au Canada. La LIPR est détournée de son objectif premier pour servir à renforcer les mesures visant à « sécuriser » les frontières canadiennes. En d'autres termes, un glissement dangereux s'est opéré : les immigrants, et plus particulièrement les demandeurs d'asile, risquent d'être associés de plus en plus facilement à des « terroristes » dont le Canada doit évidemment se protéger. Cette dimension a d'ailleurs été soulignée par les groupes rencontrés.

La question de l'immigration interpelle fortement les associations arabo-musulmanes, surtout quand il s'agit de la sécurité et des droits des personnes immigrantes ou réfugiées. Étant donné que tous les certificats de sécurité délivrés depuis 2001 ont visé des musulmans, il n'est pas surprenant que ce soit cet aspect qui ait été retenu par ces associations.

Il faut aussi souligner que les ONG-parapluie et les associations arabo-musulmanes abordent des dimensions différentes de la politique d'immigration. Les ONG-parapluie interviennent sur les enjeux globaux touchant l'immigration. Pour leur part, les associations arabo-musulmanes limitent leurs interventions à des enjeux propres à leurs groupes de référence : les niveaux d'immigration en provenance des pays arabes et musulmans, la discrimination visant les Arabes et les musulmans, de même que l'utilisation des dispositifs législatifs et réglementaires de la LIPR à des fins de sécurité. Tout de même, il y a convergence entre les ONG-parapluie et les associations arabo-musulmanes sur certains thèmes : caractère discriminatoire de la politique d'immigration et profilage à l'endroit des Arabes et des musulmans.

Une discrimination systémique dans les politiques d'accueil

Une des principales préoccupations du Conseil canadien pour les réfugiés (CCR) est d'ordre général et renvoie au caractère « raciste » – qualifié de racisme systémique – du système d'immigration. Le CCR perçoit la discrimination envers des « non-citoyens » au Canada comme étant un élément central du fonctionnement du système d'immigration. Comme il le note dans un rapport remis aux Nations Unies :

> *The problem of discrimination against non-citizens is caused by and compounded by the fact that most non-citizens whose rights are denied based on their lack of permanent immigration status are racialized persons. In the*

context of deep-seated societal racism, the denial of basic rights of racialized non-citizens is considered normal by many in government and society. Along with aboriginal peoples in Canada, who are also racialized, non-citizens are those whose economic, social and cultural rights are most frequently violated in Canada (CCR, 2006a, p. 1).

La sélection des immigrants est basée sur un système de points qui favorise les personnes ayant un haut niveau d'éducation, une profession ou qui ont la capacité d'investir. Bien que le processus de sélection favorise une immigration hautement qualifiée, l'intégration de ces personnes ne se fait pas aisément. Plusieurs ne réussissent pas à travailler dans leur domaine de compétence et rencontrent divers obstacles à l'insertion socioprofessionnelle. De plus, le système de sélection ne favorise pas l'immigration permanente de personnes dans certaines catégories d'emploi pour lesquelles le Canada a pourtant des besoins. À titre d'exemple, les personnes qui viennent au Canada pour travailler dans les domaines de l'agriculture ou de la construction, de même que les personnes recrutées en tant que domestiques, ne peuvent obtenir qu'un permis de travail temporaire ouvrant la voie à des abus du fait de leur dépendance à l'endroit des employeurs et de leur incapacité à avoir accès à des programmes sociaux qu'ils contribuent par ailleurs à financer (CCR, 2006a, p. 6-14).

En conclusion, le CCR recommande que le système de points servant à la sélection des immigrants soit modifié pour prendre en compte les besoins du Canada pour des travailleurs dans le domaine de l'agriculture et de la construction ainsi que pour des travailleuses domestiques. L'accès au statut de résident permanent pour ces catégories d'immigrants ferait en sorte que ces personnes pourraient amener avec eux leur famille, améliorant ainsi leurs conditions de vie (CCR, 2006a, p. 7). Pour le CCR, une telle approche mettrait fin à certaines formes de discrimination à l'égard des travailleurs temporaires qui ne se qualifient pas pour être reçus en tant qu'immigrants à cause du système de sélection en place qui met l'accent sur les niveaux de formation, bien que ces personnes contribuent de façon importante à l'économie canadienne.

Le CCR s'est aussi penché sur les enjeux liés au transfert du traitement des demandes de statut de réfugié de CIC au nouveau ministère responsable de la sécurité. Le 12 décembre 2003, le gouvernement a créé l'Agence des services frontaliers du Canada pour traiter les opérations de l'exécution de la LIPR, dont les renvois, la détention et les enquêtes. Cette agence relève du ministère de la Sécurité publique et de la Protection civile. Pour le CCR, ce changement est plus que symbolique : il indique que le gouvernement du Canada considère des demandeurs de statut de réfugié avant tout comme des menaces possibles, plutôt que comme des personnes ayant besoin de la protection du Canada. En confiant la tâche de traiter les demandes de statut de réfugié à une agence dont la fonction première est de protéger la sécurité des Canadiens, le CCR doute que la sécurité des personnes réfugiées constitue une priorité pour ce gouvernement (CCR, 2004c)[5].

Dans un rapport présenté au Haut-Commissariat des droits humains aux Nations Unies, le National Anti-Racism Council of Canada (NARCC) fait lui aussi part du caractère discriminatoire de la politique canadienne d'immigration et, plus particulièrement, du fait que certaines dispositions ont des effets beaucoup plus marqués pour les ressortissants des pays du Sud à cause des coûts qu'elles induisent. Il pointe du doigt les frais relatifs au droit de résidence permanente, qui s'élevaient à 975 $ (réduits à 490$ en mai 2006), qualifiés de taxe d'arrivée (aussi appelée: *the new head tax*), qui ont un caractère dissuasif disproportionné. Il souligne l'imposition de visas[6] (une autre mesure qui impose des frais excessifs aux voyageurs), la localisation des postes consulaires à l'étranger pour la gestion des demandes de visas et, depuis l'adoption de la LIPR en 2002, le profilage à caractère racial qui rend certains groupes plus vulnérables à la déportation (NARCC, 2005a, p. 4-8).

La Table de concertation des organismes au service des personnes réfugiées ou immigrantes (TCRI) traite surtout des dossiers qui concernent le gouvernement québécois. Dans un communiqué de décembre 2005, préoccupée par l'immobilisme du gouvernement en matière d'intégration des immigrants, la TCRI demandait au gouvernement du Québec de « s'assurer que les sommes provenant du fédéral sont véritablement investies dans l'intégration des personnes réfugiées ou immigrantes au Québec » (TCRI, 2005c). À plusieurs reprises, la TCRI a fait la demande d'une augmentation des ressources consacrées à l'intégration des immigrants. D'ailleurs, elle juge que la détermination des niveaux d'immigration devrait se faire à la suite d'un bilan de l'intégration et des ressources qui y sont consacrées (2004). Dans un mémoire présenté au gouvernement québécois dans le cadre des consultations devant conduire à l'établissement des niveaux d'immigration pour la période 2005 à 2007, la TRCI recommandait de rehausser progressivement les niveaux d'immigration et de ne pas privilégier la hausse de l'immigration

5. Dans tous les documents revus, le CCR est la seule association qui établit ce lien entre la nouvelle structure gouvernementale et les implications au niveau des intentions du gouvernement. Par contre, les associations arabo-musulmanes sont très conscientes du fait que le discours et les considérations d'ordre sécuritaire sont très présents dans le système d'immigration. En plus, pour les communautés arabes, il y a une reconnaissance que même le statut de citoyen ne peut empêcher des abus justifiés par les autorités comme étant dans l'intérêt de la sécurité nationale. Cet aspect est discuté dans les deux prochaines sections.
6. Au coût de 475 $ pour le demandeur de visa de résidence permanente.

économique au détriment de l'immigration familiale ou humanitaire. Elle demandait aussi que le gouvernement québécois s'assure que la sélection des réfugiés se fera sur la base de critères de protection et non sur leur capacité d'établissement. (TCRI, 2005c).

Pour ce qui est des niveaux d'immigration au Québec de personnes originaires du Maghreb, les porte-parole de Carrefour culturel Sésame, de Québec (ou Sésame) et de Présence musulmane mentionnent tous deux les effets du 11 septembre 2001. Un représentant de Présence musulmane explique: « [M]ais ce qui est certain c'est que des gens de l'immigration ont les mêmes stéréotypes que les gens et ça donne beaucoup plus de défis pour accepter les demandes qu'auparavant, plus de temps pour accepter des demandes d'immigration avec les vérifications de sécurité. » Même si le Ministère explique les délais par des raisons administratives et de logistique, le porte-parole de Sésame laisse sous-entendre qu'il y voit aussi une motivation liée au profilage à caractère raciste. Cependant, le porte-parole de Sésame signale aussi qu'une étude commandée par les services d'immigration du Canada a constaté que plusieurs Canadiens d'origine tunisienne retournent en Tunisie une fois qu'ils ont obtenu la citoyenneté canadienne. Il explique: « Le fait même de rétention des immigrants d'origine maghrébine est moins fort que d'autres immigrants ». Cela peut influencer le processus de sélection.

Les leaders associatifs croient que le gouvernement du Québec cherche à limiter l'immigration de populations arabes ou musulmanes au profit d'une immigration plus « blanche et chrétienne » venant des pays de l'Europe de l'Est ou d'Amérique latine. L'un d'entre eux affirmait:

> En soi c'est un frein parce que c'est sûr que pour des raisons d'éthique, le gouvernement n'a pas pu dire qu'ils ont changé de critères juste pour les Maghrébins ou pour les Arabes, mais en prolongeant le délai pour des raisons administratives ou logistiques, forcément, les gens ne sont pas dupes. On sait très bien que si on compare avec la demande de l'immigrant d'Europe, sa demande se traite en un an versus du Moyen-Orient ou du Maghreb trois ou quatre ans ou encore plus » (Représentant, Sésame).

Or les statistiques des arrivées en provenance du Maghreb infirment cette interprétation.

Pour sa part, un fonctionnaire du MICC interviewé a plutôt souligné que les délais sont d'abord et avant tout causés par une croissance des demandes en provenance des pays du Maghreb. Celles-ci sont passées de 4 500 à environ 12 000 en 2003, notamment parce que les « consultants en immigration » ont été plus actifs (ceux-ci sont intervenus dans 50 % de ces demandes), mais aussi parce que le gouvernement du Québec a réduit de moitié les frais associés à l'étude des demandes en provenance de cette région afin d'accroître « l'offre d'immigration ». Le Ministère n'avait pas vraiment prévu le coup :

> On n'a pas ajusté assez rapidement les ressources en conséquence pour faire face à cet afflux de demandes, et l'aurait-on fait qu'on se serait probablement posé des questions à savoir est-ce que la politique d'immigration du Québec entend se laisser dicter par la demande et par l'activité des consultants ? [...] de sorte qu'il y a eu un retard important dans les demandes, et des bureaux d'avocats ont commencé à interpeller le Ministère en disant que le Ministère était discriminatoire parce qu'il prenait deux fois plus de temps à traiter les demandes du Maghreb qu'ailleurs (Fonctionnaire, MICC).

Au bout du compte, le délai de traitement des dossiers est beaucoup plus long que pour les autres régions.

Une loi partiellement mise en application : l'absence d'une section d'appel des réfugiés

La constitution de la Section d'appel des réfugiés (SAR) est prévue dans la LIPR, mais celle-ci n'a jamais été mise sur pied. Cette absence demeure une préoccupation centrale pour deux ONG-parapluie : le Conseil canadien pour les réfugiés (CCR) et la Ligue des droits et libertés (LDL). Sans la mise sur pied de la SAR, le processus de détermination du statut de réfugié demeure incomplet et possiblement non conforme aux obligations internationales du Canada, Par ailleurs, il n'existe pour l'instant que peu de moyens pour renverser de mauvaises décisions adoptées par un commissaire sur le statut de réfugié (CCR, 2005a, p. 1).

Dans le cas de refus, il est possible de faire appel à la Cour fédérale. Toutefois, celle-ci a refusé d'entendre les causes dans 89 % des cas. De plus, la Cour limite son jugement aux erreurs susceptibles de révision, notamment celles qui consistent à ne pas tenir compte de la preuve ou à en tirer des conclusions déraisonnables (CCR, 2005a, p. 4). Il existe deux recours pour les demandeurs qui se voient refuser le statut de réfugié : l'examen des risques avant renvoi (ERAR) et une admission pour des raisons d'ordre humanitaire. Dans les deux cas, il n'est pas possible de corriger les erreurs de la Commission de l'immigration et du statut de réfugié. La demande d'un ERAR n'est admissible que si le demandeur présente de nouveaux éléments de preuve. Ce recours n'est donc pas utile dans le cas d'une mauvaise décision fondée sur une preuve déjà constituée. De même, le recours à l'admission pour un motif d'ordre humanitaire demeure un processus discrétionnaire au succès limité

(CCR, 2005a, p. 5-6). Il ne s'agit donc pas de voies alternatives pouvant combler les lacunes procédurales, rôle que pourrait jouer la Section d'appel des réfugiés.

L'absence de la SAR a aussi été critiquée par la Ligue des droits et libertés (LDL). Dans un rapport publié en 2004, la LDL revendiquait le respect du droit d'appel des personnes réfugiées tel qu'il est stipulé dans la Loi sur l'immigration (LDL, 2004, p. 23). En plus des associations de défense des droits, le Haut-Commissariat des Nations Unies pour les réfugiés, le Comité des Nations Unies contre la torture et la Commission interaméricaine des droits de l'homme ont aussi fait pression sur le gouvernement canadien pour que celui-ci mette en place la SAR. L'absence de celle-ci équivaut à un manque de protection des droits humains et à une violation des engagements pris par le Canada au niveau international[7].

Dans le même esprit, la Fédération canado-arabe, mieux connue sous l'acronyme CAF, soutient que le Canada est le seul pays dans le monde occidental qui n'a pas un processus d'appel transparent et objectif portant sur ses décisions administratives. Lors de la rencontre annuelle réunissant la délégation nationale de CAF et des membres du Parlement à Ottawa en novembre 2005, cet enjeu a été discuté. La CAF a souhaité que le gouvernement mette en application un processus interne d'appel. Elle a aussi exprimé le vœu que le processus de sélection des membres de la Commission de l'immigration et du statut de réfugié soit transparent afin de s'assurer que les commissaires fassent preuve de sensibilité à l'endroit des différentes cultures, mais aussi qu'ils aient une bonne connaissance des engagements du Canada relatifs aux droits de la personne (CAF, 2005a, p. 1).

Sécurité et droits des immigrants et réfugiés

La problématique de l'intersection des préoccupations sécuritaires liées aux attentats du 11 septembre 2001 et des nouveaux dispositifs législatifs ou réglementaires (LIPR, Loi antiterroriste, élargissement des pouvoirs des services de renseignement ou policiers) inquiète au plus haut point les intervenants dans le champ de l'immigration et les leaders associatifs des communautés arabo-musulmanes. Ces derniers appréhendent les effets de ces nouvelles dispositions législatives sur les droits de la personne, et ils sont également préoccupés par le changement de climat social qu'elles induisent. Commençons par examiner l'analyse que font les ONG-parapluie de ces questions.

7. Il semble que, du point de vue des demandeurs d'asile, le problème demeure davantage le fait que les décisions soient prises par un seul commissaire dont les compétences sont parfois remises en question. Le porte-parole du CCR estime qu'en l'absence de la SAR la compétence des commissaires est absolument essentielle.

Il ne fait aucun doute pour la Ligue des droits et libertés que les événements du 11 septembre 2001 ont changé le climat politique et social et ont permis de justifier le recours à certaines mesures qui auparavant auraient été inacceptables (Représentant, LDL). Qui plus est, comme l'ont souligné les porte-parole du CCR et la TCRI, les changements introduits à la suite du 11-septembre ne se limitent pas à des modifications législatives, mais touchent aussi les pratiques administratives et réglementaires, les budgets et, plus généralement, les orientations des politiques. Par exemple, les budgets de détention ont été augmentés, cette mesure étant perçue comme une mesure sécuritaire; le recours aux certificats de sécurité, bien qu'existant avant 2001, a été utilisé dans cinq cas fortement médiatisés juste après cette date. Lorsque nous avons demandé à la porte-parole du CCR à quoi elle attribuait les changements dans le domaine de l'immigration, elle a précisé:

> [...] on ne peut pas attribuer tout ce qui se passe au 11 septembre, parce qu'en fait ces changements ont été voulus, ont été justifiés par le gouvernement libéral à l'époque, un gouvernement qui s'affichait comme l'ami des immigrants et des réfugiés. Mais après le 11 septembre, il y avait des discussions très chaudes au gouvernement, on ne participait pas à ces discussions, mais on en entendait parler ou on discutait si c'était nécessaire de ré-ouvrir la loi. Parce que ça n'avait pas encore été mis en vigueur (Représentante, CCR).

Par ailleurs, le resserrement des contrôles à l'immigration est, pour la représentante de la LDL, en grande partie tributaire de l'image négative des réfugiés projetée dans les médias et des discours politiques qui les dépeignaient comme des abuseurs, des gens qui contournaient les règles (Représentant, LDL). Dans la même perspective, le porte-parole de la TCRI note une tendance généralisée au sein des pays occidentaux en faveur d'un resserrement des politiques d'immigration, et plus particulièrement en ce qui concerne le contrôle des réfugiés (Représentant, TCRI).

De manière plus générale, la LDL rappelle que la Loi antiterroriste ainsi que plusieurs autres mesures adoptées depuis le 11 septembre 2001 remettent en cause « des principes que l'on prenait pour acquis dans nos sociétés démocratiques » (LDL, 2005a, p. 4). Parmi les mesures que la LDL juge comme portant atteinte aux libertés civiles, elle mentionne la Loi antiterroriste (C-36, sanctionnée le 18 décembre 2001), la Loi « antigang » (C-24, sanctionnée le 7 janvier 2002), la mise en place du mégafichier sur les voyageurs internationaux[8], le projet accordant aux corps policiers un accès légalisé aux communications informatiques de tous les citoyens (Convention sur la cybercriminalité,

8. Le mégafichier contient les informations suivantes: nom, vol, siège choisi, destination, mode de paiement, bagages et compagnon de voyage. Il a été mis en place en octobre 2002.

signée le 12 août 2002) et le projet de carte nationale d'identité avec puce et données biométriques[9] (LDL, 2004, p. 3-4). Selon la LDL, « ces nouvelles mesures bouleversent profondément notre système juridique et les valeurs consacrées dans nos chartes » (LDL, 2004, p. 4).

La LDL exprime sa profonde inquiétude face à la Loi antiterroriste. Elle mentionne les atteintes à l'exercice de plusieurs libertés fondamentales ; le manque d'encadrement de l'exercice des pouvoirs de surveillance, d'intervention et d'enquête confiés aux services de renseignements et de police ; le fait qu'une intervention des services de police ou des services de sécurité puisse être justifiée par le simple *soupçon* d'activité terroriste (et non par le *motif raisonnable de croire* qu'un crime a été commis), etc. (LDL 2005a, p. 26). Dans un mémoire présenté au comité contre la torture des Nations Unies, la LDL dénonce les abus de pouvoir au nom de la sécurité nationale :

> Au Canada, la Loi antiterroriste de 2001 a modifié de façon importante la *Loi sur la preuve* ainsi que la *Loi sur la protection de renseignements personnels* et elle a accordé de nouveaux pouvoirs d'investigation aux services policiers et de renseignements. D'où le recours de plus en plus fréquent au « secret », au nom de la sécurité nationale, par les agents de l'État, la multiplication des bases de données sur les citoyens, le partage de ces informations entre les agences gouvernementales, etc. Or, ces pouvoirs ne sont pas assortis de contrôles rigoureux et démocratiques de leur utilisation par les agents de l'État. De plus, ces mesures ont engendré autant d'obstacles concrets à l'imputabilité des agents de l'État et aux réparations de préjudices subis (LDL, 2005b, p. 5).

Croyant que les lois existantes sont suffisantes pour assurer la sécurité des Canadiens contre le terrorisme, la Coalition pour la surveillance internationale des libertés civiles (dont fait partie la LDL) a demandé l'abrogation de la Loi antiterroriste. De plus, la Coalition trouve que la définition du terrorisme sur laquelle la loi est fondée pose problème en raison de son caractère vague et imprécis (CSILC, 2005).

Dans les premiers rapports annuels suivant l'adoption de la Loi antiterroriste, le gouvernement canadien a affirmé ne pas avoir utilisé les nouveaux pouvoirs d'investigation et d'arrestation préventive. Pour sa part, la Coalition pour la surveillance internationale des libertés civiles a déposé un contre-rapport donnant plusieurs exemples d'abus envers les membres des groupes arabes et musulmans (LDL, 2004, p. 7). De même, les médias rapportent une entrevue avec la présidente de la Commission des plaintes du public

---

9. La LDL maintient que « l'obligation de détenir une carte d'identité représenterait un changement majeur dans le rapport entre le citoyen et l'État ». Dans la tradition anglo-saxonne, un individu n'est pas tenu de porter sur lui une pièce d'identité ou de décliner son identité à moins d'être en état d'arrestation. Cette obligation remet en question le droit à l'anonymat, un principe de notre démocratie (LDL, 2004, p. 10).

contre la GRC, Mme Shirley Heafy, dans laquelle celle-ci affirme « avoir reçu de nombreux témoignages de musulmans harcelés par la police qui n'osent pas déposer de plainte formelle » (LDL, 2004, p. 7 ; voir aussi LDL, 2005b, p. 6). La présence de la Commission des plaintes du public contre la GRC laisse croire que celle-ci est dotée d'un mécanisme de surveillance adéquat. Or, cette commission ne peut ouvrir d'enquête et n'a aucun pouvoir d'examen général. Ainsi « la GRC n'est aucunement redevable à un organisme ayant de réels pouvoirs d'examen général, de contrôle et de traitement efficace des plaintes » (LDL, 2005b, p. 6).

La porte-parole de L'Hirondelle, organisme de services qui se préoccupe de l'insertion sociale et professionnelle des personnes immigrantes, mentionne quant à elle les répercussions négatives des images véhiculées dans les médias. Elle estime que les membres des groupes arabo-musulmans y sont toujours dépeints de manière défavorable, inquiétante et stéréotypée, suscitant le soupçon. Ces reportages montrent des individus détenus sans procès pour des raisons de sécurité nationale ou des arrestations de personnes musulmanes soupçonnées d'activités terroristes (surmédiatisation du projet *Thread* en 2003 et des arrestations de 17 présumés terroristes à Toronto en juin 2006). Comme elle l'explique, ces images ont des conséquences réelles pour les personnes des communautés concernées :

> Quand les médias nous transmettent cette image-là et on explique que c'est pour des raisons de sécurité de quelqu'un [...] Donc, oui, nous sommes affectés parce que tout ce qui est transmis dans les médias, ça affecte notre clientèle. Après le 11 septembre, et après maintenant la question de Toronto [arrestation de 17 présumés terroristes], nous avons remarqué une baisse de recrutement de notre clientèle par les entreprises parce qu'au niveau du 11 septembre, des gens n'osaient même pas venir, ils n'osaient même pas demander, je pense qu'ils n'osaient même pas sortir dans les rues. Donc, et maintenant, on explique beaucoup de choses pour des raisons de sécurité et je trouve que c'est toute la démocratie qui est en jeu. Donc, nous, notre clientèle, c'est celle-là. Quand on voit une personne qui est d'une autre origine et qui est attachée à quelque chose comme ça [bracelet de surveillance dans le cas de la détention de M. Charkaoui] qui donne l'impression d'un animal, c'est sûr que ça joue sur l'image, c'est l'image que reçoit toute la société sur notre clientèle, sur nos personnes immigrantes. On est en train d'inventer un pays sur cette image-là (Représentante, L'Hirondelle).

La Fondation canadienne des relations raciales (FCRR) soutient qu'il est difficile, sinon impossible, pour les groupes et associations de s'opposer aux mesures de sécurité. Un porte-parole de la FCRR explique : « *Security is actually being used as a barrier* [...]. *Silencing various groups from speaking out, and if they do raise the issue, they are unpatriotic* » (Représentant, FCRR). Il ajoute que la conjoncture sécuritaire fait obstacle à la reconnaissance du racisme :

« The security agenda is also making it very difficult to talk about racism and get a response that people will feel comfortable to engage in a conversation» (*Ibid.*). Une porte-parole de la FCRR mentionne aussi que l'influence américaine se fait davantage sentir dans les décisions au niveau des politiques publiques.

De plus, un porte-parole de la FCRR parle de la façon dont l'ordre du jour sécuritaire s'impose dans tous les secteurs de politiques publiques :

> *The other thing that also needs to be said very clearly is that there is another pattern that is very visible : this topic and theme of security is an undercurrent in every single area, so whether you look in education, in schools, in the employment and economic sector, in the political structures and political parties that are becoming more aligned with each other that you don't even see the distinctions between them anymore* [...]. *The driving force in all that is the issue of security. Even in the research and the analysis, it might not be the only object or subject, but it is coming at us from every angle in terms of how is it being used to silence people, to drive regressive and oppressive policies and agendas, to maintain power, and continue to exclude and marginalize* [...] *it is all around that* [...] *this whole security thing is all about protecting the traditional power, about protecting and sustaining it. But it has been broaden in such a way that for the average person it is hard to feel that it is really about their security and that they should not oppose or criticize* (Représentant, FCRR).

Lors de sa comparution à la Chambre des communes devant le Sous-comité de la sécurité publique et nationale en vue de la révision de la Loi antiterroriste en septembre 2005, le Conseil canadien pour les réfugiés CCR a dénoncé le fait que les mesures mises en place contrevenaient aux droits des réfugiés et des immigrants :

> *These concerns existed prior to the events of September 11, 2001, but have intensified in the wake of various responses, including the adoption by the Canadian Parliament of Bill C-36, the Anti-Terrorism Act (ATA) in December 2001.* [...] *It has been widely noted that the government has been using immigration procedures, including security certificates, in preference to criminal proceeding* (CCR, 2005e, p. 1).

Le Conseil canadien pour les réfugiés soutient que l'utilisation des mesures des lois d'immigration à des fins de sécurité nationale souligne l'écart grandissant entre les droits des citoyens et ceux des « non-citoyens[10] ». Ainsi, plusieurs dispositions de la Loi antiterroriste et de la LIPR compromettent les garanties juridiques fondamentales : procès juste, protection contre les détentions arbitraires et contre tout renvoi qui pourrait conduire à la torture, protection contre la discrimination (CCR, 2005f).

---

10. Nous reprenons la terminologie utilisée par le CCR qui parle de « non-citizens » et de personnes immigrantes ou réfugiées.

Au-delà des dénonciations, des mises en garde et des actions de sensibilisation, les associations préoccupées par le sort des immigrants et des demandeurs d'asile ont fait des pressions, elles sont intervenues sur la place publique et ont participé aux processus démocratiques. Le CCR a présenté sept recommandations au comité parlementaire au sujet de la Loi antiterroriste (2005e, p. 10), exigeant entre autres une meilleure définition de l'inadmissibilité d'une personne pour cause de menace à la sécurité: «*A basic problem in IRPA is the extremely broad definition of inadmissibility on the basis of security* (IRPA s. 34)» (CCR, 2005e, p. 3). Une autre recommandation aborde le problème que pose l'utilisation de preuves «secrètes» dans le cadre des certificats de sécurité et aussi dans l'application de la LIPR (CCR, 2005e, p. 4). Les certificats de sécurité sont perçus comme étant une mesure injuste, car ils contreviennent au principe d'un procès juste et équitable. Les preuves qui servent à justifier le certificat de sécurité ne sont connues ni de la personne contre qui le certificat s'applique ni de son avocat. Une personne ainsi accusée n'est pas en mesure de se défendre des accusations qui donnent lieu à sa détention, une détention de durée indéfinie, et qui peuvent conduire à une déportation. Dans la même perspective, des preuves secrètes peuvent être présentées aux commissaires dans les causes entendues par la Commission de l'immigration et du statut de réfugié, preuves dont les premiers concernés ne peuvent prendre connaissance. L'article 86 de la Loi sur l'immigration permet que la preuve demeure secrète si le ministre en fait la demande. Cette mesure a été utilisée au moins une dizaine de fois à ce jour. Le gouvernement peut donc délivrer un certificat de sécurité et détenir des individus sans jamais avoir eu à dévoiler la preuve qui pèse contre eux (CCR, 2005e, p. 4).

Les analyses précédentes convergent avec celles que proposent les associations arabo-musulmanes, avec certaines nuances que nous soulignerons dans ce qui suit.

Le NARCC souscrit aux préoccupations formulées par le CCR et la LDL. Il est surtout préoccupé par le recours à des justifications de sécurité nationale dans le cas de déportations de personnes qui courent le risque d'être torturées (NARCC, 2005a). Le NARCC déplore le fait que la LIPR soit devenue le principal outil juridique dans la lutte contre le terrorisme. Au lieu d'avoir recours à des accusations criminelles et de procéder par l'entremise du système judiciaire, le Canada utilise la LIPR pour déporter de présumés terroristes, une situation jugée inacceptable (NARCC, 2005a, p. 16). Cet aspect est aussi soulevé dans plusieurs études universitaires (Crépeau et Nakache, 2006; Roach, 2003 et 2005) ainsi que par plusieurs associations arabo-musulmanes (CAF, CAIR-CAN, FMC).

Par ailleurs, le CCR note que certaines catégories sociales, notamment les Arabes et les musulmans, font l'objet de discriminations spécifiques liées à leur origine ou à leur appartenance religieuse. Dans son rapport déposé au Haut-Commissariat des droits de l'homme, le NARCC affirme que:

> *Since 9/11, Muslims and Arabs have endured increased incidences of discrimination against members of their communities, both by private actors and by the state. Although Muslims and Arabs are victims of historical discrimination and stereotyping, the political climate change has, since September 2001, become ardently Islamophobic. The profiling of Muslims and Arabs in the administration of justice undermines the equality rights of members of these communities* (NARCC, 2005a, p. 12).

Les associations arabo-musulmanes sont surtout préoccupées par les abus de pouvoir commis par les autorités envers les Arabes et musulmans et par la normalisation du profilage à caractère raciste. Contrairement aux ONG-parapluie qui exigent une révision en profondeur des mesures de sécurité (particulièrement le retrait de la Loi antiterroriste), les associations arabo-musulmanes proposent des ajustements aux mesures en place afin de contrer les abus de pouvoir (par exemple, nouveau cadre de sécurité, accroissement de la diversité au sein des institutions, etc.). Ainsi, CAIR-CAN et le Canadian Islamic Congress essaient de faire le pont avec les institutions canadiennes ou cherchent à se rapprocher des autorités. Elles visent l'inclusion des communautés arabes et musulmanes dans les services de sécurité ou les mécanismes décisionnels. Cependant, le bien-fondé de cette intégration dans les institutions n'obtient pas l'assentiment de tous, certains allant parfois jusqu'à promouvoir une attitude de non-coopération.

Le Canadian Council on American-Islamic Relations in Canada (CAIR-CAN) exerce une grande vigilance à l'endroit des abus perpétrés par les autorités et pouvant affecter les citoyens d'origine arabe et de confession musulmane. Il note que dans la foulée des événements du 11 septembre 2001, et plus particulièrement depuis l'adoption de la Loi antiterroriste, les forces policières et les agences de sécurité ont versé dans de dangereux excès. Selon CAIR-CAN, « *the ATA* [Anti-Terrorism Act] *invigorated security agencies to investigate Muslim and Arab citizens* » (CAIR-CAN, 2005a, p. 7). Un sondage mené auprès des communautés arabes et musulmanes révèle une prolifération d'interventions troublantes de la part des forces de l'ordre et des services canadiens de sécurité (voir le rapport de CAIR-CAN intitulé *Presumption of Guilt: A National Survey on Security Visitations of Canadian Muslims*)[11]. À ces inquiétudes s'ajoutent les cas de citoyens canadiens détenus et torturés à l'étranger, dont Maher Arar fut l'exemple le plus médiatisé. De plus, les leaders d'associations arabo-musulmanes font état de nombreux cas

11. Ce sondage n'a pas été réalisé à partir d'un échantillon représentatif. L'échantillon compte 467 répondants. Le sondage a été distribué en version papier dans des mosquées, des centres islamiques et à des événements des communautés musulmanes à travers le Canada, et 211 réponses ont été reçues de cette façon, alors que 256 personnes ont répondu à la version électronique qui était disponible sur le site Internet de CAIR-CAN (2005b, p. 7).

où des personnes ont reçu la visite de la GRC ou du Service canadien de renseignement de sécurité (SCRS), et ce, souvent sur leur lieu de travail. En plus de constituer une atteinte aux droits de la personne, ces mesures d'intimidation ont pour conséquence de provoquer la méfiance des collègues de travail et des employeurs, et quelquefois des pertes d'emploi (CAIR-CAN, 2005b, p. 10). Le Canadian Islamic Congress a alerté la communauté musulmane, l'informant d'une autre pratique abusive qui semble être une forme de profilage à caractère raciste, soit la constitution d'une liste de personnes qui seraient interdites d'accès à des vols aériens (mieux connue sous son terme anglais : la *no-fly list)*.

Dans le but d'alerter les membres des groupes arabo-musulmans, la CAF a préparé un guide intitulé *CSIS and Your Rights : An Arab-Canadian Guide* (CAF, s. d.). Ce guide explique le rôle et les fonctions du Service canadien du renseignement et rappelle les droits des personnes en cas de visite des agents de ce service. Le Conseil musulman de Montréal a quant à lui dénoncé le SCRS et a invité les musulmans à ne pas coopérer avec les autorités de ce service.

Plusieurs associations notent que le profilage à caractère raciste s'est en quelque sorte normalisé. La porte-parole de CAIR-CAN explique de façon détaillée la situation :

> *I know that within Muslim communities, there is the issue of what people feel is racial profiling or religious profiling.* [...] *Since 9-11, the office has received calls and complaints from people saying they were visited by CSIS or the RCMP and they wanted to know what to do. In many cases we received disturbing allegations...* [...] *And they start compiling statistics, again voluntary, it wasn't so much doing samples, so there was this survey that was released early June of 2005, and what came out of it is that people didn't like CSIS showing up at work, and that was happening, and that issue was brought up before the Senate review Committee on CSIS practices and some the issue was considered seriously.* [...] *I think that some of the more disturbing aspects were workplace visits and visits to minors, kids under 18, without the knowledge of the parents. We had a couple of reports of those, and another was misrepresentation by CSIS agents, like people not identifying themselves properly and you can see in the survey the exact nature of some of the complaints. What is interesting is the reaction by CSIS when we made it public, they said there were no problems.* [...] *We spoke with them directly and their response was that people should go to the Security and Intelligence Review Committee with these "allegations".* [...] *But there is a lot of fear by people to make official complaints because people are not familiar with the way the system works, many of them are immigrants or new Canadians and their experience is straight from what kind of security agencies they'd known back home* [...]. *So, many people are afraid of coming forward, of making a public complaint, of making the next step* (Représentante, CAIR-CAN).

De même, un porte-parole de la CAF mentionne que le profilage à caractère racial est devenu pratique courante :

> *Racism, after 9-11, became more racial profiling, and it became systemic, in the sense that security agencies, across the board, from CSIS, to the RCMP, to the provincial polices, to the city polices, all of a sudden, all became involved with security issues, approached our communities in a very clumsy, ignorant and abusive way. Because they, like the rest of the Canadian population, did not know our community and they have all of a sudden 1 million people who are potentially a threat to the country. So they went on "fishing" expeditions, spreading very wide, and naturally, under that kind of circumstances, you have a lot of innocent people getting caught* [...] *and the net should not have been spread that wide in the first place* [...] *and so, there are many examples, from the Pakistanis students who were deported because there were supposedly a security threat, and at the end there were no charges against them except immigration violations, to Maher Arar, and others like him, Canadians who were detained abroad because the Canadian security establishment involvement with... many people who were arrested were interrogated for weeks, for months* [...] (Représentant, CAF).

Les associations arabo-musulmanes dans leur ensemble estiment que ces pratiques constituent un frein à l'intégration des Arabes et des musulmans au sein de la société canadienne et qu'elles nuisent grandement à leur inclusion civique. Plusieurs de leurs recommandations visent à contrer les effets néfastes de la Loi antiterroriste et cherchent à favoriser l'intégration et la valorisation de la contribution de ces communautés par la participation civique. Par exemple, la CAF et CAIR-CAN recommandent l'inclusion de représentants des groupes dans les comités de consultation divers qui se penchent sur les dossiers de sécurité. Ils demandent que des mesures soient mises en place afin d'inclure des personnes qualifiées d'origine arabe et musulmane, dans les services de sécurité et au sein des lieux de prise de décision (*policy-makers*). Ils requièrent aussi que les membres du personnel dans les services de sécurité reçoivent une formation adéquate pour approfondir leur compréhension de la culture arabe et musulmane ; ils souhaitent enfin des instruments de veille pour faciliter la remise en question des actions des agences de sécurité. Plusieurs associations « *claimed that our communities have been profiled as threats to Canada's national security* » (CAF et CAIR-CAN, 2005, p. 10). Ils ne remettent pas en question les préoccupations liées à la sécurité, mais plutôt la façon de faire de l'État, qui contribue à réduire la portée des droits de la personne et à stigmatiser une catégorie sociale particulière (CAF et CAIR-CAN, 2005, p. 8-11). Comme le souligne le Canadian Islamic Congress :

> *We believe that Canada is well positioned in the world today to develop progressive policies and legislation toward a true Security with Rights society, based on shared accountability of RCMP, CSIS and local police forces. Such*

policies and legislation must insist on judicial oversight at every level to guarantee the least possible abuse of power and minimize intrusions into the lives of all law-abiding citizens (Canadian Islamic Congress, 2005a).

Lors des rencontres parlementaires à Ottawa en novembre 2005, la CAF a demandé aux membres de la Chambre des communes de « respecter l'autorité de la loi et la Charte des droits et libertés » et de « mettre fin au profilage racial, aux enquêtes sans fondement et aux échanges irresponsables d'informations. » La CAF a donc proposé aux représentants gouvernementaux une batterie de mesures :

- rétablir le processus contradictoire et éliminer l'utilisation de preuve et de démarches secrètes ;
- établir et soutenir une réelle responsabilité et supervision de toutes les opérations de la sécurité nationale ;
- établir un processus solide de plaintes avec des recours efficaces et opportuns ;
- supprimer l'utilisation des certificats de sécurité et interdire la déportation vers les pays qui pratiquent la torture ;
- modifier la définition de « terrorisme » dans la Loi antiterroriste afin que le motif religieux ne soit plus la condition pour obtenir une condamnation terroriste ;
- mettre sur pied une enquête complète en ce qui concerne les réclamations de profilage des communautés canadiennes d'origine arabe et musulmane et agir de façon décisive afin d'arrêter une telle activité et d'en interdire la répétition ;
- contrôler de façon stricte la cueillette, l'utilisation, le stockage et l'échange de toute information de la sécurité nationale ;
- mettre en place des restrictions qui empêchent l'échange d'information avec des pays qui ne respectent pas les droits de l'homme ;
- mettre entièrement en application toutes les recommandations de l'enquête d'Arar une fois rendues publiques ;
- établir de meilleurs services de renseignements, politiques et protections législatives en consultant les communautés arabes et musulmanes du Canada (CAF, 2005a, p. 2).

Le fait que la preuve demeure secrète pour justifier le recours aux certificats de sécurité a amené certaines de ces associations à se présenter devant la Cour suprême dans une cause qui remet en question l'utilisation de ces certificats[12]. Le Canadian Council on American-Islamic Relations in

12. Il s'agit du cas de M. Adil Charkaoui, résident permanent d'origine marocaine, soupçonné par les autorités canadiennes d'appartenir à un réseau terroriste relié à Al-Qaïda, de s'être rendu dans un camp d'entraînement en Afghanistan en 1998 et d'avoir entretenu des liens avec le groupe islamiste marocain responsable des attentats à Madrid en

Canada (CAIR-CAN) et la Canadian Muslim Civil Liberties Association (CMCLA), les deux seules associations musulmanes à avoir obtenu la permission d'intervenir dans cette cause, ont signalé à la Cour que « *the security certificate process has resulted in a chill over the Muslim and Arab communities in Canada, [Both organizations] encouraged the Court to take into account the values of equality and anti-discrimination when reviewing the practice, and submitted that crimes such as terrorism should be dealt with through the criminal process and not the immigration or anti-terror legislation* » (CAIR-CAN, 2006c). Le Forum musulman canadien (FMC) s'est aussi opposé à l'arrestation d'Adil Charkaoui. Il perçoit le recours au certificat de sécurité comme étant un acte islamophobe qui compromet les droits de la personne, et parlant de ce cas particulier, les droits d'un résident permanent (FMC, 2003b).

Dans leur mémoire présenté à la Cour, CAIR-CAN et la CMCLA exigent que le Canada respecte les droits d'une minorité injustement ciblée :

> *Charter claims must be analyzed in the larger social, historical and political context in which they arise. The issues in this case must therefore be examined in the context of the Canadian social reality, in which selected minority communities have historically been targets of discrimination in times of public fear over real or perceived threats to national security. In the current context, the Muslim community is the target group* (CAIR-CAN et CMCLA, 2006, p. 2).

Le Forum musulman canadien (FMC) a aussi dénoncé la déportation d'un activiste des droits des réfugiés, Mohamed Cherfi, vers les États-Unis[13]. À la suite de cet incident, le FMC a demandé au gouvernement de revoir la mise en application de sa politique de déportation qui semble être « dirigée par un ordre du jour politique et ne prend pas en considération le danger qui se pose aux réclamants du statut de réfugié quand ils sont déportés » (FMC, 2004).

---

mars 2004. M. Charkaoui fut arrêté en mai 2003 et emprisonné pendant près de deux ans en vertu d'un certificat de sécurité. Il a obtenu sa libération conditionnelle en février 2005 et doit se soumettre à une série de conditions très sévères, dont l'obligation de porter un bracelet de sécurité à puce électronique.

13. Activiste et objecteur de conscience, M. Cherfi a demandé l'asile politique au Canada, craignant d'être torturé s'il était retourné dans son pays d'origine. En octobre 2002, il reçoit un ordre de renvoi vers les États-Unis d'où il risquait la déportation vers l'Algérie. Avec sa femme et son jeune fils, il s'est réfugié à la United Church à Montréal. Son arrestation dans un sous-sol d'église enfreignait, pour une première fois au Canada, le principe du respect du sanctuaire. M. Cherfi fut finalement renvoyé aux États-Unis où il fut détenu pendant plusieurs mois avant que le Board of Immigration Appeal ne le reconnaisse comme réfugié politique en juin 2005.

L'Entente sur les tiers pays sûrs

Le Conseil canadien pour les réfugiés (CCR) et la Table de concertation des organismes au service des personnes réfugiées (TCRI) sont les deux associations qui se sont penchées sur les enjeux liés à l'Entente sur les tiers pays sûrs. Rappelons que cette entente vise les demandeurs d'asile qui veulent entrer au Canada à partir des États-Unis et qu'elle s'inscrit dans le Plan d'action Canada–États-Unis pour une frontière intelligente. En vertu de cet accord, l'analyse et la détermination du statut de réfugié se font à partir du pays d'arrivée. En d'autres termes, les demandeurs d'asile sont tenus de faire leur demande dans le premier pays dans lequel ils arrivent, en l'occurrence les États-Unis, même s'ils ont l'intention de s'établir au Canada. Sauf dans les cas d'exception prévus à l'Entente (par exemple si les demandeurs : sont des personnes mineures, sont détenteurs d'un permis de travail ou d'un visa d'étude canadien ou encore si certains membres de leur famille sont citoyens canadiens ou résidents permanents), les demandes faites à la frontière sont rejetées.

Le Conseil canadien pour les réfugiés se montre critique de cette entente pour plusieurs raisons : 1) les États-Unis ne peuvent être considérés comme étant un tiers pays sûr ; 2) cette entente empêche des réfugiés de choisir le Canada comme pays pour recevoir une protection et 3) cette entente risque d'accroître l'immigration irrégulière et le trafic humain (CCR, 2005b, p. ii). Selon le CCR, en obligeant les demandeurs d'asile qui transitent par les États-Unis à y faire leur demande de statut de réfugié, ils coupent ces derniers des liens familiaux, des réseaux sociaux ou communautaires qu'ils peuvent avoir au Canada et qui favoriseraient leur intégration. De plus, certaines contraintes peuvent faire en sorte que des demandeurs se voient refuser le statut de réfugié aux États-Unis, même si ces derniers auraient été acceptés au Canada. Des études ont démontré que le taux de succès pour certaines catégories d'individus est plus élevé au Canada. Par exemple, en 2004, les demandes de statut de réfugié faites par des Colombiens ont été acceptées dans une proportion de 81 % au Canada, mais seulement de 45 % aux États-Unis (CCR, 2005b, p. 9)[14]. Le CCR évalue que l'entente affecte particulièrement ce groupe, puisque la presque totalité des Colombiens présentant une demande de statut de réfugié le font à la frontière à la suite de leur passage aux États-Unis. Ainsi, le CCR estime à 2 500 le nombre de Colombiens n'ayant pu se rendre au Canada pour y faire une demande d'asile en 2005, après l'entrée en vigueur de l'Entente sur les tiers pays sûrs (CCR, 2005b, p. 8). Une autre catégorie à risque est constituée par les femmes qui font une

---

14. Le CCR a fait une analyse des demandes de réfugiés pour la période entre 1989 et 2004. Le rapport *Closing the Front Door* (2005b) présente plusieurs tableaux utilisant les données du CIC pour montrer qu'il y a eu une baisse dans les demandes à la suite de l'Entente sur les tiers pays sûrs.

demande à la suite d'une persécution fondée sur le sexe dans la mesure où le Canada reconnaît davantage le « genre » comme motif valable de persécution (CCR, 2005b, p. 15-18).

Le CCR a noté qu'on peut difficilement mesurer les effets néfastes de cette entente. Cela est en partie attribuable au fait qu'il est difficile et même pratiquement impossible de compiler des données sur le nombre de personnes qui ne se rendent pas à la frontière canadienne sachant qu'elles se verront refuser l'accès ou sur le nombre de personnes qui ont recours aux services de passeurs pour accéder au Canada (CCR, 2005b, p. 10-15). De plus, le gouvernement canadien ne s'est pas intéressé aux impacts potentiels de l'Entente sur divers groupes. Il ne produit donc pas de données à cet effet. Le gouvernement est principalement préoccupé par le déroulement de la mise en application de l'Entente (CCR, 2005b, p. 21). Comme le faisait remarquer le CCR : « le gouvernement a reconnu le manque d'informations disponibles sur l'Entente entre le Canada et les États-Unis sur les tiers pays sûrs. L'Agence des services frontaliers du Canada a réagi en publiant un guide d'information sur son site Internet » (CCR, 2006c). Le rapport tripartite sur la première année de l'Entente sur les tiers pays sûrs n'a pas a été publié avec beaucoup de retard, soit en novembre 2006 (Canada, CIC, 2006b). Le CCR a vivement réagi à cette évaluation. Selon l'organisme, le rapport « n'aborde pas la question fondamentale de l'impact de l'Entente sur les réfugiés » et « n'examine pas le sort des réfugiés pour qui la porte du Canada est maintenant fermée » (CCR, 2006c). Le rapport montre toutefois une baisse marquée du nombre de demandes présentées au Canada depuis 2002.

Le Conseil canadien pour les réfugiés n'est pas la seule ONG à critiquer l'adoption de l'Entente sur les tiers pays sûrs. Il a obtenu l'appui de la TCRI (TCRI et CCR, 2004) ainsi que celui de la Ligue des droits et libertés (LDL, 2004, p. 23). La LDL exigeait du gouvernement canadien non seulement qu'il renonce à l'Entente sur les tiers pays sûrs avec les États-Unis, mais aussi « [qu'il cesse] tout renvoi temporaire de revendicateurs du statut de réfugié vers les États-Unis sans avoir la certitude qu'ils ne seront pas détenus et pourront revenir faire leur demande au poste frontalier à la date prévue » (*Ibid.*, p. 23). Selon la LDL, « la protection que le Canada prétend offrir aux réfugiés est fragilisée par cet accord. Pour un grand nombre de demandeurs d'asile, les États-Unis ne représentent pas un pays sûr car le traitement des réfugiés y est à plusieurs égards en deçà des normes internationales » (*Ibid.*, p. 9).

En somme, en dépit du fait que l'Entente stipule que les pays signataires respectent les conventions internationales et que sa mise en application soit supervisée par le Haut-Commissariat des Nations Unies pour les réfugiés, les ONG ne croient pas que le traitement des demandeurs d'asile sera équitable. D'ailleurs, le Conseil canadien pour les réfugiés, le Conseil canadien des églises ainsi qu'Amnistie internationale ont contesté l'Entente devant les tribunaux en invoquant le fait qu'elle violait certaines dispositions de la Charte canadienne des droits et libertés. Le 29 novembre 2007, le juge Phelan de la Cour fédérale leur a donné raison en affirmant que cette entente violait le droit des réfugiés. Le jugement émettait des doutes quant au respect, par les États-Unis, des normes internationales:

> Enfin, il y a une série de questions qui, individuellement et, ce qui est encore plus important, collectivement, minent le caractère raisonnable de la conclusion du gouverneur en conseil quant à la conformité des États-Unis. Parmi ces facteurs, mentionnons les suivants: l'application rigide du délai de prescription aux demandes d'asile, les dispositions régissant les questions de sécurité et de terrorisme qui sont fondées sur une norme moins exigeante, ce qui permet d'englober un plus grand nombre de personnes soupçonnées de menace à la sécurité ou de terrorisme, et l'absence de moyen de défense fondé sur la contrainte ou la coercition. Enfin, il y a le manque d'uniformité de la loi américaine, qui expose les femmes, en particulier celles qui sont victimes de violence conjugale, à un danger véritable si elles retournent dans leur pays d'origine (Conseil canadien pour les réfugiés *et al.* c. Sa Majesté la Reine, 2007).

La Cour fédérale concluait non seulement que l'Entente constituait un excès de pouvoir de la part des autorités gouvernementales, mais aussi que celles-ci ont agi de façon déraisonnable en présumant que les États-Unis se conformaient à la Convention relative aux réfugiés et à la Convention contre la torture.

Ce jugement dévastateur pour le gouvernement fédéral fut porté en appel. C'est ainsi que le 27 juin 2008 les juges Noël, Richard et Evans de la Cour d'appel fédérale ont invalidé la décision du juge de première instance. Plutôt que de se pencher sur le fond du litige, la Cour d'appel a plutôt fait reposer son raisonnement sur le fait que le recours n'a pas été déposé par la personne appropriée. En d'autres termes, il aurait fallu qu'un réfugié ayant subi un préjudice conteste l'entente, et non les organisations qui ont porté la cause devant les tribunaux[15]. Il est possible que ce soit la Cour suprême qui soit amenée à trancher le litige.

---

15. La Cour d'appel fédérale invoque les motifs suivants pour casser le premier jugement:

> [103] Il n'y a, en l'espèce, aucun fait justifiant un examen des prétendues atteintes portées à la Charte. La principale prétention des organisations intimées a trait au fait que les agents à la frontière n'ont pas le pouvoir discrétionnaire de refuser de renvoyer un demandeur aux États-Unis pour une autre raison que les exceptions énumérées à l'article 159.5 du Règlement. La présente contestation devrait cependant être examinée dans un contexte factuel approprié, c'est-à-dire être présentée par un réfugié à qui l'asile a été refusé au Canada en application du Règlement et qui est exposé à un risque véritable de refoulement en étant renvoyé aux États-Unis en vertu de l'Entente sur les tiers pays sûrs.

Le recours à la norme internationale

La norme internationale s'appuie sur les principes de protection des droits inscrits dans les instruments internationaux. Plusieurs organismes ont recours à la norme internationale dans leurs revendications, et certains vont même directement aux tribunes internationales pour défendre les droits proclamés dans les pactes et conventions (p. ex., Pacte international relatif aux droits civils et politiques, Pacte international relatif aux droits économiques, sociaux et culturels, Convention internationale sur l'élimination de toutes les formes de discrimination raciale, Convention sur l'élimination de toutes les formes de discrimination à l'égard des femmes, Convention contre la torture et autres peines ou traitements cruels, inhumains ou dégradants). Les ONG-parapluie se sentent particulièrement interpellées par ce que peut offrir le recours à la norme internationale, soit en se présentant sur les tribunes internationales (dépôts de mémoire, représentations à l'ONU), soit en y faisant référence pour exercer des pressions sur le gouvernement canadien. Plusieurs des rapports (mémoires, rapports alternatifs déposés aux divers comités des Nations Unies, etc.) de ces ONG font référence à la norme internationale.

La Ligue des droits et libertés (LDL) a pour mission de défendre les droits énumérés dans la Charte internationale des droits de l'homme et de faire leur promotion. Elle intervient sur la scène internationale dans le but de faire connaître ses positions, mais, surtout, elle utilise les instruments internationaux pour appuyer ses revendications au niveau national. Dans son *Rapport social* (LDL, 2006), elle reprend un à un divers articles du Pacte international relatif aux droits économiques, sociaux et culturels, et démontre dans quelle mesure le Canada et le Québec contreviennent à leurs engagements. De même, en rappelant divers articles du Pacte international relatif aux droits civils et politiques ratifié par le Canada, la LDL déclare que «de nombreuses dispositions de la Loi antiterroriste dérogent au Pacte», et ce, de manière permanente (LDL, 2005a, p. 8).

De la même manière, le Conseil canadien pour les réfugiés a recours à la norme internationale pour mieux asseoir ses revendications. Par exemple, dans un rapport soumis en 2004, le CCR a demandé au gouvernement canadien de revoir la nouvelle *Loi sur l'immigration* et son application du point de vue de l'enfant. Dans cette perspective: «Le CCR invite le gouvernement canadien à effectuer cette révision et à apporter les changements nécessaires pour s'assurer que le Canada applique intégralement les dispositions de la Convention relative aux droits de l'enfant» (CCR, 2004a).

---

[104] Par conséquent, le juge de première instance n'aurait pas dû examiner la contestation fondée sur la Charte. Je refuserais donc de répondre à la troisième question certifiée (Sa Majesté la Reine c. Conseil canadien pour les réfugiés *et al.*, 2008).

D'autres ONG, comme la TCRI, font référence à la norme internationale même si l'essentiel de leurs activités se déroule dans l'arène nationale. Ainsi, dans la description de sa mission, la Table fait référence aux droits mentionnés dans la Déclaration universelle des droits de l'homme et aux divers « droits et protection stipulés dans les accords et conventions nationales et internationales relatives aux droits de la personne » desquels toute personne (citoyen, réfugié, demandeur d'asile, immigrant) devrait pouvoir bénéficier (TCRI, 1999). La norme internationale joue donc un rôle important dans les demandes des ONG au niveau national : « *Building upon our experiences at the WCAR, members of NARCC have come to recognize the important role of international human rights instruments in the development of domestic anti-racism and anti-oppression agenda* » (NARCC, 2002, p. 5).

En dépit des références fréquentes aux conventions internationales signées par le Canada, les ONG se font peu d'illusions quant à la force de cet argument. Selon le CCR, le recours à la norme internationale n'a que peu de répercussions sur les politiques nationales. Son porte-parole estime que le Canada est peu influencé par les commentaires et recommandations formulés par les comités d'experts de l'ONU. Par contre, et ce n'est pas négligeable, y faire référence peut être utile à l'échelle canadienne lorsqu'il est possible de démontrer au grand public que le Canada ne respecte pas ses engagements internationaux au chapitre du respect des droits de la personne et des libertés civiles. Le CCR souligne le manque de volonté à l'égard du respect du droit international :

> On est surtout déçu de la façon dont le gouvernement traite les critiques des ces comités de l'ONU. Parce qu'en général, le gouvernement canadien ne se sent pas du tout concerné dans le sens de devoir prendre des mesures pour remédier aux problèmes identifiés par ces comités. Un exemple, c'est la question de la réunification familiale, où le Comité des droits de l'enfant a déjà critiqué à deux reprises le Canada pour les longs délais. Et, d'après ce qu'on voit, il n'y a aucun processus au sein du gouvernement qui nous dit « voilà, c'est ce qu'on fait pour résoudre ce problème ». Donc c'est dans ce sens-là qu'on ne voit pas un impact immédiat en ce qui concerne la politique. Mais nous on juge très important d'utiliser ces instances-là, en partie parce que c'est toujours important de montrer aux Canadiens qu'en fait le Canada n'est pas si parfait, ce que certains ont tendance à penser. Beaucoup pensent que les droits sont respectés au Canada. Mais, en fait, ils ne le sont pas. Et ce n'est pas une question qu'on veut être généreux ou plus ou moins généreux envers les réfugiés, ce n'est pas la question « ne fait-on pas assez pour les réfugiés » parce qu'on est un pays tellement humanitaire et tout ça, mais c'est qu'il y a des questions où on n'a pas le choix. Et puis en fait on est en train de violer nos obligations internationales. Donc ce n'est pas une question de générosité, c'est une question de ce qui est acceptable selon le droit international. On espère toujours que les choses vont progresser au sein

du gouvernement pour arriver à un moment à une attitude du gouvernement où il y aurait une volonté de respecter le droit international. Mais, pour l'instant, ce n'est pas très répandu (Représentante, CCR).

Ce point de vue n'est cependant pas entièrement partagé par tous, notamment la LDL, la TCRI et NARCC, même si ces derniers reconnaissent l'importance d'attirer l'attention sur le fait que le Canada ne remplit pas adéquatement ses obligations internationales. Selon la LDL, « à court terme, c'est sûr qu'il semble les ignorer, mais ça a quand même un certain poids parce que, malgré tout, l'ONU a une certaine crédibilité et c'est très gênant pour un pays de se faire critiquer systématiquement par l'ONU » (Représentant, LDL).

La Fondation canadienne des relations raciales partage avec la Ligue des droits et libertés cette idée de rappeler au gouvernement canadien ses engagements relatifs aux instruments internationaux. La FCRR voit aussi dans cette démarche une ouverture pour faire valoir les positions des ONG. De plus, elle partage avec la LDL et le CCR l'idée selon laquelle les revendications qui s'expriment sur la scène internationale peuvent avoir des retombées nationales car le Canada est soucieux de sa réputation au niveau international (Représentant, FCRR).

De plus, il ne faut pas sous-estimer la manière dont les organisations internationales peuvent intégrer dans leurs rapports le point de vue exprimé par les ONG. Par exemple, selon la porte-parole de NARCC :

> *Twice NARCC has gone to the United Nations and made submissions, and the last one was the ICCPR* [International Covenant on Civil and Political Rights], *and the submissions were effective in the sense that the UN took notice of what we were saying and welcomed and circulated widely what we had to say. So, we believe that we are relevant because, what we see out there is not something that should be taken lightly by the government and, I think they really recognize that I think* (Représentante, NARCC).

En somme, les ONG-parapluie se sont positionnées quant au rôle ou à l'utilité de la norme internationale afin de faire pression sur le gouvernement ou pour faire valoir leurs propres revendications. Plusieurs d'entre elles avaient recours d'une façon ou d'une autre au droit international. Bien que le CCR critique le Canada en disant qu'il ne répond pas aux critiques formulées par l'ONU, il poursuit quand même ses démarches sur la scène internationale et s'appuie sur la norme internationale pour faire valoir ses positions.

Pour leur part, les associations arabo-musulmanes n'ont pas un discours très riche sur cette question qui est presque ignorée dans leurs écrits et même dans le discours des personnes interviewées. Il est possible de penser que c'est en partie attribuable au fait que plusieurs ont des moyens moindres que ceux des ONG-parapluie. Plusieurs de ces associations arabo-musulmanes sont plus récentes et n'ont pas nécessairement développé une expertise. Aussi, plusieurs associations œuvrent au niveau local (par exemple, Présence musulmane, CCA, etc.), ce qui peut expliquer en partie pourquoi elles sont moins promptes à s'approprier un discours faisant appel au droit international. Mais certaines sont conscientes de cette dimension. Selon CAIR-CAN, par exemple, les critiques de l'ONU adressées au Canada au chapitre de l'utilisation des certificats de sécurité ont certainement eu un poids important dans les décisions rendues par la Cour suprême (Représentante, CAIR-CAN).

CONCLUSION
LA LÉGITIMATION POLITIQUE DE MESURES UTILITARISTES

Les politiques récentes en matière d'immigration et de sécurité se distinguent par leur caractère utilitariste. Alimentée par des préoccupations d'ordre démographique, de gestion d'une main-d'œuvre qualifiée et diversifiée répondant aux besoins du marché du travail, l'approche canadienne a dû faire appel à des facteurs de légitimation dépassant le seul cadre utilitariste qui semble pourtant la déterminer. La majorité des demandeurs du statut de résident permanent s'inscrivent dans la catégorie de l'immigration dite économique. Cela n'est guère surprenant dans un contexte où le Canada est perçu comme un pays particulièrement hospitalier, où le niveau de vie de ses citoyens fait l'envie de plusieurs et où les conflits sociaux et politiques sont, somme toute, moins criants qu'ailleurs. Néanmoins, le Canada doit aussi se plier à ses engagements internationaux et accueillir des individus persécutés dans leur pays d'origine. Bien que les personnes « protégées » ne représentent au total que 15 % des personnes admises (il s'agit tout de même de 30 000 à 35 000 individus), elles fournissent une caution morale à une politique d'immigration largement définie en fonction d'impératifs économiques. Les chercheurs qui se sont penchés sur l'immigration au Canada avaient déjà souligné ce phénomène. Certains y voient même la confirmation du virage néolibéral négocié par le Canada au cours des années 1990 (Hollifield, 1997 et 2005 ; Simmons, 1999 ; Abu-Laban et Gabriel, 2002 ; Reitz, 2004).

Pour sa part, le gouvernement du Québec s'inscrit dans une dynamique identique, à laquelle s'ajoutent des considérations démographiques particulières et une insistance sur la nécessité d'enrichir son patrimoine socioculturel et de favoriser la venue d'immigrants en mesure de « fonctionner » en français.

Le point de vue exprimé par les ONG-parapluie qui œuvrent dans le domaine de l'immigration est toutefois différent dans la mesure où l'accent est mis sur les problèmes vécus par les personnes qui cherchent à s'établir au Canada et au Québec. Ces ONG soulignent qu'en dépit d'un discours empreint de générosité et de bons sentiments le processus de sélection des immigrants contribue à reproduire les clivages sociaux et économiques qui fondent les rapports entre les pays riches et les pays pauvres. En sélectionnant une immigration en fonction de critères essentiellement économiques, la politique canadienne favorise certaines régions du monde et en néglige d'autres, les groupes défavorisés par cette politique étant des groupes racisés. Sans contester la logique inhérente au système canadien de sélection des immigrants, les ONG-parapluie visent à favoriser un élargissement des critères qui ferait en sorte que le Canada puisse accueillir des individus qui pourraient aussi contribuer au développement économique sans nécessairement être des travailleurs hautement qualifiés. De la même manière, les conditions entourant le programme des travailleurs temporaires font en sorte que ces derniers, notamment les femmes, subissent un traitement différencié qui les désavantage et qui les place en situation de vulnérabilité. L'absence de la Section d'appel pour les réfugiés est particulièrement problématique et rend le système inéquitable au point qu'on peut mettre en doute la volonté du Canada de respecter ses engagements internationaux au sujet de la protection des droits de la personne, cette absence l'empêchant d'offrir une telle protection.

Une des inquiétudes majeures exprimées par les ONG-parapluie concerne l'enchâssement, dans la LIPR, de mécanismes modifiant la mission de Citoyenneté et Immigration Canada. Bien que ce ministère ait toujours été sensible à la nécessité d'éviter d'admettre au Canada des individus au passé criminel, cette préoccupation s'est élargie par l'inclusion de considérations touchant à la lutte contre le terrorisme. Les communautés arabo-musulmanes se sont particulièrement senties visées par ces mesures. Bien qu'elles n'aient pas, au dire du gouvernement canadien, fait l'objet de traitements discriminatoires en tant que communautés, les événements du 11 septembre 2001 ont permis au gouvernement de détourner la LIPR pour en faire un outil visant à contrer le terrorisme, soustrayant ainsi l'État à certaines de ses obligations vis-à-vis de la protection des droits humains. S'ajoutent à cet outil les autres mécanismes répressifs utilisés par l'État qui touchent plus particulièrement les populations immigrées.

Ce nouveau contexte a eu pour conséquence de stigmatiser plus particulièrement les populations arabo-musulmanes en les amalgamant, dans l'esprit du public, à la mouvance terroriste internationale. Si les ONG-parapluie sont davantage intervenues pour exprimer leurs craintes et réclamer certaines modifications à la LIPR, tout en dénonçant certaines applications de celles-ci, les associations arabo-musulmanes œuvrant directement avec les populations immigrantes se sont montrées plus préoccupées par les effets délétères des événements du 11 septembre 2001 sur les individus appartenant à ces communautés. Les représentations médiatiques des Arabes et des musulmans ont contribué à stigmatiser ces communautés, à faire en sorte que les abus découlant du profilage racial soient considérés comme « normaux » lorsqu'ils touchent une population vue comme pouvant poser une menace à la sécurité. Il est aussi particulièrement significatif de noter que les associations adoptent une position différente à l'endroit des mesures sécuritaires. Alors que les ONG-parapluie ont réclamé une révision en profondeur de la Loi antiterroriste adoptée par le gouvernement canadien, les associations ont plutôt exigé des ajustements afin d'en limiter les abus potentiels et favoriser une stratégie de rapprochement avec les autorités publiques. Par ailleurs, elles ont été nettement moins portées à se référer à la norme internationale dans la manière dont elles articulaient leurs revendications. Ces différences peuvent s'expliquer par le fait que les associations arabo-musulmanes qui ont des objectifs sociaux, culturels ou religieux, et non directement politiques, sont plus préoccupées par des enjeux relatifs à l'intégration, à la participation et à l'inclusion civiques. En ce sens, elles ont développé une expertise de terrain, plus sensible aux conditions de vie qu'aux contraintes institutionnelles et politiques, bien que ces dimensions ne soient pas totalement absentes du discours.

En bout de piste, même si la valorisation de la diversité fait partie de la rhétorique gouvernementale, le profilage racial, les cas d'abus de pouvoir, les « ratés » du système ont fait en sorte de ternir l'image que l'État veut projeter de lui-même. Bien que les membres des groupes arabo-musulmans cherchent à participer à la vie sociale et civique canadienne et québécoise, le contexte actuel ne cesse de leur rappeler qu'ils sont des citoyens marqués par la différence. La valorisation de la diversité se bute aux limites imposées par un État qui s'en fait pourtant le promoteur sur le plan du discours.

ANNEXE

Tableau 1

NOUVEAUX RÉSIDENTS PERMANENTS ADMIS AU CANADA EN 2006 SELON LA CATÉGORIE D'IMMIGRANTS

	Plan de 2006 Fourchettes prévues	Personnes admises	
		Nombre	%
Catégorie économique			
Travailleurs qualifiés	105 000 – 116 000	105 949	42,1
Gens d'affaires immigrants	9 000 – 11 000	12 077	4,8
Candidats des provinces et des territoires	9 000 – 11 000	13 336	5,3
Aides familiaux résidants	3 000 – 5 000	6 895	2,7
Total – Catégorie économique (y compris les personnes à charge)	126 000 – 143 000	138 257	54,9
Catégorie du regroupement familial			
Époux, conjoints de fait, partenaires conjugaux, enfants et autres	44 000 – 46 000	50 500	20,1
Parents et grands-parents	17 000 – 19 000	20 006	8,0
Total – Catégorie du regroupement familial	61 000 – 65 000	70 506	28,1
Personnes protégées			
Réfugiés parrainés par le gouvernement	7 300 – 7 500	7 316	2,9
Réfugiés parrainés par le secteur privé	3 000 – 4 000	3 337	1,3
Personnes protégées au Canada	19 500 – 22 000	15 892	6,3
Personnes à charge à l'étranger	3 000 – 6 800	5 947	2,4
Total – Personnes protégées	32 800 – 40 300	32 492	12,9
Autres			
Motifs humanitaires et intérêt public	5 100 – 6 500	10 223	4,0
Titulaires de permis	100 – 200	159	0,1
Total – Autres	5 200 – 6 700	10 382	4,1
Catégorie non précisée	–	12	–
Total		251 649	100,0

Source : Canada, Citoyenneté et Immigration Canada, *Faits et chiffres 2006*.

Tableau 2

PERMIS DE SÉJOUR TEMPORAIRE DÉLIVRÉS DU 1ER JANVIER AU 31 DÉCEMBRE 2006*

Motif d'interdiction de territoire	**Disposition de la LIPR**	**Nombre de personnes**
Sécurité (espionnage, subversion, terrorisme)	34(1) a), b), c), d), e) et f)	29
Atteinte aux droits de la personne ou droits internationaux	35(1) a), b) et c)	20
Grande criminalité (personnes déclarées coupables d'une infraction punissable d'un emprisonnement maximal d'au moins 10 ans)	36(1) a), b) et c)	982
Criminalité (personnes déclarées coupables d'un acte criminel ou d'une infraction punissable par mise en accusation ou par procédure sommaire)	36(2) a), b), c) et d)	7 421
Activités de criminalité organisée	37(1) a) ou b)	1
Motifs sanitaires (danger pour la santé et la sécurité publiques, fardeau excessif)	38(1) a), b) et c)	243
Motifs financiers (personnes n'ayant pas la capacité ou la volonté de subvenir tant à leurs besoins qu'à ceux des personnes à leur charge)	39	28
Fausses déclarations	40(1) a), b) c) et d)	18
Manquement à la LIPR ou à son règlement (pas de passeport, pas de visa, travail ou études sans permis, contrôle sécuritaire ou médical à effectuer au Canada, absence de contrôle à l'entrée, etc.)	41 a) et b)	4 387
Membre de la famille interdit de territoire	42 a) et b)	202
Interdiction de retour sans l'autorisation prévue par règlement	52(1)	81
Total		13 412

* En 2005, le nombre de permis déclarés représentait le nombre total de permis approuvés. Toutefois, les statistiques contenues dans le tableau ci-dessus incluent le nombre de PST utilisés en 2006 pour entrer au Canada ou y demeurer.

Source : Canada, Citoyenneté et Immigration Canada (2007). *Rapport annuel au Parlement sur l'immigration*, <www.cic.gc.ca/francais/ressources/publications/rapport-annuel2007/section3.asp# tableau_3>, consulté le 14 juillet 2008.

Tableau 3

PARTAGE DES RESPONSABILITÉS CANADA-QUÉBEC EN MATIÈRE D'IMMIGRATION ET D'INTÉGRATION

Nature des responsabilités*	Canada	Québec
Définition des catégories générales d'immigration	■	
Sélection, admission et contrôle		
Catégorisation des candidatures (immigration économique, regroupement familial, immigration humanitaire, etc.)	■	
Évaluation et décision sur les candidatures soumises à la sélection (ensemble du mouvement migratoire, à l'exception du regroupement familial et des réfugiés reconnus au Canada)		■
Délivrance de certificats de sélection		■
Droit de regard déterminant sur l'admission de catégories données de personnes pour un séjour temporaire (travail, études ou traitement médical)		■
Reconnaissance du statut de réfugié	■	
Contrôle de santé, de criminalité et de sécurité nationale	■	
Attribution de la résidence permanente ou de l'autorisation de séjour temporaire et contrôle du statut des personnes admises ou présentes sur le territoire	■	
Exécution des mesures de renvoi	■	
Parrainage		
Détermination des clientèles admissibles	■	
Fixation des barèmes		■
Réception et suivi des engagements		■
Accueil et intégration des personnes immigrantes		■
Attribution de la citoyenneté canadienne	■	

* Cette liste n'est pas exhaustive et n'apporte pas toutes les nuances requises dans la législation.
Source : Québec, ministère de l'Immigration et des Communautés culturelles, 2006c, p. 71.

Tableau 4

NOMBRE DE PERSONNES SÉLECTIONNÉES PAR LE QUÉBEC PAR CATÉGORIE D'ADMISSION[a]

	Résultats		Prévision	Plan 2008[b]	
	2005	2006	2007	Min.	Max.
Travailleurs qualifiés	30 326	32 520	36 300	36 500	38 000
Gens d'affaires	6 779	4 705 631	5 700	6 000	7 000
Autres catégories économiques[c]	698	563	700	600	800
Réfugiés sélectionnés à l'étranger[d]	2 407	2 155	2 400	2 300	2 500
Autres immigrants[e]	1 692	1 208	1 200	1 100	1 300
Total	41 902	41 207	46 300	46 500	49 600

a) Les nombres ont été arrondis à la centaine ; par conséquent, il est possible que les totaux ne correspondent pas exactement à la somme des éléments.

b) Les volumes de sélection planifiés pour 2008, ainsi que leur répartition par catégorie et par bassin géographique, sont des estimations.

c) Comprend les aides familiaux et les autres immigrants de catégories économiques.

d) Comprend notamment les réfugiés pris en charge par l'État et les réfugiés parrainés.

e) Comprend diverses catégories particulières sélectionnées pour des motifs humanitaires ou d'intérêt public.

Source : Québec, ministère de l'Immigration et des Communautés culturelles, 2007, p. 5.

Tableau 5

NOMBRE DE PERSONNES ADMISES AU QUÉBEC PAR CATÉGORIE D'ADMISSION[a]

	Résultats		Plan 2007		Prévision 2007		Plan 2008[b]	
	2005	2006[c]	Min.	Max.	Min.	Max.	Min.	Max.
Immigration économique	**26 310**	**25 985**	**28 100**	**29 600**	**27 500**	**28 700**	**30 400**	**31 400**
Travailleurs qualifiés	24 161	23 639	26 000	27 000	25 000	28 000	28 100	28 800
Gens d'affaires	1 710	1 664	1 600	1 900	1 900	2 000	1 700	1 900
Autres catégories économiques[d]	439	682	500	700	600	700	600	700
Regroupement familial	**9 103**	**10 480**	**10 200**	**10 700**	**9 800**	**10 300**	**10 000**	**10 400**
Réfugiés et personnes en situation semblable	**7 165**	**7 102**	**6 200**	**6 600**	**6 200**	**6 700**	**5 200**	**6 000**
Réfugiés sélectionnés à l'étranger[e]	2 065	2 279	2 200	2 400	2 200	2 400	2 200	2 500
Réfugiés reconnus sur place[f]	5 100	4 823	4 000	4 200	4 000	4 300	3 000	3 500
Autres immigrants[g]	**734**	**1 191**	**1 000**	**1 100**	**1 400**	**1 500**	**1 100**	**1 200**
Ensemble de l'immigration	**43 312**	**44 686**	**45 500**	**48 000**	**45 000**	**47 300**	**46 700**	**49 000**
Part de la sélection québécoise[h]	67 %	66 %	69 %	69 %	69 %	69 %	72 %	72 %
Part de l'immigration économique	61 %	58 %	62 %	62 %	61 %	61 %	65 %	64 %
Proportion d'immigrants connaissant le français	57 %	58 %	60 %	58 %	60 %	60 %	62 %	61 %

a) Les nombres ont été arrondis à la centaine près ; par conséquent, il est possible que les totaux ne correspondent pas exactement à la somme des éléments.
b) Les volumes d'admission planifiés pour 2007, ainsi que leur répartition par catégorie et par bassin géographique, sont des estimations.
c) Données préliminaires pour 2006.
d) Comprend les aides familiaux et les autres immigrants de catégories économiques.
e) Comprend notamment les réfugiés pris en charge par l'État et les réfugiés parrainés.
f) Comprend leurs personnes à charge à l'étranger.
g) Comprend diverses catégories particulières d'immigrants admis pour des motifs humanitaires ou d'intérêt public.
h) Immigration économique, réfugiés sélectionnés à l'étranger et autres immigrants.
Source : Québec, ministère de l'Immigration et des Communautés culturelles, 2007, p. 8.

Chapitre 3

LES POLITIQUES DU MULTICULTURALISME, DE L'INTERCULTURALISME ET DE LA LUTTE CONTRE LE RACISME

Comme on a pu en faire le constat dans le précédent chapitre, de nouvelles orientations caractérisent les politiques publiques d'immigration et de sécurité. Une évolution parallèle s'observe sur le plan des politiques du multiculturalisme, de l'interculturalisme et de la lutte contre le racisme.

D'entrée de jeu, il nous faut préciser ce que nous entendons par multiculturalisme. Notion polysémique, le multiculturalisme renvoie tantôt à une philosophie politique de contestation des postulats classiques de l'appartenance à l'État-nation et à leur remplacement par la notion pluriculturelle de la citoyenneté, tantôt à un ensemble de dispositifs juridiques, politiques et institutionnels portant sur la reconnaissance de la diversité (au sens large), tantôt à un strict fait démographique. Trop souvent, l'on confond dans les débats ces trois niveaux d'analyse. Une autre difficulté réside dans le fait que les arguments pour ou contre le multiculturalisme varient fortement selon les répertoires culturels nationaux, les traditions théoriques, les regards disciplinaires et les alignements politiques. Notre analyse concerne le second niveau et inclut, en plus de la politique fédérale du multiculturalisme, le traitement de la politique québécoise qui s'énonce sous un autre vocable : l'interculturalisme.

Au Canada, le multiculturalisme représente un ethos, un symbole. Mais ce qui nous intéresse ici concerne non pas la philosophie politique du multiculturalisme, objet de débats qui ont occupé la décennie 1990, mais la politique fédérale, comme politique publique institutionnalisée en 1971. Comme le résume bien Modood : « Là où le multiculturalisme a été accepté et a fonctionné comme projet d'État ou projet national (au Canada, en Australie et en Malaisie, par exemple) il n'était pas une dimension accidentelle, mais faisait partie intégrante d'un projet de construction nationale » (2007, p. 47). Le Québec a pour sa part élaboré une vision différente de la diversité linguistique et culturelle (Rocher, Labelle *et al.*, 2007).

L'objectif de ce chapitre est d'effectuer dans un premier temps un tour d'horizon des principales orientations qui ont affecté la politique fédérale du multiculturalisme et la politique québécoise de l'interculturalisme depuis la fin de la décennie 1990. Ce tour d'horizon est un préalable à une analyse approfondie des perceptions des groupes sociaux intervenant directement dans le domaine de l'aménagement de la diversité ethnoculturelle. La deuxième partie de ce chapitre portera sur les revendications et les stratégies d'action déployées par les porte-parole d'ONG-parapluie de défense des immigrants, des minorités ethniques et racisées, de même que des associations arabo-musulmanes, particulièrement exposées au climat social et politique de la décennie 2000. La manière dont les politiques du multiculturalisme canadien et de l'interculturalisme au Québec sont appréhendées par les individus et les groupes qui œuvrent dans ce domaine renvoie à des préoccupations qui ciblent certains programmes plus que d'autres, par exemple la lutte contre le racisme comme obstacle à l'intégration dans toutes ses dimensions. Si les événements du 11 septembre 2001 ont amené les gouvernements canadien et québécois à revoir leurs politiques dans ces domaines, les revendications exprimées et les moyens d'intervention employés par certains leaders des communautés arabo-musulmanes au Canada et au Québec ont également été recentrés.

CE QU'EN PENSENT LES INTELLECTUELS

Des interprétations universitaires concurrentes existent quant aux origines du multiculturalisme, à ses phases de développement, à sa signification et à son impact politique au sein de la fédération canadienne. Ainsi, l'œuvre de Kymlicka est exemplaire dans ses tentatives de justifier la politique du multiculturalisme canadien et sa compatibilité avec le libéralisme (Kymlicka, 2003, 2007, 2008).

Les critiques de la politique fédérale du multiculturalisme s'expriment dès son institutionnalisation en 1971. Par exemple, le sociologue John Porter soutenait alors que le multiculturalisme allait retarder l'intégration des minorités ethnoculturelles dans la société canadienne en ne facilitant pas leur mobilité sociale, et que cette politique était contraire à un « assimilationnisme libéral ».

Les travaux qui se sont penchés depuis sur la question ont mis en évidence divers griefs que Moodley résumait ainsi en 1983 : « La promotion de la diversité culturelle comme objectif désirable passe sous silence les colonialismes français et britannique ; elle occulte l'existence des Premières Nations ; elle nie le statut national des Québécois ; elle sépare langue et culture ; elle masque les inégalités politiques et économiques qui divisent diverses communautés ethniques et nationales ; elle occulte la discrimination subie par les femmes et autres groupes racisés » (Moodley, 1983, p. 320-321). « *Multiculturalism is a policy of containment rather than one that promotes social justice and reduces the effects of discrimination in our society* », déclarait Audrey Kobayashi (2000, p. 236).

On a souligné les effets pervers de la catégorisation des groupes minoritaires instaurée par l'État canadien. Le multiculturalisme institué a contribué à la stigmatisation des « minorités visibles » qui ont le statut d'« *outsiders-insiders* », à l'essentialisation de la différence, tout en ignorant la structuration inégalitaire et hiérarchisée de la société canadienne (Bannerji, 1996). Plusieurs ont insisté sur l'inefficacité des programmes d'équité en emploi et de la lutte contre le racisme (Li, 1988 ; Warburton, 2007).

Dans une perspective différente, Day a soutenu que l'extension des « droits » et de l'« égalité » vers un nombre croissant de « *mass-designated identities* » n'a pas conduit à plus de « liberté » mais « *to a further penetration of state forms into the daily lives of Canadians, through the progressive officialization of both Self and Other identities* » (2000, p. 179). La qualifiant de « postmoderne », l'auteur présente la politique de la reconnaissance que constitue le multiculturalisme comme un régime disciplinaire hypermoderne visant à maintenir une articulation précaire entre l'État canadien, deux nations et cultures dominantes et une variété d'autres nations et cultures rattachées à titre d'ethnicités ou de minorités nationales (*Ibid.*, p. 208). La condescendance postcoloniale inhérente à la politique du multiculturalisme perpétue, entre autres, le statut colonial des peuples aborigènes (Day et Sadik, 2002).

À un autre extrême, Howard-Hassman a dénoncé la fragmentation du tissu canadien causée par une vision non libérale du multiculturalisme et par ses excès. Elle défend la légitimité d'une catégorie identitaire dominante, celle de « *ethnic English-Canadian* » « *as a new social creation* ». « *The characteristics of this ethnic English-Canadian are the territory, which gives 'a mental map of the world and a sense of space', and the language which is 'the public language of social intercourse'. Another shared caracteristics is religion and European ancestry* ». Les groupes ethniques devraient converger vers cette identité canadienne, soutient Howard-Hassman (1999, p. 528-529). Ce que sous-tend l'argument, c'est que la politique du multiculturalisme doit renforcer l'identité canadienne (*Ibid.*, p. 526) au lieu de prendre le dessus dans l'ordre des priorités.

Après le 11 septembre 2001, l'immigration internationale est rapidement devenue associée à la notion de risque par les médias et certaines élites dominantes : perte des valeurs canadiennes, changement du tissu social canadien, affaiblissement de la cohésion sociale. Selon Li : « *Much of Canada's assessment of immigrants has to do with its representation of racialized new immigrants as diversity problems for Canada : crowding major cities ; contributing to urban crime* [...] *altering the social fabric in Canada* [...], *racialized new immigrants are represented as endless intruders to urban and social space...* » (2003, p. 9). Les immigrants originaires d'Asie sont ciblés pour leur criminalité, leur violence, à titre de porteurs de maladies, et les Arabes sont vus comme des terroristes potentiels, etc. (*Ibid.*).

Des réserves et des mises en garde ont alors été de plus en plus exprimées contre le multiculturalisme, en association avec les thèmes de la sécurité et du risque. Un exemple frappant ressort de l'analyse que fait Kymlicka dans la revue *Diversité canadienne* en 2005. Selon Kymlicka, le succès du multiculturalisme est désormais tributaire de trois nouveaux facteurs : le nombre d'illégaux, le nombre de musulmans, le nombre de personnes qui dépendent de l'aide sociale. Kymlicka établit des corrélations entre ces trois variables et le succès de l'implantation de la politique du multiculturalisme (Kymlicka, 2005, p. 83), ce qui dénote une nette prise de distance.

Plus récemment, Garcea a résumé trois thèmes centraux de la thèse de la fragmentation anti- ou postmulticulturalisme, après examen de la littérature universitaire récente : 1) l'importance accordée par le multiculturalisme à la différence a des effets de division ; 2) l'intérêt porté par le multiculturalisme au relativisme culturel risque d'entraîner un conflit de civilisations (dans la perspective huntingtonnienne) ; 3) le multiculturalisme conduit à la marginalisation ethnique et à la stratification ethnique, particulièrement en ce qui concerne la distribution inégale du pouvoir dans la société (Garcea, 2006, p. 3).

Au Québec, plusieurs auteurs interprètent la fondation de la politique publique du multiculturalisme comme une stratégie de contrôle du mouvement nationaliste québécois, confirmés dans leur hypothèse par plusieurs travaux de chercheurs canadiens-anglais. À partir de postures souvent différentes, ces auteurs soutiennent que le débat sur la politique publique du multiculturalisme est grandement déterminé par la question nationale, qui est tributaire des tensions et des rapports de force entre le Canada et le Québec. Cette politique publique entre en contradiction avec les politiques québécoises d'aménagement de la diversité linguistique et culturelle. Deux modèles d'intégration sont en présence et se font concurrence: le multiculturalisme au Canada et l'interculturalisme au Québec. Ces stratégies étatiques sont source de confusion au sein de la société québécoise et font obstacle à la construction d'une citoyenneté québécoise territoriale et pluraliste (au sens politique du terme) (Labelle, Rocher et Rocher, 1995; Labelle et Rocher, 2006, p. 161; Rocher *et al.*, 2007). Le projet multiculturaliste canadien repose sur une vision centralisatrice du fédéralisme incompatible avec l'existence de sociétés globales qui se définissent comme des nations. En ce qui concerne les critiques de la politique québécoise, cette dernière fait également l'objet de luttes idéologiques marquées au sein du champ universitaire québécois, traversé par la politisation inhérente à la question nationale. Certaines concernent la catégorisation étatique officielle. D'autres, la pertinence et la légitimité d'une politique de convergence culturelle ou de culture publique commune. Le virage citoyen des années 1996 est aussi critiqué. On y voit une position dépassée, considérant l'aire postnationale dans laquelle nous vivons (Juteau, 2000).

Si les événements du 11 septembre 2001 ont amené les gouvernements canadien et québécois à recentrer leurs politiques dans ce domaine d'aménagement de la diversité et ont suscité une vaste littérature universitaire sur la question de la philosophie politique et la politique publique du multiculturalisme, on verra plus loin dans ce chapitre comment les ONG et les associations arabo-musulmanes en ont pris la mesure.

La section qui suit vise à présenter un survol des principaux changements législatifs et réglementaires dans le domaine de l'aménagement de la diversité, autres que la politique d'immigration. Elle vise aussi à vérifier si les préoccupations liées à la sécurité ont été intégrées dans le discours public sur le multiculturalisme et l'interculturalisme qui a dominé la décennie 2000, aux deux paliers de gouvernement.

Évolution du multiculturalisme canadien

Plusieurs facteurs structurels ont mené à l'adoption d'une politique du multiculturalisme. Particulièrement significatives ont été les relations entre le Québec et le Canada, les inégalités ethniques et la structure de classe (Warburton, 2007, p. 276). D'autres éléments contextuels ont joué: la Déclaration canadienne des droits en 1960, le retrait des mesures racistes dans la politique d'immigration en 1965, les intérêts commerciaux conséquents aux mouvements de décolonisation au sein du Commonwealth, le nationalisme canadien, l'adoption d'un drapeau canadien en 1965, la Loi sur les langues officielles en 1969 et la ratification de la Convention internationale sur la discrimination raciale en 1970 (*Ibid.*, p. 277). De plus, Garcea mentionne la rationalité politique : des politiques nationales et provinciales de valorisation de la diversité allaient contribuer à en maximiser les bénéfices sociaux et économiques et à en minimiser les coûts (Garcea, 2006, p. 2-3).

> *Political rationality was evidenced by the fact that it made for good politics to enact multiculturalism policies… Canadians viewed themselves as "global cosmopolitans" engaged in a historic project for humanity in producing the ideal model for "cultural co-existence" both within other countries and within the global polity.* […] *Policy rationality was that, faced with an increasingly diverse set of cultural, national, and provincial communities, provincial governments concluded that special policies were required which contributed to* […] *valuing and celebrating* […] *cultural diversity* [and] *maximizing social and economic benefits while minimizing the social and economic costs of* [cultural diversity] (Garcea, 2006, p 2-3).

Certains évoqueront le facteur de la sécurité culturelle. Ainsi Kymlicka soutient que, pour pouvoir participer librement et de façon égalitaire à la vie publique, les individus doivent être protégés par une politique publique du multiculturalisme. Cette dernière politique a eu les objectifs suivants : « appuyer le développement culturel des groupes ethnoculturels, aider les membres de ces groupes à surmonter les obstacles les empêchant de participer pleinement à la société canadienne, favoriser tant les rencontres axées sur la créativité que les rapports entre tous les groupes ethnoculturels et, enfin, assister les nouveaux Canadiens dans l'acquisition de l'une ou l'autre des langues officielles. Cette politique a été officiellement consacrée dans la loi de 1988 sur le multiculturalisme » (Kymlicka, 2003, p. 28).

La politique fut établie au moyen d'activités financées, comme les festivals et le folklore, les écoles du samedi, les clubs littéraires, les expositions artistiques, etc. (McRoberts, 1997 ; Leman, 1997 ; Warburton, 2007). Le Conseil ethnoculturel du Canada, une coalition d'organisations ethniques nationales, fut établi en 1973 et avait pour mandat de favoriser la consultation entre les groupes et les gouvernements. Sa mission aujourd'hui est une mission de préservation, de mise en valeur et de partage du patrimoine culturel des Canadiens, l'élimination du racisme et « la protection d'un Canada uni » (voir <www.ethnocultural.ca/about_cec_fre.html>).

En raison des critiques adressées à la politique du multiculturalisme par divers secteurs de la société civile et du monde universitaire, la politique a évolué au cours des années 1980 vers la compréhension interculturelle, l'intégration sociale et économique par la suppression des obstacles discriminatoires, la réforme des institutions et les mesures de promotion sociale visant à assurer l'égalité des chances (Leman, 1999, p. 8).

À la suite de l'arrivée d'un gouvernement libéral en 1993, les services sociaux et le transfert aux provinces subirent d'importantes compressions budgétaires qui visaient à réduire la dette. Le multiculturalisme a aussi été touché. Les critères d'évaluation des projets et des activités liés au multiculturalisme ont été modifiés. Le financement du soutien aux infrastructures des organismes communautaires sur une base annuelle fut aboli. Seuls des projets correspondant à au moins l'un des objectifs du Programme du multiculturalisme devinrent admissibles. Un fonctionnaire commente les compressions budgétaires et le changement de vision :

> *A huge change occurred in the mid 1990s, as it did with many government agencies. When they tried to tackle the Department issue, there were cuts to programs, and reorganization of programs, and Multiculturalism was affected by that. And in what they called "Program Renewal", they came up with a new funding formula, and this probably has had the greatest effect. Prior to that, community groups were given what was called program funding, that was annual funding and for all purposes, it was their money to do what they would, often use to pay for rent, to pay for executive directors of groups, so the Ukrainians-Canadians Foundation would get their money, the Chinese-Canadian Council would get their money. That changed, in 1995, so that money was eliminated and we set up a whole new framework for project funding. So, no more program funding, only projects funding, now groups have to apply for project funding and meet certain policy-relevant criteria, in the area of civic participation or social justice. And we monitor those projects. Our officers see those projects from start to finish through with the groups. Individuals and groups can apply for this funding. So there is nothing long-term anymore, it is all short-term projects funding and that is the major change* (Fonctionnaire, Patrimoine canadien).

En 1997, le Programme du multiculturalisme propose de nouveaux objectifs fondamentaux : 1) l'identité : pour promouvoir une société qui reconnaît, respecte et reflète la diversité culturelle, instaurant chez des personnes aux antécédents variés un sentiment d'appartenance ; 2) la participation civique : pour encourager, au sein d'une population canadienne diversifiée, un niveau d'activité de la part des citoyens et citoyennes, leur offrant la capacité et l'occasion de façonner l'avenir de leur communauté et de leur pays ; 3) la justice sociale : pour édifier une société qui garantit à tous et à toutes un traitement juste et équitable, en plus d'accommoder les personnes de toutes provenances et de respecter leur dignité (Canada, Patrimoine canadien, 1997b).

Dix ans plus tard, le Programme du multiculturalisme du ministère du Patrimoine canadien se donne pour objectifs de participer à la création d'« une société inclusive et participative », « encourager la participation à la vie communautaire, favoriser la citoyenneté active et renforcer les liens qui unissent les Canadiens et les Canadiennes ». Le mandat du Programme repose sur la Loi sur le multiculturalisme canadien et il est appuyé par d'autres lois, notamment la Loi sur la citoyenneté canadienne, la Loi canadienne sur les droits de la personne et la Charte canadienne des droits et libertés.

Quatre secteurs sont désignés comme prioritaires. Ils concernent les institutions provinciales, fédérales et la société civile. Il s'agit de :

> 1) renforcer la capacité des minorités ethnoculturelles et ethnoraciales à participer au processus décisionnel public (participation civique) ; 2) aider les institutions publiques à éliminer les obstacles systémiques à la diversité de la population (changement institutionnel) ; 3) aider les institutions fédérales à intégrer le principe de la diversité dans le cadre de l'élaboration de leurs politiques, de leurs programmes et de leurs services (changement institutionnel fédéral) ; 4) encourager la participation des communautés et du grand public à un dialogue éclairé et à l'adoption de mesures soutenues pour lutter contre le racisme (lutte contre le racisme et la haine, compréhension interculturelle) (Canada, Patrimoine canadien, 2007, p. 12).

Des fonctionnaires fédéraux insistent sur deux mesures du Programme du multiculturalisme qui résultent d'un mandat précis du gouvernement Harper : 1) le Programme de reconnaissance, de commémoration et d'éducation (RCE) (*historical recognition*) par lequel le gouvernement fédéral a reconnu les torts causés par l'imposition de la taxe d'entrée exigée des immigrants d'origine chinoise de 1885 à 1923 ainsi que l'imposition d'autres mesures d'exclusion de la Loi sur l'immigration chinoise de 1923 jusqu'en 1947 ; et 2) le Plan d'action canadien contre le racisme, pour lequel neuf nouvelles initiatives ont été annoncées depuis l'arrivée du gouvernement Harper, dont quatre sont sous la responsabilité de Patrimoine canadien. Le dossier de réparation envers la communauté chinoise est considéré comme une priorité politique ponctuelle à court terme, alors que la lutte contre le racisme demeure une priorité à long terme du ministère, quel que soit le gouvernement.

On souligne l'importance de la recherche et des projections démographiques qui concernent les « minorités visibles ». Les données visent à documenter les problèmes dans les domaines de l'emploi et de la santé, de l'aliénation et de la ghettoïsation dans les villes, de la criminalité, de la racialisation de la jeunesse, etc. :

> *Also, on the research side, with the hope for more policy work in the future, demographic projections for visible minority groups and how these projections help us identify, down the road, problems in specific policy areas, whether it is health, labor market, or foreign credentials recognition, or the issues of the day with respect to immigrants or visible minority-Canadians. There is a statistical element there, in terms of projects that we are formulating around, especially 2017 statistical projections with StatCan. We recently had the release of an ethnic diversity survey. That is very important to our work, to what we are hearing from community groups with respect to discrimination, barriers to social inclusion, these kinds of issues… but looking forward. Really now, there is a push to look forward, to kind of situate this work within a*

> *citizenship framework for the 21st century.* [...] *We are more concerned with potential problems... The obvious* [...] *problems of alienation and ghettoization of cities, criminalization, racialization of youth. These types of issues are ongoing. We continue to work on* [them]. *They related to our anti-racism concerns and campaign* (Fonctionnaire, Patrimoine canadien).

Au niveau régional, le travail de Patrimoine canadien est orienté vers la mise en œuvre de projets sur le terrain. Par exemple, le Bureau régional du Québec a retenu quatre axes pour évaluer la participation citoyenne : l'emploi, le logement, les services sociaux et les services de santé. Une autre préoccupation concerne le dossier de la discrimination dans l'accès au système judiciaire et dans le traitement reçu par les groupes racisés. Un interviewé a mentionné l'éducation interculturelle dans le milieu scolaire québécois, un volet qu'il qualifie de « communautaire ». Il est intéressant de noter que ce répondant fait référence à la philosophie de l'interculturalisme, telle que prônée au Québec, trop souvent confondue avec la lutte contre le racisme :

> Une portion significative de notre travail va être dans la lutte au racisme ou l'éducation interculturelle dans les écoles, auprès du public en général. Notre pavillon fort à cet égard était la Semaine d'action contre le racisme qu'on finance depuis le tout début, annuellement. Et il y a un volet, dans cet axe-là, très communautaire, il y a une activité de très grande envergure qui ratisse maintenant au-delà de Montréal, jusqu'en Abitibi-Témiscaminque, Québec, Sherbrooke. On a aussi des projets du même ordre, à l'échelle d'une école ou d'un quartier. Donc, nous avons des projets très branchés sur le milieu, qui essayent de trouver des réponses locales à des problématiques spécifiques (Fonctionnaire, Patrimoine canadien).

La lutte contre le racisme

Selon Dhiru Patel, haut fonctionnaire retraité de Patrimoine Canada, le racisme a affecté tous les aspects de la vie des « *non-Whites* » au Canada : « *It became embedded in the political, economic, social, and cultural institutions of Canadian society. It also implicated all segments of white society and reached beyond governmental authorities – a fact that is often overlooked or insufficiently appreciated in understanding or analyzing racism today* » (Patel, 2007, p. 259). Les recherches récentes sur le racisme révèlent que le racisme est suffisamment important pour constituer « *an important public policy issue* » (*Ibid.*).

La politique antiraciste du Canada a émergé dans le sillage de la politique du multiculturalisme. En 1980, l'attention gouvernementale a commencé à porter sur les « relations raciales » et non seulement sur les « relations ethniques ». Une flambée d'incidents racistes à travers le Canada ont été l'élément déclencheur d'initiatives visant des changements institutionnels (*Ibid.*, p. 260). L'une de ces initiatives fut la Stratégie nationale des relations interraciales (Canada, Multiculturalisme Canada, 1984). Le gouvernement créa un comité spécial sur les minorités visibles dans la société canadienne qui a fourni le rapport *L'égalité ça presse!* (Canada, Chambre de communes, 1984). D'autres mesures comme la Loi sur l'équité en matière d'emploi (1986) et la Loi sur le multiculturalisme (1988) furent adoptées. En 1988, le gouvernement canadien et l'Association nationale des Canadiens d'origine japonaise signaient une entente de redressement des torts subis par les Canadiens japonais, internés pendant la Seconde Guerre mondiale. En compensation, un décret du gouverneur en conseil, datant du 29 octobre 1996, constituait la Fondation canadienne des relations raciales et la dotait d'un fonds de 24 millions de dollars. Son mandat: lutter contre le racisme. D'ailleurs, une série de motions, déclarations et proclamations ayant trait aux enjeux mémoriels dans l'espace canadien et québécois se situent dans le vaste répertoire des politiques étatiques du pardon que l'on observe sur la scène internationale en réponse aux revendications de justice sociale et de dignité que divers acteurs politiques de la « société civile » ont exprimées au cours des dernières décennies (Labelle, Antonius et Leroux, 2005).

Dans le discours du Trône d'octobre 2004, le gouvernement du Canada a réaffirmé sa vision d'une société libre de racisme et s'est engagé à « [prendre] des mesures pour renforcer la capacité du Canada à lutter contre le racisme, la propagande haineuse et les crimes motivés par la haine, ici même, dans notre pays, et dans le reste du monde » (Canada, Patrimoine canadien, 2005b, p. 3).

En 2005, en réponse à l'engagement du Canada « à embrasser les principes de la Conférence mondiale contre le racisme » (Canada, Patrimoine canadien, 2005c, p. 11) et au rapport de Doudou Diène, Rapporteur spécial sur les formes contemporaines de racisme au Haut-Commissariat des droits de l'homme de l'ONU, portant sur le Canada (2004), le gouvernement libéral dévoile le *Plan d'action canadien contre le racisme.* Le Plan prévoit une stratégie en six points: « Aider les victimes et les groupes vulnérables au racisme et aux autres formes de discrimination; élaborer des stratégies axées sur l'avenir en vue de promouvoir la diversité et de lutter contre le racisme; accroître le rôle de la société civile; accroître la coopération régionale et internationale; sensibiliser les enfants et les jeunes à la lutte contre le racisme et à la diversité; contrer les actes motivés par la haine et les préjugés » (Canada, Patrimoine canadien, 2005c, p. 3).

Le Plan d'action canadien contre le racisme vise trois objectifs en vue d'éliminer le racisme et de contribuer à réduire les écarts socioéconomiques au Canada: « renforcer la cohésion sociale; poursuivre la mise en œuvre du cadre juridique des droits de la personne au Canada; établir le Canada comme chef de file sur le plan international en matière de lutte au racisme et à la criminalité fondée sur la haine » (Canada, Patrimoine canadien, 2005b, p. 5; 2005c, p. 10).

Une autre mesure concerne un projet de loi visant à éliminer le « profilage racial » à caractère raciste : « Le texte a pour objet d'empêcher que des personnes soient arrêtées par des agents de l'autorité ou autrement contrôlées uniquement sur la base de leur race, leur couleur, leur ethnie, leur ascendance, leur religion ou lieu d'origine » (Canada, 2004a). Bien que le projet ait été présenté en première lecture en 2004, aucune mesure n'a été adoptée à ce jour.

Patrimoine canadien admet la réalité du profilage à caractère raciste dans le nouveau contexte sécuritaire :

> Les mesures de sécurité ont soulevé des préoccupations en matière de profilage racial et religieux aux frontières et dans les aéroports. La crainte des menaces à la sécurité nationale pourrait être liée aux incidents criminels motivés par la haine et le racisme contre ceux qui sont perçus comme étant impliqués ou responsables de ces menaces. La *Loi antiterroriste* a mis à l'épreuve l'équilibre entre les libertés civiles et les droits de la personne, d'une part, et les impératifs de la sécurité nationale, d'autre part. On perçoit que l'accent est mis sur certains groupes raciaux, ethniques et religieux en particulier (Canada, Patrimoine canadien, 2006).

La diversité, la sécurité et la rentabilité

Interrogé sur le contexte sécuritaire actuel, un fonctionnaire fédéral soutient que contrairement à plusieurs pays où il y a eu une réévaluation de l'approche multiculturelle après le 11 septembre 2001, en raison de la conjoncture, le Canada n'a pas encore fait cet exercice et maintient une posture de scepticisme et de dénégation. Il évoque l'hypothèse d'une commission royale d'enquête sur le sujet de la diversité :

> *Q : After 9/11, did you feel that multiculturalism was relegated to a back-burner status in favor of security?*
>
> *A : I think this is accurate. I think in that situation, you could have anticipated that. What is more interesting though is the combination of events over the last 5 years since 9/11, and I think that in Canada we are still in disbelief that this is going to affect us in such a great way. I think it is the combination of 9/11, and then the London bombings, and then the Paris riots, and the murder of Van Gogh, changes in Europe, and what happened in Australia, the Sydney beach… it is a combination of the flash points that lead to more pressure on Canada, because then Canada starts to be perceived as the country that is not really reviewing multiculturalism. The way those countries are aligned in this domino effect* […] *especially in Europe, where they are reviewing the previous approach to multiculturalism and integration… I think that now, this is becoming a big force that Canada has to withstand, or least react to in some way… even if it is more of a passive reaction… if we decide that it is OK and that it works for us because we are different from you, or that yes, we should launch a Royal Commission or* [a committee

> to look] *into this issue of diversity... there have been calls for that in the papers, mentioning the necessity to review citizenship in this country...* (Fonctionnaire, Patrimoine canadien).

Cependant, la nouvelle conjoncture a provoqué des changements dans les relations avec certains groupes (il faut comprendre ici les groupes musulmans et arabes) et a fait en sorte que le dialogue, les contacts, les activités de relations publiques ont connu une nette accélération: « *I think it changed the relationship we had with certain groups, obviously, we had to establish contact, a dialog, but these are higher levels, all this is mainly taking place at higher levels... with the senior bureaucrats, and the ministers talking to community leaders. Keeping the dialog open, explaining government positions, in a word "PR"* » (Fonctionnaire, Patrimoine canadien).

Selon un autre fonctionnaire, en dépit du fait que les objectifs du Programme du multiculturalisme aient été modifiés il y a plus d'une décennie, le public continue à le percevoir comme étant axé sur la rétention des cultures (Fonctionnaire, Patrimoine canadien).

Au cours de la décennie 2000, la terminologie utilisée par Patrimoine canadien est modifiée: 1) la notion de la diversité se substitue graduellement à la notion de multiculturalisme; elle s'impose dans les divers documents officiels; 2) le multiculturalisme/diversité est présenté comme un outil de rentabilisation économique pour faire face à la mondialisation; 3) la diversité devient un outil de renforcement de la sécurité intérieure et internationale.

D'abord, la notion de diversité recouvre maintenant diverses variables de différenciation sociale: « Elle va au-delà de la langue, de l'appartenance ethnique, de la race et de la religion pour englober des caractéristiques générales telles que le sexe, l'orientation sexuelle, les capacités physiques et intellectuelles et l'âge » (Canada, Patrimoine canadien, s. d.).

Ensuite, elle est de plus en plus synonyme de valorisation économique au sein de la société canadienne et à l'étranger:

> Le Canada a adopté une attitude favorable à l'égard de la diversité, ou du multiculturalisme comme certains l'appellent, tant au plan théorique que pratique. La diversité est considérée comme l'un des plus grands attributs du Canada aux plans social et économique. Les Canadiens et les Canadiennes valorisent la diversité parce qu'elle enrichit l'expression culturelle et qu'elle rend la vie quotidienne plus variée et plus intéressante. Les entreprises et les employeurs reconnaissent que la diversité en milieu de travail favorise l'innovation, stimule le travail d'équipe et la créativité et aide à développer les marchés de biens et de services. Alors que la population se diversifie de plus en plus et que les Canadiens et les Canadiennes reconnaissent l'importance d'obtenir une certaine crédibilité dans les affaires internationales et d'affermir notre avantage dans l'économie mondiale, de nouveaux liens se forment avec le monde (*Ibid.*).

> La diversité culturelle qui caractérise notre société depuis les origines de notre histoire constitue un atout. Cette expérience de la diversité a permis d'établir des relations constructives entre les diverses communautés culturelles et raciales du pays. Les liens que ces communautés entretiennent avec presque tous les pays du monde sont synonymes de prospérité économique et ont contribué à susciter l'intérêt du gouvernement du Canada à l'égard du multiculturalisme (*Ibid.*).

Le rapport du haut fonctionnaire Meyer Burstein préparé pour la Direction de l'action directe et promotion de la Direction générale du multiculturalisme et des droits de la personne du ministère du Patrimoine canadien, intitulé *Élaboration de l'analyse de rentabilisation du multiculturalisme* (2004), est révélateur. Burstein analyse la renommée du modèle canadien, reconnu comme « pluraliste », « progressiste », favorisant la « coexistence pacifique », pour son « ouverture face à la diversité », comme « société inclusive », et met clairement en évidence la nécessité d'assumer un leadership politique pour rentabiliser la diversité dans la nouvelle conjoncture internationale :

> Cependant, ces mesures ont également attiré l'attention sur l'équité et l'impartialité, nous détournant d'autres raisons pratiques de porter une attention particulière au multiculturalisme. Le présent rapport tente de rétablir l'équilibre ; il ne cherche en rien à dénigrer l'importance de la justice sociale ou de l'altruisme comme fondement des politiques fédérales. Plus encore que la confiance, l'équité représente probablement l'élément le plus important pour valoriser la cohésion sociale. Néanmoins, on peut établir le bien-fondé d'une démarche qui consiste à appuyer le multiculturalisme sur des principes administratifs basés sur la rationalité économique et l'intérêt personnel (Burstein, 2004, p. 1-5).

Enfin, le thème de la sécurité apparaît dans le rapport annuel de Patrimoine canadien de 2003-2004 :

> Compte tenu des récents événements au pays et à l'étranger, il est plus important que jamais que les Canadiens transcendent les clivages de culture, de religion, de race et d'ethnicité afin de favoriser une meilleure compréhension et un plus grand respect de la diversité. Préserver et promouvoir la réalité multiculturelle du Canada constitue un défi constant (Canada, Patrimoine canadien, 2005a).

Le premier rapport annuel sur l'application de la *Loi sur le multiculturalisme canadien* (2007) du nouveau gouvernement canadien (gouvernement conservateur de Stephen Harper) mentionne aussi la sécurité parmi les orientations du programme du multiculturalisme :

> On s'attaquera également aux défis et aux nouveaux problèmes touchant les communautés ethnoculturelles et ethnoraciales et les minorités visibles, notamment les écarts sur le plan socioéconomique, l'intégration économique,

> le racisme et la discrimination, les jeunes à risque, la sécurité communautaire, la régionalisation, la sécurité et la pleine participation sociale (Patrimoine canadien, 2007, p. 32)

Les relations entre l'État et les associations arabo-musulmanes

En ce qui concerne plus précisément la question arabo-musulmane, un analyste de Patrimoine canadien mentionne que la relation entre l'État et les communautés arabo-musulmanes est marquée par la tension entre sécurité et reconnaissance de la différence. Il se prononce sur l'équilibre à tenir dans le contexte de la politique du multiculturalisme et précise que toute revendication relative à ces sujets doit être balisée par la loi :

> *It is somewhat ambiguous… because on the one hand, the government is under pressure from the general public with the security issues, and the government cannot be seen soft on terrorism, but at the same time, they want to retain the support of the communities, local, national and international…*
>
> Q : *They are in a contradiction…*
>
> A : *A dilemma, not a contradiction… trying to figure out where the balance is, how they can meet the two… That is the whole dilemma of the Multi policy : because diversity is a reality, you can't run away from it, this is what people like me do, try to figure out the balance, where to draw the line… just like the debate about female genital mutilation, the argument that it is part of their culture… it is a big issue in many communities across Canada,.. that women were being forced to undergo these… and the media made a big deal about it… in the second half of the 90s, when there was a lot of immigration from Somalia… People were asking questions and the community was saying it was not practiced. We were trying to explain to the politicians… and I had a colleague even, we were discussing the issues that were coming up and he said why did we want to waste time on an issue the community has denied that it is happening, that we should spend our time on something else… he was saying this was a non-issue…*
>
> Q : *Is it the same with polygamy?*
>
> A : *Yes, exactly… and that is the debate : multiculturalism, how far? Especially when it clashes with fundamental principles. And the answer is the law. And not only domestic laws, but international laws* (Fonctionnaire, Patrimoine canadien).

L'interculturalisme québécois : un contre-discours

Au cours des trois dernières décennies, le Québec a élaboré ses propres politiques publiques d'aménagement de la diversité ethnoculturelle. Même si elle converge sur plusieurs points avec la politique fédérale du multiculturalisme, notamment en matière de respect du pluralisme, d'insistance sur la justice sociale et la participation civique, la politique publique québécoise s'en distingue quant à la représentation de ce qu'est la communauté politique québécoise : une nation au sein de la fédération.

Cette différence fondamentale marquera toutes les étapes de l'élaboration des politiques québécoises d'aménagement de la diversité. Dans nos travaux sur la question (Labelle, 2000, 2008), nous avons identifié les phases principales, que nous rappelons ici afin de mieux faire ressortir les orientations récentes. Une première phase voit l'émergence de la politique québécoise du développement culturel élaborée en 1978 (Québec, 1978) et conçue par Camille Laurin, Guy Rocher, Fernand Dumont et Jacques-Yvan Morin. Le document accorde de l'importance aux « Québécois de nouvelle souche » (Harvey, 1986, p. 14) et propose la notion de convergence culturelle.

La politique de la convergence culturelle reconnaît que, si les cultures sont égales en droit, elles ne le sont pas dans les faits. Cela étant, les communautés minoritaires « savent bien que la culture dominante au Canada, en Amérique, est anglaise et que leurs enfants, si légitimement soucieux qu'ils soient de sauvegarder les sources de leur culture d'origine, devront aussi s'intégrer à l'une ou l'autre des plus vastes cultures de tradition française ou anglo-saxonne » (Québec, 1978, p. 45). Au Québec, c'est la première qui s'impose ; la langue française est présentée comme langue commune, lieu des échanges et instrument de cohésion au sein de la nation et de la culture françaises.

Gérald Godin, ministre de l'Immigration (1980-1981), puis des Communautés culturelles et de l'Immigration (1981-1985), l'appuie dans son principe général et elle sert de base au texte fondateur qu'il livre en 1981. Le document intitulé *Autant de façons d'être Québécois. Plan d'action à l'intention des communautés culturelles* (Québec, MCCI, 1981), déposé dans un contexte postréférendaire par le gouvernement du Parti québécois, se voulait clairement la contrepartie québécoise à la politique canadienne du multiculturalisme, à cause du contenu idéologique et du projet politique qu'elle véhiculait. Ce document officiel définit le peuple québécois comme une nation. La culture d'expression française, la culture québécoise agit comme un foyer de convergence des autres cultures, elle en est le moteur principal.

Le nouveau ministère sera investi d'un mandat visant à réaliser trois objectifs : maintenir et développer les cultures d'origine ; favoriser l'intégration et la participation des membres des « communautés culturelles » à la société québécoise ; et encourager les échanges et le rapprochement entre les diverses communautés et la majorité francophone du Québec. Le Québec sera la seule province canadienne à mettre en place un programme de sélection, de recrutement et d'accueil des immigrants investisseurs et à intervenir directement dans la sélection des immigrants. Il finance les écoles, les hôpitaux et autres établissements publics de plusieurs groupes ethniques, culturels et linguistiques. En 1985, le gouvernement du Québec soutient 21 écoles juives, deux écoles grecques et trois écoles arméniennes (financées à 100 % ou à 80 %) (Labelle et Salée, 2000, p. 107).

Une deuxième phase s'amorce avec *Au Québec pour bâtir ensemble. Énoncé de politique en matière d'immigration et d'intégration*, de 1990, énoncé proposé par le gouvernement du Parti libéral (Québec, MCCI, 1990). Dès lors, les notions de culture publique commune et de « contrat moral » entre les nouveaux arrivants et la société d'accueil deviennent les principaux référents du discours québécois dans le contexte d'une « société distincte ». La culture publique commune est définie par les traits suivants: la démocratie et les principes de la Charte des droits et libertés de la personne, la laïcité, le français, seule langue officielle, la résolution pacifique des conflits, le pluralisme (respect des droits des Autochtones et de la minorité anglophone du Québec), le respect du patrimoine culturel et l'égalité entre les hommes et les femmes.

Sans que l'interculturalisme fasse l'objet d'une définition, d'une loi ou d'une déclaration officielle, le gouvernement du Québec souligne les principes qui orientent sa politique : « une société dont le français est la langue commune de la vie publique; une société démocratique où la participation et la contribution de tous sont attendues et favorisées; une société pluraliste ouverte aux multiples apports dans les limites qu'imposent le respect des valeurs démocratiques fondamentales et la nécessité de l'échange intercommunautaire » (Québec, MCCI, 1990, p.15).

À la suite de l'élection du Parti québécois en 1994 et de la tenue du référendum sur la souveraineté de 1995, s'affirme le thème de la citoyenneté. On peut parler ici de phase inachevée. Un nouveau ministère des Relations avec les citoyens et de l'Immigration (1996) a le mandat de promouvoir la participation civique et un cadre civique commun, l'exercice des droits et responsabilités, la solidarité et l'exclusion zéro. Avec la création de ce ministère, l'État québécois souhaite un nouveau discours et un nouveau regard sur ce que signifient la citoyenneté et la diversité dans une société moderne en mutation. Les objectifs du Ministère sont les suivants: moderniser le concept de citoyenneté au Québec; développer la qualité des liens entre l'État et les citoyens; favoriser la participation de tous les Québécois au développement du Québec.

La citoyenneté québécoise est définie comme « un attribut commun à toutes les personnes résidant sur le territoire du Québec. La citoyenneté s'enracine dans le sentiment d'appartenance partagé par des individus qui ont à la fois des droits et des libertés et des responsabilités à l'égard de la société dont ils font partie. Cette perspective de la citoyenneté reconnaît les différences tout en se fondant sur l'adhésion aux valeurs communes » (Jouthe, 1998, p. 11).

Les enjeux d'une citoyenneté démocratique sont définis autour de trois axes :

> 1) la reconnaissance de l'identité, dans une recherche de conciliation entre la diversité et l'égalité des personnes ; 2) le renforcement de la solidarité, en tenant compte des tensions inévitables que vivent les citoyens et citoyennes entre leurs appartenances particulières à différents groupes ou collectivités et leur appartenance à une même communauté ; 3) l'encouragement de la participation de tous les citoyens et citoyennes aux délibérations, décisions et actions visant le développement socio-économique, politique et culturel du Québec, dans le cadre des lois, politiques et programmes mis de l'avant (*Ibid.*, p. 12).

Ce changement de ton s'accompagne de la mise en veilleuse de la notion de communautés culturelles qui s'est imposée dans la sphère publique depuis 20 ans pour désigner les citoyens d'origine autre que française ou britannique. L'élection du Parti libéral du Québec à la tête du gouvernement en 2003 marque une dernière phase en cours. En mai 2004, le gouvernement dépose un plan d'action pour 2004-2007, intitulé *Des valeurs partagées, des intérêts communs*. Celui-ci renoue avec l'énoncé de politique de 1990. L'objectif du plan d'action est d'établir et de mettre en place des mesures pour favoriser l'intégration des immigrants et des membres des communautés culturelles au sein de la société québécoise.

Des valeurs partagées, des intérêts communs comprend 5 axes et 38 nouvelles mesures qui visent à faire en sorte « que l'immigration corresponde aux besoins du Québec et respecte ses valeurs, que l'insertion en emploi soit rapide et durable, que l'apprentissage de la langue française soit un gage de réussite ; que le Québec soit fier de sa diversité et que la Capitale nationale, la métropole et les régions soient engagées dans l'action » (Québec, MICC, 2005e, p. 5).

Deux des axes qui structurent le plan d'action touchent directement la question de l'intégration : 1) l'accueil et l'insertion durable en emploi ; 2) un « Québec fier de sa diversité ». Les objectifs du premier axe sont les suivants : « accélérer et personnaliser la démarche d'intégration ; faciliter et assurer la reconnaissance des compétences acquises à l'étranger ; encourager les entreprises et les organismes publics à accueillir et à maintenir en emploi une main-d'œuvre diversifiée » (Québec, MRCI, 2004a, p. 45). Cet axe d'intervention comprend les mesures favorisant une insertion rapide et durable des nouveaux arrivants et des Québécois des communautés culturelles au marché du travail, de même que celles qui visent à soutenir les employeurs pour le recrutement, l'accueil et le maintien en emploi d'une main-d'œuvre diversifiée (Québec, MRCI, 2004a, p. 43-64).

Le second axe, « Un Québec fier de sa diversité », regroupe les mesures qui visent à valoriser l'apport des Québécois des communautés culturelles au développement social, économique et culturel du Québec ainsi que celles qui favorisent le dialogue interculturel, l'ouverture à la diversité et la lutte contre le racisme et la xénophobie. Les objectifs du plan d'action à cet égard sont: «accroître l'ouverture à la diversité en encourageant le rapprochement et le dialogue interculturels; et lutter contre la discrimination et les tensions intercommunautaires» (Québec, MRCI, 2004a, p. 79-96).

Pour ce qui est de l'interculturalisme, le plan d'action *Des valeurs partagées* définit deux objectifs: «accroître l'ouverture à la diversité en encourageant le rapprochement et le dialogue interculturels; lutter contre la discrimination et les tensions intercommunautaires» (Québec, MRCI, 2004, p. 80). Le plan d'action en appelle à la responsabilisation de l'immigrant et à celle de la société d'accueil. À cet égard, la diversité n'est pas que richesse, elle pose également problème et nécessite un contrôle social:

> Le Québec est une société démocratique où l'expression des rivalités ethniques, politiques et religieuses n'est pas tolérée, pas plus que la violence conjugale ou familiale. L'indépendance des pouvoirs politiques et religieux est une valeur fondamentale de même que l'égalité des femmes et des hommes et le respect du français – langue officielle du Québec – dans la vie publique. Ces valeurs, énoncées au contrat moral, sont le fondement de la réussite de l'intégration des immigrants et de l'harmonisation des relations interculturelles au sein de la société québécoise (Québec, MRCI, 2004a, p. 80).

En juin 2006, le gouvernement du Québec a rendu public un document de consultation intitulé *Vers une politique gouvernementale de lutte contre le racisme et la discrimination*. Précurseur d'un plan d'action qui fera écho à la politique fédérale, le document souligne les principes qui devraient guider l'élaboration de la politique afin de mettre sur pied une stratégie de soutien à l'intégration socioéconomique des personnes immigrantes ou issues des communautés culturelles. L'objectif est de réduire les inégalités sociales et économiques et de renforcer les solidarités sociales et la participation égalitaire sur la base de valeurs communes (Québec, MICC, 2006a). Le document visait une action concertée des pouvoirs publics et privés pour débusquer et combattre la discrimination et le racisme. Toutefois, il faut souligner que les premières critiques à l'endroit du manque d'engagement ferme de l'État à prendre en compte cette dimension remontent à plusieurs décennies et qu'il aura fallu attendre longtemps avant de voir les revendications des groupes vulnérables prises au sérieux[1].

---

1. À l'automne 2008, le gouvernement a finalement dévoilé une politique et un plan d'action, calqué sur le document de consultation de 2006. La politique s'appuie sur les mêmes orientations (Québec, MICC, 2008a, p. 11).

Pour les fonctionnaires québécois, le changement le plus important survenu au cours de la dernière décennie concerne la reconnaissance explicite, par l'État québécois, de l'existence du racisme au Québec. Un fonctionnaire qualifie cette nouvelle orientation de «fondamentale». Ce changement s'est concrétisé d'abord avec les activités soutenues par le ministère comme le Mois de l'histoire des Noirs, la célébration de la Journée internationale pour l'élimination de la discrimination raciale et la Semaine d'action contre le racisme. Reconnaissant que certains groupes sont affectés par la discrimination à caractère raciste, le MICC a mis sur pied des programmes spécifiques destinés à certaines «communautés»:

> Au Ministère, quand je suis arrivé, le concept de racisme n'existait pas, on parlait plutôt d'exclusion, mais c'était le racisme qui était à la base de ça et on a mené des recherches pour faire admettre que le racisme existait [...] Le Ministère reconnaît aussi que la problématique du racisme, ce n'est pas seulement une problématique liée à la dynamique interculturelle, parce que ça vise des Québécois qui sont nés ici, des minorités visibles. Donc le concept «racisme», cette problématique-là est bien intégrée au Ministère et c'est une évolution majeure et importante. Des programmes sont mis en place. Le Ministère reconnaît que certains groupes sont particulièrement touchés par la discrimination, notamment les communautés noires, et il y a des programmes spécifiquement pour ça (Fonctionnaire, MICC).

La création d'un bureau de liaison avec les «communautés culturelles» suppose la désignation d'agents de liaison qui ont pour fonction «d'être sur le terrain auprès des communautés culturelles au Québec afin d'encourager leur pleine participation à la société québécoise». Les agents de liaison ont la responsabilité de «communautés» regroupées sous les catégories régionales suivantes: *Afrique subsaharienne et Noirs anglophones, Asie et Océan, Haïti et Europe, Maghreb, Proche et Moyen-Orient, Amérique latine et États-Unis.* Selon un fonctionnaire: «Le principal but du Bureau de liaison, c'est d'aider les communautés à se prendre en main et d'ouvrir les portes pour les autres pour qu'elles puissent accéder aux différents programmes. Et bien entendu, [le but] ultime, c'est une pleine participation à la société québécoise» (Fonctionnaire, MICC).

Cependant, cette personne constate que l'approche du MICC envers les groupes minoritaires change avec la «couleur» du gouvernement. Bien que dans l'esprit des fonctionnaires, précise-t-elle, l'objectif d'intégration des citoyens ne varie pas, le passage du gouvernement du Parti québécois au gouvernement du Parti libéral du Québec a signifié l'abandon d'une approche citoyenne au profit d'une approche qu'elle qualifie de «communautariste». Les deux approches ont leurs avantages et leurs désavantages. On apprécie l'approche «par communauté» du gouvernement libéral dans la mesure où celle-ci encourage le travail sur le terrain et facilite l'identification des besoins de chaque communauté. L'approche citoyenne met l'accent sur l'individu, le citoyen, elle est plus intégratrice, mais elle risque d'être trop abstraite (*Ibid.*).

Un agent de liaison et un conseiller ont commenté l'impact des événements du 11 septembre 2001 sur les relations sociales dans l'ensemble de la société québécoise. Les deux fonctionnaires rappellent que le MICC a organisé plusieurs rencontres successives avec des leaders de groupes qui se sentaient menacés : les musulmans, les citoyens d'origine arabe, les immigrants en provenance de l'Asie de l'Est, de l'Asie du Sud, les Pakistanais, etc. Il y eut aussi la mise sur pied d'un comité de vigilance sous le gouvernement Landry, comité dont on semble avoir perdu la trace. Bien qu'il y ait eu des rencontres avec des leaders communautaires, les priorités et orientations du MICC n'ont pas été affectées par les événements du 11 septembre 2001.

Le rapport à l'État des associations arabo-musulmanes

Un seul fonctionnaire a accepté de commenter le rapport à l'État des Arabo-musulmans dans la conjoncture sécuritaire actuelle. Selon lui, la « phobie » des Québécois face aux Arabes et aux musulmans est alimentée en partie par le contexte international de lutte/guerre contre le terrorisme. Or, les revendications d'accommodements raisonnables ne seraient pas appropriées dans le contexte actuel, l'opinion publique les percevant comme étant alimentées par une force militante active et comme un irritant. Si les musulmans invoquent la liberté de religion pour justifier leurs demandes, la société les voit comme une « machine militante ». Ainsi, un employeur ou un locateur peut être réticent à s'engager auprès d'une personne de ces communautés de peur de faire face à des revendications jugées outrancières. Devant une telle confusion, la société effectue un retrait, ce qui par la suite accentue la marginalisation des groupes visés. La logique des revendications n'est donc pas la carte à jouer. En plus du « boulet » du terrorisme, il est difficile pour ces minorités d'accéder à une pleine participation (Fonctionnaire, MICC).

En résumé, la politique québécoise est le résultat d'un chassé-croisé entre une perspective citoyenne et un discours communautariste, et elle est sous-tendue par des intérêts politiques divergents. La même tension s'observe au niveau fédéral où il faut maintenir l'équilibre entre le multiculturalisme et le renforcement de la citoyenneté canadienne. Il s'agit ici de gérer une contradiction fondamentale au sein de toute communauté politique, accentuée par l'histoire particulière de la fédération canadienne et la diversification croissante de sa population.

On peut donc conclure qu'en matière d'aménagement de la diversité le fédéral et le Québec partagent une évolution et des priorités similaires : une sortie des perspectives folklorisantes de la diversité vers des orientations d'intégration, de participation civique, parallèlement à une volonté de rentabiliser la diversité comme capital social étatique utile sur la scène internationale et d'associer à ces politiques des considérations sécuritaires. Dans les deux cas, les ministères sont préoccupés par les changements démographiques liés aux flux migratoires internationaux, par les revendications d'accommodement, par les obstacles à l'intégration économique, par le terrorisme, par la lutte contre le racisme qui s'impose de plus en plus comme une nécessité incontournable (voir le chapitre précédent).

Les divergences fondamentales résident dans les représentations sociales et politiques relatives au statut du Québec au sein de la fédération comme cadre d'intégration nationale prédominant ou unique. Des conceptions différentes de la communauté politique et de la citoyenneté s'affrontent ici quant à l'objet du sentiment d'appartenance.

UNE PERSPECTIVE INVERSÉE
LES POLITIQUES VUES PAR LES ONG-PARAPLUIE ET LES ASSOCIATIONS ARABO-MUSULMANES

Cette section livre les représentations sociales de porte-parole d'ONG-parapluie et d'associations arabo-musulmanes interrogés sur les changements des politiques publiques de multiculturalisme et d'interculturalisme et sur les enjeux de société qui concernent l'aménagement de la diversité ethnoculturelle.

Le point de vue des ONG-parapluie

Le multiculturalisme, l'interculturalisme et l'intégration

Fait intéressant, les ONG-parapluie font plus souvent référence à la notion d'intégration qu'au multiculturalisme, à l'interculturalisme ou encore à la citoyenneté. Elles renvoient rarement aux politiques publiques et, quand elles le font, elles ne distinguent pas les politiques des deux ordres de gouvernement, sachant pertinemment qu'elles sont susceptibles de polariser leurs membres.

La Table de concertation des organismes au service des personnes réfugiées et immigrantes (TCRI) s'est dotée d'une plate-forme commune qui reflète la vision et les valeurs que se sont données les organismes communautaires travaillant auprès des personnes immigrantes et réfugiées. Cette plate-forme, *Cap sur l'intégration,* se veut un outil pour aider le public et les fonctionnaires à comprendre les enjeux liés à l'intégration des personnes réfugiées et immigrantes (TCRI, 2006a, p. 7). La TCRI propose une définition originale de l'intégration, soit un processus complexe multidimensionnel (linguistique, économique, social, culturel, politique et religieux), bidirectionnel (qui engage les personnes réfugiées et immigrantes ainsi que les membres et institutions de la société d'accueil), graduel (qui se fait par étapes selon le rythme des individus) et continu. La plate-forme propose des indicateurs d'intégration. Certains sont objectifs : accessibilité aux services, compétence linguistique, accès à l'emploi, participation citoyenne ; d'autres sont subjectifs : autonomie, reconnaissance, sentiment d'appartenance (TCRI, 2005b).

Pour la TCRI, le multiculturalisme ne représente pas un enjeu prioritaire. La Table n'a d'ailleurs pas de position commune :

Q : Êtes-vous interpellés par les questions du multiculturalisme, de la diversité ou de l'interculturalisme ?

R : On les suit. Ce sont toujours des dossiers connexes à l'intégration. Mais nous, nous sommes beaucoup dans les questions d'intégration, on est moins présents sur ces dossiers-là. Mais on a un certain nombre d'organismes de la Table qui eux le sont un petit peu plus. Justement, je dirais qu'on essaie de se démarquer aussi, car on nous identifie beaucoup au Québec comme regroupement des immigrants et par extension des communautés culturelles, ce qu'on n'est pas du tout. On est plus un regroupement d'organismes qui interviennent auprès des nouveaux immigrants et des réfugiés. Ce sont donc des dossiers dans lesquels nous sommes moins présents dans le sens qu'on n'a pas de liens très étroits avec Patrimoine Canada, La Table n'est pas particulièrement impliquée en termes de positions communes, de positions consensuelles sur les questions du multiculturalisme. Il y a plusieurs positions selon les organismes de la Table, mais on ne porte pas une position spécifique (Représentant, TCRI).

Dans sa documentation, L'Hirondelle ne renvoie pas explicitement à la politique québécoise de l'interculturalisme, mais elle en poursuit les objectifs : la participation civique et la compréhension interculturelle : « Favoriser les échanges entre les différentes communautés afin d'éliminer les préjugés qui peuvent nuire à l'intégration des uns et à l'accueil des autres » ; « susciter une participation active des personnes immigrantes à l'édification de la nouvelle société québécoise fondée sur la compréhension et le respect mutuel » (<www.hirondelle.qc.ca>, consulté le 22 juin 2006).

Toutefois, la TCRI, L'Hirondelle et la Ligue des droits et libertés (LDL) notent une plus grande prise de conscience de la nécessaire représentation de la diversité au sein des institutions publiques du Québec, de l'impact de la religion et des accommodements raisonnables dans l'espace public, sans pour autant prendre position. Pour le porte-parole de la LDL, il est difficile d'atteindre un équilibre entre le respect des droits de la personne et la prise en compte de la diversité :

> En fait, la Ligue est doublement concernée par ce genre de débat parce que comme c'est un organisme de défense des droits, toute la dimension juridique est beaucoup remise en question. Les accommodements raisonnables sont une modalité de fonctionnement que le Québec s'est donnée, mais ça touche beaucoup le droit. Quand doit-on passer par les tribunaux ? Quand doit-on judiciariser des processus ? En même temps, la Ligue est très proche des enjeux sociaux aussi. Donc, je pense que ça donne une responsabilité particulière et encore plus grande à la Ligue d'essayer de trouver l'arrimage entre ces deux pôles, un équilibre entre une certaine vision de la société, le respect des normes de droit qu'on s'est données et un certain processus de droit dans lequel on se trouve (Représentant, LDL).

La représentante de L'Hirondelle souligne le manque d'arrimage entre la sélection des immigrants et la politique d'intégration du Québec. Les immigrants choisis sont en grand nombre des musulmans, souligne-t-elle. Cependant, le gouvernement du Québec ne se penche pas suffisamment sur l'impact que cela peut avoir sur la société québécoise :

> [...] au Québec, [...] il faut commencer à y réfléchir et peut-être avoir des instructions concrètes [car] ça touche la question de l'accommodement raisonnable. [...] Nous avons décidé de sélectionner à cause des enjeux linguistiques beaucoup de francophones, donc on est allé recruter au Maghreb parce que nous pendant des années et des années, notre clientèle majoritaire était maghrébine, mais le gouvernement ne réfléchit pas. Nous allons chercher les gens du Maghreb, mais ils ont une culture différente, ils ont une religion différente, il faut préparer la société pour. C'est là qu'on voit qu'il y a un écart entre la politique de sélection et la politique d'intégration. [...] on va commencer à se rendre compte qu'il va peut-être falloir mettre de l'avant des projets concrets qui vont rapprocher les différentes communautés (Représentante, L'Hirondelle).

Selon elle, la religion prend de plus en plus de place dans les enjeux de société, mais la solution ne consiste pas nécessairement dans la recherche d'accommodements raisonnables. Pour expliquer les limites qu'elle voit à l'accommodement raisonnable, elle mentionne un sondage maison effectué auprès d'entreprises avec qui L'Hirondelle est en contact pour favoriser l'insertion en emploi. L'une des questions posées concernait les demandes d'accommodements raisonnables de la part des immigrants. Or, 90 % des entreprises consultées n'avaient pas reçu de demandes en ce sens.

L'accommodement raisonnable est un outil, mais il n'est pas le seul. Une mesure plus importante consiste à diminuer les inégalités entre les immigrants et le reste de la société, à faire chuter les taux de chômage, à appliquer des politiques inclusives :

> Je ne pense pas qu'il y a un seul moyen pour travailler au défi des relations intercommunautaires et interethniques harmonieuses. Parce que si on ne travaille pas au niveau de l'inclusion, si on ne travaille pas à mettre de l'avant des politiques de diminution des inégalités entre les immigrants et le reste de la société, on peut avoir tous les accommodements raisonnables, mais on ne va pas être plus avancé. Il y a la question des modes de vie, des religions, etc., mais il y a des choses très concrètes aussi qui suscitent des tensions aussi. Toutes les statistiques parlent du taux de chômage dans les communautés culturelles, même chez les jeunes qui sont diplômés. C'est pour ça qu'il faudrait des politiques inclusives... On met de l'avant des choses comme la lutte contre la pauvreté et on s'assure que ça va toucher l'ensemble de la population (Représentante, L'Hirondelle).

La lutte contre le racisme

Comme on a pu le constater au chapitre 2, les ONG-parapluie font état du racisme au Canada. Pour le National Anti-Racism Council of Canada (NARCC), bien que le Canada ait une réputation mondiale en tant que « société multiculturelle » (et donc accueillante), des données statistiques et qualitatives démontrent que le racisme est une réalité pour des millions de Canadiens (NARCC, 2005b, p. 7). De plus, le NARCC note que les « communautés racisées » ne participent pas pleinement au développement des lois et des politiques publiques, alors qu'elles vivent quotidiennement la discrimination dans tous les domaines. Le NARCC qualifie de « systémique » le racisme au Canada. Ce point de vue est partagé par le Conseil canadien pour les réfugiés.

Le NARCC fait état du phénomène de racialisation de la pauvreté. « *Studies have constantly shown that racialized communities are over-represented among the poorest in our society. There is, in effect, an economic apartheid as a result of the lack of equal access to economic opportunity by racialized communities* » (NARCC, 2005b, p. 17). Il s'inquiète des écarts importants entre les groupes racisés et la population générale en ce qui concerne les salaires et les taux de chômage (NARCC, 2005a, p. 30-41 et 2002, p. 17-30). L'organisme mentionne aussi la discrimination dans le système judiciaire et documente la violence exercée par les policiers (p. ex., les *starlight tours* en Saskatchewan) ; le profilage à caractère raciste (voir *R. v. Richards*, jurisprudence sur le profilage à caractère raciste) ; la sous-protection de certains groupes racisés dont les femmes autochtones ; la surreprésentation des Autochtones et des Afro-descendants dans le système correctionnel (NARCC, 2005a, p. 20-29).

La Fondation canadienne des relations raciales (FCRR) prend principalement position par l'entremise de communiqués de presse, mais elle appuie aussi des recherches et des conférences qui approfondissent la lutte contre le racisme. Elle perçoit le racisme comme un facteur significatif de la déqualification en emploi ; elle appuie la demande de réparation découlant de la taxe d'entrée imposée aux immigrants chinois ; elle recommande aux services de police de reconnaître la discrimination systémique au sein de leur institution ainsi que l'existence du profilage « racial » par des policiers en fonction. De plus, elle encourage Douanes Canada à engager des experts en relations raciales pour former ses agents et éviter le profilage à caractère raciste. La FCRR se penche aussi sur le problème des crimes motivés par la haine. Elle recommande aux deux paliers de gouvernement de mobiliser les ressources nécessaires pour contrer ce type de violence et encourage les corps policiers à former leurs membres pour qu'ils remédient plus efficacement aux problèmes soulevés par la haine et le racisme. Enfin, la FCRR recommande une meilleure formation des enseignants sur les relations raciales (<www.crr.ca>, consulté le 19 juin 2005).

Les autres ONG-parapluie s'intéressent aussi à la question du racisme, à divers degrés, et ont une opinion claire des actions gouvernementales sur ce sujet. Ainsi, dans un mémoire déposé à la Commission de la culture de l'Assemblée nationale, *Vers une politique gouvernementale de lutte contre le racisme et la discrimination,* la TCRI mentionne que le principal défi des organismes communautaires « est la passivité du gouvernement et l'absence de ressources adéquates pour permettre une véritable lutte concertée et proactive contre la discrimination et l'exclusion malgré l'évidence statistique qui démontre que certaines personnes ou certains groupes sont plus touchés que d'autres à cause de leur statut d'immigration, de leur origine ou de leur sexe » (TCRI, 2006b, p. 4).

Le NARCC a publié quant à lui un rapport détaillé sur le Plan d'action canadien contre le racisme publié par le gouvernement en 2005. Le NARCC se demande si par ce geste le gouvernement canadien reconnaît que les mesures mises en place sont insuffisantes pour éliminer le racisme et la discrimination : « *NARCC hopes that the creation of the Action Plan shows that the federal government recognizes that the structures and processes in place are not sufficient to combat racism and hatred in Canada NARCC further hopes that the Action Plan signals a recognition on the part of the government that the resources must be put in place to combat racism and hate in Canada* » (NARCC, 2005b, p. 5).

L'organisme soutient que le plan d'action tel qu'il est présentement ne pourra pas contribuer de manière significative à l'élimination du racisme.

Enfin, une des revendications du NARCC pour contrer le racisme est la nécessité de s'engager dans des analyses différenciées des politiques publiques selon la « race ». Les groupes racisés ont lancé un appel au gouvernement canadien pour que celui-ci s'engage à effectuer des « "*race-based analysis", with the goal of alleviating the adverse impact of systemic and other forms of racial discrimination on racialized communities*» (NARCC, 2005b, p. 16). Le représentant de la Fondation des relations raciales partage cette revendication :

> *When governments fail to see things through a racialized lens, they make policies that have negative impacts on racialized groups. The Liberal government, before it went out, had a policy on the rebate for oil for seniors, which is a very good policy right? Yet, seniors that were racialized were not going to get that rebate because they did not qualify for the Canadian Pension Plan... see! So, you think that it's a good idea, but they did not work it through a lens that would make sure that every senior is in there. Some of them who are seniors, because of the regulations of CPP are not entitled. So, you find that a lot of them were left out, not intentionally, but... Based on that, we find that very good ideas that are put out, they don't work...* (Représentant, FCRR).

Finalement, il est important de noter que, dans sa structure organisationnelle, le Conseil canadien pour les réfugiés a un « groupe coordonnateur contre le racisme ». Le CCR n'a toutefois pas produit de documentation spécifique sur la question du racisme.

Les associations arabo-musulmanes

Quel regard posent les associations qui expriment les intérêts des citoyens d'origine arabo-musulmane sur la rhétorique normative de l'État canadien et de l'État québécois ? Ces associations distinguent-elles les orientations politiques des deux paliers de gouvernement en matière d'aménagement de la diversité ethnoculturelle ? Le contexte sécuritaire et économique invalide-t-il ces politiques à leur point de vue ? Leurs revendications sont-elles liées intrinsèquement au multiculturalisme et à l'interculturalisme ou concernent-elles d'autres volets des politiques publiques ?

Le multiculturalisme et l'interculturalisme : des symboles tout au plus...

Dans l'ensemble, les documents des associations arabo-musulmanes ne contiennent pas d'analyses ni de visions détaillées de la politique fédérale du multiculturalisme ou de la politique québécoise d'interculturalisme. La documentation fait pourtant référence à plusieurs des objectifs et programmes de ces politiques, à savoir la participation civique, l'intégration économique, la lutte contre le racisme, etc. Les entrevues avec les leaders associatifs révèlent toutefois une compréhension plus nette des enjeux politiques en présence.

Dans un rapport présenté en 2002, *Arabs in Canada : Proudly Canadian and Marginalized*, la Fédération canado-arabe (CAF) déclare son appui à la politique fédérale du multiculturalisme. La CAF estime que le multiculturalisme renforce la fierté et l'affinité de deux identités : l'identité arabe et l'identité canadienne. Le rapport présente les résultats d'un sondage confirmant l'appui pour le multiculturalisme. Il signale que : « *This [support for multiculturalism] reinforces the pride and affinity in both Arab and Canadian identities* [...]. *Being able to keep one's ethnic culture and merge it with a Canadian one was clearly viewed favorably by respondents* » (CAF, 2002, p. 9).

Cependant, la CAF se penche sur les défis de la sécurité dans une société multiculturelle : « Étant donné que le multiculturalisme repose, à l'origine, sur l'impartialité et le respect de tous les citoyens, le Canada doit examiner comment l'ordre du jour de sécurité et le multiculturalisme peuvent coexister. » La Fédération affirme que dans le contexte actuel la sécurité domine aux dépens du multiculturalisme : « Nous devons déterminer en tant que société comment combiner notre désir de respecter les Droits de l'Homme et le multiculturalisme avec notre besoin de protéger notre sécurité et nos intérêts commerciaux » (CAF, 2003b, p. 3).

Un répondant de la CAF renchérit :

> *There has not really been much debate in the sense that it is something we strongly supported, and is widely accepted. When the Reform Party was agitating on this issue, and part of their platform was abolishing multiculturalism as a policy, then that was a concern, and we spoke up against it. A study we did in 2002 showed strong support toward the content of multiculturalism in our community. We are vocal in supporting of multiculturalism and cite multiculturalism as one of the values that drive this country and how it should be reflected on issues of race relations and so on and so-forth. So we use multiculturalism often, as a basis for our work* (Représentant, CAF).

Une représentante du Canadian Islamic Congress précise que la politique fédérale du multiculturalisme est bénéfique pour la société canadienne, car elle a donné le feu vert à la reconnaissance publique de l'identité musulmane :

> *Overall, the official multicultural policy was really healthy for society, because it officially recognizes the fact that I can say : "you know what, I am a Muslim, I speak this language, and my country accepted that", and then giving time to people to buy into it. It was psychologically a practical chance, and it happened because of Canada as a distinct society, and gave that impetus to recognizing all of our diversities. And all that was very good* (Représentante, Canadian Islamic Congress).

Cependant, elle perçoit un désengagement de la part des gouvernements vis-à-vis des enjeux liés au multiculturalisme, en particulier en ce qui concerne la situation de plusieurs minorités. La politique stagne, alors que les minorités arabes et musulmanes sont sur la défensive et se sentent en état de siège :

> *Today, Muslims are a very large minority in this country, we are under siege, and Arabs are in it* [...]. *The government ought to be looking at multicultural issues, and consider that if we are to teach about the Holocaust and genocide, then we should be bringing-in teaching tools, and address the Armenians, the Russians, the Polish, the Ukrainians, the Palestinians, which is now going on, the Bosnians, the Kosovars, everyone else. Because this is who Canada is! We are here, from all these places, people came to Canada from all of them. Then the government will be actively involved, and see that in a democratic system, our participation is crucial, if we are going to bring balance in the multicultural society.* [...] *So, multiculturalism was very good in giving people a sense of security, and still does, but it is stagnating, because governments have refused to take it to the next level* (Représentante, Canadian Islamic Congress).

Un répondant du Forum musulman canadien, situé à Montréal, se prononce aussi en faveur du « concept du multiculturalisme », sans distinguer toutefois les politiques publiques fédérale et québécoise et en privilégiant plutôt la notion d'intégration :

> Pour le multiculturalisme, on est vraiment en faveur de ce concept. Pour l'instant, il y a peut-être de nouvelles idées, des courants politiques, qui veulent réviser le concept du multiculturalisme. Mais ce qu'on vise et cible, c'est l'intégration de notre communauté, l'intégration socio-économique et l'harmonisation des rapports entre les citoyens. Et de notre part, les citoyens de foi musulmane et d'origine arabe (Représentant, FMC).

Il faut souligner le fait que les trois associations québécoises (Carrefour culturel Sésame de Québec, le Centre culturel algérien et le Centre culturel islamique de Québec), dont deux sont situées dans la ville de Québec, se rallient clairement aux objectifs de la politique québécoise. Elles utilisent les termes clés du discours québécois : interculturalisme, compréhension interculturelle, culture publique commune, appartenance à la société québécoise.

Ainsi, Sésame s'est donné pour mission « de promouvoir au sein de la société québécoise la diversité culturelle du Maghreb et du Monde arabe dans sa richesse et sa multiethnicité » et il poursuit les objectifs suivants :

> Promouvoir la culture arabo-berbère, ainsi que les différentes autres cultures du Maghreb et du Monde arabe dans un contexte Québécois et Canadien ; développer et promouvoir, au Québec, l'étude, la connaissance et la compréhension du Maghreb et du Monde arabe, de ses langues, de leur apport civilisationnel, de leur héritage et de leur potentiel ;

> constituer un pôle de référence pour toute la région du Québec auprès des différentes institutions (gouvernementales et autres) de la Province; s'inscrire dans la culture publique commune du Québec (<www.ccsq.org>, consulté le 12 avril 2006).

Le Centre culturel islamique de Québec (CCIQ) s'est donné des objectifs similaires. Le CCIQ a pour mission de « faire de la communauté musulmane de Québec une communauté fière de ses appartenances à la religion musulmane et à la société québécoise ». Selon le Centre : « la mission du CCIQ est d'agir pour développer les outils qui permettraient un meilleur épanouissement spirituel, social et économique de la communauté musulmane en offrant notamment à ses membres des services adéquats [...] favorisant leur intégration dans la société québécoise » (site Web, <www.cciq.org>, consulté le 17 avril 2006).

Le CCIQ est critique à l'égard de la politique fédérale du multiculturalisme. Son représentant laisse entendre que celle-ci mène à la ségrégation des divers groupes ethniques dans le reste du Canada. Par contre, il se demande si le gouvernement du Québec se donne les moyens nécessaires pour rendre la politique québécoise de l'interculturalisme efficace :

> C'est vrai que c'est spécial au Québec. Le *kirpan, le hijab, la soukah* ne posent problème qu'au Québec. Et ça, ça choque beaucoup de gens qui ont séjourné en Alberta ou au Nouveau-Brunswick et qui reviennent ici. Mais là aussi c'est un manque d'intégration qui les fait réagir de façon épidermique parce qu'ils ne connaissent pas l'histoire du Québec. Ils ne savent pas que cette société a un passé religieux récent avec lequel elle a rompu, et la cassure terrible est encore douloureuse je crois, dans l'inconscient collectif. On a à peine réglé un contentieux avec la minorité anglophone (avec les Autochtones ça ne sera jamais réglé), et là on voit déferler, le mot est fort, des gens qui tiennent à la conservation de leur culture et à s'affirmer dans l'espace public sur le plan religieux... ça désarçonne ! Alors, il faut tenir compte de cette réalité qui est très québécoise. Ça ne veut pas dire que j'approuve, mais ça a un sens. Il y a eu un débat au Musée de la civilisation. C'était évident, ce débat ne peut pas avoir lieu ailleurs au Canada, Le thème était « Est-ce que le multiculturalisme est une porte d'entrée pour l'intégrisme religieux ? ». C'est absurde... mais moi je dis que le multiculturalisme à la canadienne anglaise est peut-être problématique parce que quand je vais à Mississauga chez mes amis bosniaques, je vois vraiment des quartiers ethniques... Ils ne se parlent pas et les gens ne connaissent pas de Canadiens anglais. Ou il n'y en a pas, ou alors ils ne se fréquentent pas. Par contre, est-ce que le Québec a l'ambition d'être une société interculturelle, donc plus axée sur l'interaction que sur le communautarisme du multiculturalisme ? Si oui, est-ce qu'il a les moyens de son ambition ? Est-ce qu'il prend les moyens de cette interculturalité ? Quand on sait l'état déplorable des immigrants ici, surtout ceux des communautés les plus vulnérables en comparaison avec les autres provinces, il y a un problème ! Il ne suffit

> pas de dire que l'on accepte ou que l'on refuse certaines pratiques ou démonstrations, c'est trop facile... je pense qu'il y a aussi un choc de cultures (Représentant, CCIQ).

Interrogé sur l'évolution de la politique québécoise, le porte-parole de la CAF note des changements d'attitudes chez les politiciens. Ces derniers seraient plus réceptifs à la diversité, ils reconnaissent « que les Québécois sont tous égaux », que nous sommes tous « des citoyens à part égale » (Représentant à Montréal de la CAF). Il attribue ce changement au fait que le vote des minorités peut être déterminant dans une élection. Cependant, les budgets sont limités pour relever les défis de l'intégration des nouveaux arrivants :

> [...] il faudrait mettre plus d'argent là-dedans. On a 43 % du budget qui va dans la santé, 22 % s'en va à l'éducation. C'est 65 % de notre budget qui est parti, c'est fini en santé et en éducation. Si on regarde après ça le remboursement de la dette, il n'y a pas grand-chose qui reste. Il reste 20 % pour tous les autres programmes. 20 % sur 50 milliards, c'est des milliards. Il faut aller vers 30 ministères, alors pour ceci, on a de la difficulté, on devrait avoir plus d'argent, mais on reconnaît que nos moyens sont limités (*Ibid.*).

Le porte-parole du CCIQ parle également de sensibilité grandissante face à la diversité. Les communautés culturelles ont influencé les visions politiques. Il parle aussi de l'importance du vote des minorités :

> Je pense que de plus en plus les communautés culturelles sont devenues partie prenante de la société civile ici à Québec. C'est aussi des votes potentiels pour les députés et là on a assisté à un étrange phénomène parce que pendant les élections, comme par miracle, tous les partis s'auto-invitent et veulent, ils font les yeux doux pour arriver dans une activité qu'on organise. C'est de bonne guerre. Chacun joue son jeu. Je pense que le travail des associations culturelles a porté fruit. C'est sûr que bon, à moins d'avoir des politiciens intransigeants, mais les politiciens ne peuvent pas être si intransigeants que ça parce que ces communautés culturelles sont aussi des votes pour eux. Ils ont tout intérêt à aller dans le sens des communautés culturelles (Représentant, CCIQ).

Les visions de l'intégration

Il serait utile, avant de voir comment les associations se positionnent, de rappeler quelques données concrètes qui permettent de mieux saisir les défis de l'intégration économique des immigrants.

Selon le recensement de 2001, le taux de chômage des immigrants était de 11,7 %, contre 8,2 % pour l'ensemble de la population québécoise. Le taux décroît avec l'allongement de la durée de résidence. Ainsi, les immigrants établis depuis cinq ans ou moins avaient un taux de chômage de 22 % comparativement à 14 % pour les immigrants établis depuis six à dix ans et à 9 % dans le cas de dix ans et plus (Québec, MRCI, 2004a, p. 43).

Toujours selon les données du recensement de 2001, le taux de chômage pour l'ensemble des groupes racisés était presque le double de celui de la population totale, soit 15,4 % en comparaison de 8,2 %. Une proportion de 15,5 % de la population pauvre du Québec était composée de personnes appartenant aux « minorités visibles », alors que ces groupes ne représentaient que 7 % de la population totale. L'écart entre la population née à l'étranger et la population née au Québec était plus prononcé au Québec que dans les autres provinces. Selon des données de 2000, l'incidence de faible revenu pour l'ensemble de la population québécoise était de 14,7 %, soit un taux de 12,7 % pour la population née au Québec et de 26,9 % pour la population née à l'étranger. L'incidence de faible revenu pour l'ensemble des groupes racisés était de 40,4 %. Ce taux était de 40,9 % pour les communautés noires, de 43,4 % pour les Sud-Asiatiques, de 42,2 % pour les Latino-Américains, de 39,6 % pour les Chinois, de 44,8 % pour les Arabes et les personnes originaires de l'Asie de l'Ouest. Si l'on compare les revenus, ceux des immigrants sont inférieurs de 15 % à ceux des natifs du Québec (Labelle, Field et Icart, 2007, p. 27-28).

Au recensement de 2006, le taux de chômage des Maghrébins vivant au Québec est de 30 %. De plus, la problématique du déclassement professionnel est particulièrement présente depuis 2001 :

> Selon les données analysées par Godin (2004), qui étudie l'insertion en emploi d'immigrés sélectionnés en vertu de la grille de 1996, une majorité (52,4 p. 100) d'entre eux considèrent que l'emploi qu'ils occupent au Québec correspond bien à leur niveau de formation, mais cette proportion varie sensiblement en fonction de la région d'origine. Alors que 65,4 p. 100 des personnes originaires d'Europe de l'Ouest affirment que l'emploi occupé correspond beaucoup ou tout à fait à leur niveau de formation, seulement 37,1 p. 100 des personnes venues d'Asie de l'Ouest et du Moyen-Orient partagent cette opinion (Chicha et Charest, 2008, p. 8).

Dans ce contexte, il n'est pas étonnant que plusieurs associations arabo-musulmanes militent en faveur de l'intégration sociale et professionnelle, de la reconnaissance et de l'équivalence des diplômes acquis à l'étranger, de l'intégration culturelle (sensibilisation des médias, de la société et des politiciens à la culture arabe et musulmane, accommodements raisonnables, etc.) ainsi que de l'intégration politique (participation civique au Québec et au Canada, politique étrangère). Le Canadian Islamic Congress, le Centre culturel algérien, Sésame et la Fédération canado-arabe se sont prononcés sur cette question.

Pour le Canadian Islamic Congress, le dossier de l'intégration des minorités au sein des institutions publiques et de la société dans son ensemble représente un enjeu majeur. Selon l'organisme, les musulmans et les Arabes ont dû faire face à des obstacles particuliers, notamment en raison des conflits au Moyen-Orient. Ces conflits ont contribué à la marginalisation sociale, politique et économique de ces groupes, d'où l'importance de mettre l'accent sur l'intégration. Les dossiers de l'immigration, de la citoyenneté et de la sécurité étant intimement liés, il est difficile de privilégier l'un ou l'autre. L'énergie est vraiment mise sur les programmes et activités qui aideront à l'intégration des communautés musulmanes. Comme l'explique la représentante du Canadian Islamic Congress: « *We try to focus our energy into any program, any intervention that will make our community more secure, and participate fully in the social, political and economic life of this country* (Représentante, Canadian Islamic Congress). L'association va jusqu'à proposer un nouveau modèle d'intégration: « *Smart integration is defined through criteria that incorporate a balanced blend of three models: the melting-pot, the mosaic (or cultural pluralism), and that of foundational Canadian core values* » (Canadian Islamic Congress, 2005b).

Le Canadian Islamic Congress a lancé une initiative désignée comme « Orientation éducative stratégique ». Cette initiative consiste à encourager les musulmans à poursuivre leur scolarité dans des disciplines dans lesquelles s'investissent en moins grand nombre les musulmans. Les musulmans se dirigent généralement vers les sciences dites dures. Même observation chez les Arabes (musulmans ou pas) qui encouragent leurs enfants à choisir la médecine, l'ingénierie, l'informatique, etc., à la recherche de prestige. Selon le Canadian Islamic Congress, il y a un manque de diplômés en droit, en travail social, en sociologie, en psychologie, en sciences politiques. Le Canadian Islamic Congress a compris ce déficit, d'où l'encouragement par une offre de bourses dans ces disciplines.

La Fédération canado-arabe (CAF) se penche sur la reconnaissance officielle des compétences acquises à l'étranger. La CAF recommande: « le gouvernement fédéral doit prendre l'initiative de rassembler les organismes de normalisation professionnels fédéraux et provinciaux afin d'aborder efficacement la reconnaissance officielle des compétences acquises à l'étranger avant même l'arrivée des immigrés, ou encore d'accélérer le processus de reconnaissance des compétences une fois l'immigré arrivé au Canada » (CAF, 2005a, p. 2). Au sujet de la représentation dans la fonction publique, la CAF recommande le renforcement des mesures d'équité en emploi:

> Le gouvernement fédéral nomme annuellement un nombre important d'individus par le biais d'un processus basé sur le mérite, l'expérience et les compétences. La Fédération canado-arabe (FCA) croit qu'il est essentiel d'inclure une large représentation raciale et ethnique dans ce

> processus. La FCA encourage donc le gouvernement fédéral d'aller à la rencontre des membres des communautés ethnoculturelles et de permettre à leurs membres de franchir ces barrières quelles qu'elles soient. Il est essentiel que tous les Canadiens aient la même égalité d'accès aux offres d'emploi au sein du gouvernement du Canada et lors de nominations dans les agences, conseils et commissions (CAF, 2005a, p. 3).

L'insertion socioprofessionnelle des Algériens est l'une des principales préoccupations du Centre culturel algérien. Les problèmes mentionnés dans leur rapport sont : 1) le nombre élevé de personnes qui optent pour le retour aux études une fois au Québec en raison de la difficulté d'accéder au marché du travail ; 2) les personnes qui optent pour des emplois qui ne correspondent pas à leur domaine de compétence. Le CCA recommande par ailleurs le renforcement des programmes d'équité en emploi dans la fonction publique et dans le secteur parapublic : encourager la discrimination positive et appliquer les mesures déjà existantes comme l'accès à l'égalité ; responsabiliser davantage les sous-ministres et les directions des ressources humaines à ce problème ; offrir des stages ; augmenter le nombre de membres des communautés culturelles au sein des jurys de sélection de la fonction publique. De plus, le rapport suggère qu'il est important que le gouvernement du Québec travaille à promouvoir une image positive des immigrants maghrébins par l'entremise de campagnes médiatiques, par la mise en valeur de modèles de réussite et par des démarches de sensibilisation. D'autres mesures sont mentionnées : favoriser le mentorat ; encourager les médias ethniques ; sensibiliser les immigrants et les conseillers d'emploi aux possibilités de transfert des compétences, etc. (CCA, 2003, p. 5-6).

Le porte-parole du Centre culturel algérien note que l'accès à la fonction publique ne s'est pas amélioré. Il s'appuie sur un sondage qui révèle qu'en dépit d'un taux de réussite élevé aux examens de la fonction publique les gens ne sont pas appelés pour occuper des postes. Il note cependant un intérêt grandissant pour l'insertion professionnelle, en dépit du fait que les statistiques sur le chômage (14 % au sein de la communauté arabe) révèlent que la situation est critique.

Le Centre culturel islamique de Québec déplore que le gouvernement ne soit pas un chef de file sur ce dossier :

> [...] l'État n'a pas la crédibilité de faire la leçon au secteur privé lorsque lui-même a failli à sa tâche d'intégrer, dans sa fonction publique, dans son secteur parapublic, suffisamment d'abord de femmes, d'Amérindiens, d'handicapés, d'anglophones et les communautés ethnoculturelles et particulièrement les deux plus vulnérables, les statistiques le prouvent, les Noirs et les Arabo-musulmans... Et ça c'est prouvé, par des chiffres, des données et des témoignages empiriques qui sont légion... (Représentant, CCIQ)

Selon ce porte-parole, le problème de la discrimination sur le marché du travail est systémique. Il déplore le fait qu'il n'y ait pas d'éducation à la diversité dans les institutions publiques, dans les ministères et dans la société en général.

Selon les porte-parole de la CAF et de CAIR-CAN, on note une augmentation de la discrimination en emploi. L'après-11 septembre a eu un impact négatif sur l'employabilité de certains groupes, particulièrement chez les employeurs qui doivent prévoir que leurs employés devront voyager aux États-Unis dans le cadre de leur fonction, et que les employés nés dans un pays arabe risquent d'être bloqués aux frontières.. Les effets se sont aussi fait ressentir par des mises à pied qui, dans certains cas, ont suivi la visite des services du renseignement dans le lieu de travail de la personne. Les leaders témoignent qu'il est difficile d'avoir des recours légaux pour établir la preuve de la discrimination en embauche.

La participation civique et politique

La participation civique et politique est un objectif vigoureusement défendu par la Fédération canado-arabe (CAF), le Conseil national pour les relations canado-arabes, le Canadian Council on American-Islamic Relations in Canada (CAIR-CAN), le Canadian Islamic Congress, le Muslim Council of Montréal, le Forum musulman canadien, le Centre culturel islamique de Québec et le Centre culturel algérien.

Très active lors des périodes électorales, la Fédération canado-arabe encourage le vote des Canadiens d'origine arabe ou de confession musulmane. En collaboration avec le Conseil national des relations canado-arabes, la CAF a des rencontres avec des ministres et prépare des questionnaires qu'elle remet à tous les partis politiques pour qu'ils fassent connaître leur position sur des sujets d'intérêt pour les communautés arabes, à savoir la sécurité, l'immigration et la politique étrangère. Les analyses qui ont suivi les élections de 2004 et 2006 portent un titre révélateur: *Arab and Muslim Voters: Growing Political Influence.* Ces rapports démontrent l'influence que pourraient avoir les minorités arabes et musulmanes sur l'issue des élections dans divers comtés du Canada.

CAIR-CAN travaille aussi à la mobilisation populaire, à l'instar du Canadian Islamic Congress qui a publié un rapport en 2004 intitulé *Election 2004: Towards Informed and Committed Voting – A Research Report on Grading Federal MPs, 2000-2004.*

Selon la porte-parole de CAIR-CAN, contrer l'influence de certains imams intégristes qui enjoignent les musulmans à ne pas voter, à ne pas se présenter comme candidats aux élections représente un défi particulier et de taille. Pour ces imams, les musulmans doivent rester à l'écart d'institutions qui ne relèvent pas directement de l'islam :

> *During the 2000 election, and even in the 2004 one, when we were thinking about educating the communities* [to civic participation], *one of the difficulties we also had to deal with was related to the early Muslim communities that came* [to Canada]. *There was a thinking, amongst not all but some of the imams, that Muslims should not participate in the political process, they shouldn't vote, or if they did vote, they shouldn't get too involved in grassroots politics, that they shouldn't run as candidates… and that came from the view that if it is not a Muslim institution, Muslims shouldn't be involved in it… that way of thinking was present in the communities and it was affecting quite a few people. I personally think that is was disastrous because you just disempower people, you remove them from taking an active role in their lives… but that has changed now, I think that people realize that if you feel the system is unfair, you need to be part of it to change it.*
>
> *Q: What do you think caused that change?*
>
> *A: The Muslim communities in the US went through the same thing but I would say they are at least 15 or 20 years ahead of us and I think the Canadian community takes some of its cues from the American community, in the sense that they see what others are doing in a similar situation. The American community has become much more politically active than they used to, especially since 9/11, and I think that this has contributed to this new desire for involvement, not wanting to be on the sidelines anymore* (Représentante, CAIR-CAN).

Sur la scène québécoise, le Forum musulman canadien fait la promotion de la participation citoyenne, à tous les niveaux :

> On fait la promotion si vous voulez de la participation citoyenne, dans les élections, dans les rapports intercommunautaires et avec la société. Donc on a fait beaucoup de travail à ce sujet-là, pour aider à mieux faire participer les gens dans la société, pour qu'ils se sentent pleinement citoyens, tout en gardant leurs différences, leur identité basée sur leur confession. Alors on travaille sur ce point-là, parce que le Canada, avec son esprit ouvert, avec le multiculturalisme, l'interculturalisme, favorise l'intégration d'une façon positive. Pour que les gens, progressivement, fassent l'intégration et soient capables de faire leur devoir au sein de la société (Représentant, FMC).

Aux élections fédérales de janvier 2006, le Muslim Council of Montreal (MCM) a fait circuler une note auprès des dirigeants d'associations musulmanes leur rappelant l'importance de voter. Selon Salam Elmenyawi, président du MCM : « *voting is a must for Muslims. If Muslims do not vote on Monday they in fact help weaken the community and disenfranchise it* » (MCM, 2006).

Le Centre culturel islamique de Québec rappelle dans son bulletin *Échos* l'importance d'exercer le droit de vote. À la suite d'une présentation du cadre législatif autour du droit de vote, le rédacteur conclut sur ce mot d'ordre : le vote est « un acte emblématique de la condition de citoyen » (2001, p. 10). Le Centre culturel algérien s'engage aussi dans ce type d'activités.

Présence musulmane « promeut une citoyenneté participative nourrie d'une compréhension contextualisée de l'islam et d'une identité ouverte, tout en cultivant un vivre ensemble harmonieux dans notre société » (<www.presencemusulmane.org/philosophie.html>, consulté le 14 mars 2006).

Le Centre culturel algérien défend avant tout les valeurs démocratiques, mais en faisant référence à l'identité :

> En plus d'être naturellement ouverte, la société québécoise nous offre l'opportunité de vivre à l'intérieur de nos cultures diverses et plurielles. Il est intéressant de noter que sans l'adoption des valeurs démocratiques qui sont à la base de la société québécoise et de ses institutions, il est pratiquement impossible d'accéder à la véritable citoyenneté. Ces valeurs sont en réalité le seul cadre à l'intérieur duquel les communautés ethniques peuvent garantir un épanouissement total des individus et des groupes tout en sauvegardant leur spécificités et patrimoine culturels (Centre culturel algérien, 2003, p. 14).

Selon la représentante de Présence musulmane, l'engagement citoyen implique deux aspects :

> C'est un travail qui se fait des deux côtés. Il y a un travail d'éducation sur des sujets qui ne sont pas nécessairement toujours des sujets de stéréotypes ; femmes dans l'islam, l'islam et terrorisme. [...]. On veut avoir un dialogue... ça cible les gens qui veulent s'éduquer au niveau des enjeux de la communauté musulmane, dans l'islam en général, mais c'est aussi pour éduquer les musulmans à comment s'engager dans la vie ici au Québec... On essaie de voir que les musulmans sont prêts à s'engager, à participer, sont prêts à s'intégrer dans la vie québécoise, dans la vie canadienne... (Représentante, Présence musulmane).

Comme nous l'avons vu dans le chapitre précédent, la CAF et CAIR-CAN dénoncent les effets de la Loi antiterroriste qui crée un contexte susceptible de nuire à l'intégration des citoyens d'origine arabe et de confession musulmane, dans tous les sens du terme.

Le rôle de l'islam dans l'espace public

C'est sur ce dossier que les différences entre les associations se remarquent, et que l'on peut déceler des orientations idéologiques diverses, sinon opposées. Car si toutes les associations arabo-musulmanes sont interpellées par la place de l'islam dans l'espace public, elles n'ont pas pris des positions similaires. Les plus religieuses font la promotion active de l'affirmation religieuse dans l'espace public. D'autres appuient de telles demandes en principe mais ne se mobilisent pas autour de ces enjeux, estimant que l'intégration économique et le racisme sont prioritaires. Celles qui sont carrément laïques ne se prononcent pas du tout sur ces demandes.

Le Canadian Islamic Congress et le Forum musulman canadien ont appuyé le rapport de Marion Boyd qui proposait de reconnaître officiellement l'arbitrage religieux dans des causes concernant la famille et l'héritage en Ontario en le soumettant à certaines balises (Boyd, 2004). Marion Boyd a été procureure générale de 1993 à 1995 et ministre déléguée à la Condition féminine 1991 à 1995. Un communiqué du Canadian Islamic Congress fait part de la position prise en faveur de la médiation et de l'arbitrage religieux :

> *Faith based [mediation and arbitration] have been, and still are, used by ALL faith groups in Canada for years ; Faith based* [mediation and arbitration] *procedures are cheaper, faster, and introduce a healing factor into many family disputes ;*
>
> *Recognized and regulated* [faith based mediation and arbitration] *processes are better than unrecognized and unregulated practices ;*
>
> *Muslims are seeking equality with Jews in Ontario to have their arbitration process formally recognized by the courts ;*
>
> *CIC fully supports the implementation of Marion Boyd's report, as it outlines sufficient check and balances* (Canadian Islamic Congress, 2005f).

Dans un mémoire présenté à un comité parlementaire ontarien qui se penchait sur cette question, l'association défendait l'argument selon lequel, le Canada étant une société multiculturelle, le droit à l'arbitrage basé sur des principes religieux est protégé en vertu de la section 2a de la Charte canadienne des droits et libertés :

> *As Canada is self-defined multicultural society which consists of multi-faiths, it must respect the belief systems of all cultures and religions. Legalizing faith-based* [mediation and arbitration] *enables practitioners of all faiths to implement their values in dispute resolution while remaining within the boundaries of justice. Moreover, the right to use arbitration based on religious principles is protected under section 2(a) of the Canadian Charter of Rights and Freedoms which guarantees freedom of religion. Legally recognizing voluntary, faith-based* [mediation and arbitration] *in actuality, provides greater equality among Canadians of all faiths* (Canadian Islamic Congress, 2006a)

Des démarches discrètes ont été entreprises par le Conseil musulman de Montréal pour instaurer une cour d'arbitrage similaire au Québec, ainsi que l'a rapporté *Le Devoir* (11 décembre 2004), mais elles n'ont pas abouti. En mai 2005, la députée du Parti libéral Fatima Houda-Pépin proposait, conjointement avec une députée du Parti québécois, une motion de rejet de l'instauration de tribunaux islamiques en droit de la famille, motion adoptée à l'unanimité par l'Assemblée nationale du Québec. À la suite de cette motion, CAIR-CAN publiait dans *Montreal Gazette* un communiqué signé par 25 autres organismes condamnant cette motion et demandant son retrait, au nom de la Charte québécoise des droits et libertés. Selon ces organismes, cette motion a eu pour effet de pointer du doigt les citoyens de confession musulmane et elle est donc discriminatoire :

> *We are Quebecers, men and women of diverse ethnic origins and religious beliefs, who stand united against injustice and discrimination. Our attachment to this country and to its civic values explains our dismay at the resolution on Islamic courts adopted by the National Assembly on May 26. In the name of the Quebec Charter of Rights and Freedoms, we condemn this motion that singles out citizens of the Muslim faith and thus discriminates against their religion. We demand its withdrawal* (CAIR-CAN, 2005e).

Selon CAIR-CAN, si la religion est une affaire privée, elle exige tout de même une reconnaissance publique. La répondante de CAIR-CAN explique les difficultés particulières au Québec pour cette reconnaissance. Elle dénonce la motion de Fatima Houda-Pépin qui a été proposée sans consultation auprès des principaux intéressés – les communautés musulmanes –, mais semble ignorer que des démarches avaient été entreprises par des groupes musulmans pour instaurer une cour d'arbitrage islamique au Québec. Interrogée sur la place de la religion dans l'espace public, elle répond :

> A : *It has to be within the Charter, you couldn't go outside what the law of the land is. For Muslims in a secular society, I think our faith is one that is rather public, just by dressing up, some of us are making a public statement. For example, for those who choose to observe the daily prayers, that's a private affair, mind you, it is not done in public, but if you are in a public environment, if you work or study, you need to have access to a private worship place. You don't want a place where everybody can see you, so that you can display your faith... it is a private issue, but we need some kind of public permission, or cooperation, better said... Religion shapes* [you], *whether you're Muslim, Christian or Jew. If you are a person of faith, then your faith impacts on who you are and the views you have, so it has a place in the public domain, in public policy, but not in a really overt way... in more of what we called a « Canadian » way... very quiet...* [...] *Québec is a much more secular society in the sense that I had not realized how much influence the Church has had in Québec, and I just read recently that in 1945, women received the right to vote, it was the last province to allow it, and I didn't suspect that because I see Québec as the most liberal province, socially*

progressive in some respects... and I think in Québec, there has been a pendulum swing in terms of religious observance that I don't know to what level Quebecers believe in God or how important that is in their lives. In the rest of Canada, or maybe it is because of where I live, it is much less pronounced, the secularism...

Q: *How do you explain the position taken by the National Assembly on the Sharia?*

A: *I was really surprised by that because, from what I understand, they never asked for it... What I mean is that Fatima Houda-Pépin is very powerful and if the government only listens to her, they are missing out on a whole segment of the Muslim community that needs to be heard. In Québec, as you get more and more people coming from the Maghreb, with various degrees of religious practice, but for those who are very religious, it is a community that will need to have its voice heard, otherwise, I don't think you're going to get to a situation like in France, with the ghettos and such, but they need to be heard and they need to learn how to get their voices heard. But just the attitude toward religion is very different in Québec. People elsewhere are more sensitive and are a lot more politically correct in the rest of Canada than in Québec. One of the refreshing things I found when I was in Québec around 1995, people would say things, ask questions, express their opinions and concerns pretty straightforwardly, and I think that is much easier to deal with than with «politeness»... politeness is nice but you don't really get to the issues that need to be discussed and debated and you stay on the surface, and that is fine for a while, people get along, but...* (Représentante, CAIR-CAN).

Le Forum musulman canadien a lui aussi appuyé le rapport de Marion Boyd sur l'arbitrage religieux en matière de droit de la famille. Le FMC estimait que les musulmans pouvaient exercer leur droit à l'arbitrage religieux dans le respect et la conformité de la loi appliquée par la province de l'Ontario et de la loi fédérale du Canada (2005b). Il en va de même du Comité de la femme musulmane canadienne du FMC qui a aussi critiqué « l'esprit discriminatoire et propagandiste islamophobe de la loi proposée par le Parti libéral du Québec et votée par l'Assemblée nationale refusant la présence d'une plateforme d'arbitration musulmane pour régler les conflits matrimoniaux. Selon le CFMC, cette loi va à l'encontre des valeurs pluralistes au Québec... » (Comité de la femme musulmane canadienne du FMC, 2005b).

Un autre dossier qui a occupé les associations musulmanes est celui de la salle de prière à l'École de technologie supérieure. Le 22 mars 2006, la Commission des droits de la personne et des droits de la jeunesse du Québec (CDPJQ) se prononçait sur une plainte déposée par 113 étudiants musulmans contre l'École de technologie supérieure (ÉTS), membre du réseau de l'Université du Québec. Ces étudiants soutenaient ne pouvoir effectuer les cinq prières quotidiennes obligatoires dans le cadre de leur religion, l'ÉTS ayant refusé de leur accorder un lieu de prière au nom du caractère laïque de l'établissement. La Commission des droits de la personne et des droits de la jeunesse du Québec (CDPJQ) a conclu que l'ÉTS avait une obligation d'accommodement raisonnable à l'égard de ces étudiants afin qu'ils puissent prier « sur une base régulière, dans des conditions qui respectent leur droit à la sauvegarde de leur dignité », sans toutefois imposer un local spécifique pour une religion donnée. D'autres griefs formulés par les étudiants furent toutefois rejetés, et la Commission a indiqué entre autres que l'ÉTS avait le droit d'interdire que des étudiants se lavent les pieds, avant leurs prières, dans les lavabos des toilettes (Icart et Labelle, 2007).

Dans un communiqué, Riad Saloojee, directeur de CAIR-CAN, déclarait : « *We welcome today's decision by the Commission, which reaffirms that educational institutions must respect Québec's Charter of human rights and freedoms, and guarantee religious accommodation for Muslim students* » (CAIR-CAN, 2006b). À la suite du jugement concernant l'ÉTS, CAIR-CAN a fait des démarches pour faire valoir les droits des étudiants musulmans de l'Université McGill de jouir à nouveau d'un lieu de prière, au nom de la Charte québécoise des droits et libertés. En effet, McGill avait retiré l'accès à un lieu de prière qui était disponible auparavant pour les étudiants musulmans.

L'affaire du port du foulard dans les écoles privées a aussi préoccupé les associations musulmanes, qui se sont prononcées contre les restrictions imposées et qui ont salué la décision de la CDPDJ de juger illégales les restrictions à cet effet. Ainsi, le Comité de la femme musulmane canadienne du FMC s'est dit :

> ravi de la décision prise par la Commission des droits de la personne et des droits de la jeunesse sur le droit au port du voile par la femme musulmane dans les écoles privées. Cet avis public permet désormais le port du voile islamique, du kappa juif [*sic*] et du turban sikh dans toute école privée du Québec. C'est une victoire décisive pour le droit à la liberté d'expression des croyances religieuses. Nous espérons, à la suite de cette décision, qu'aucun autre incident comme celui d'Irène Wasseem, qui s'est vu renvoyé [*sic*] du collège privé Charlemagne en septembre 2003, ne sera noté (2005a).

Ces positions des associations qui se définissent comme islamiques se distinguent de celles d'orientation plus laïque. Par exemple, le porte-parole de la Fédération canado-arabe se défend de parler au nom des musulmans. Dans la mesure du possible, la Fédération canado-arabe évite de traiter cette question, puisqu'elle représente surtout les citoyens d'origine arabe, ce qui inclut non seulement des non-musulmans, mais aussi de nombreux musulmans opposés à l'apparition, dans le monde arabo-musulman, d'un islam rigoriste et conservateur. De même, Sésame se présente comme une association apolitique et areligieuse. Le répondant explique : « On est dans un espace laïque et on n'a pas de recommandations là-dessus. »

Certaines associations musulmanes d'orientation plus libérale, tout en appuyant les droits des musulmans de pratiquer, déplorent que l'accent soit mis sur ces questions par opposition aux questions relatives à l'intégration économique et politique. Le porte-parole du CCIQ dénonce le fait que certains musulmans s'acharnent sur des questions d'accommodement raisonnable afin de pouvoir pratiquer leur religion dans l'espace public, quand, selon lui, les vrais enjeux qui devraient mobiliser les communautés musulmanes sont la sécurité (et les droits civils), le profilage à caractère raciste, la discrimination en emploi :

> À Montréal, c'est des bêtises sur l'accommodement raisonnable pour des lieux de prière, on oublie les problèmes de sécurité, de profilage racial, les problèmes énormes liés à la discrimination en emploi et on ne s'en occupe pas, mais on s'occupe de bagatelles… et c'est un pratiquant qui vous parle ! Et cela, ce sont des détails pour moi qui occultent et occupent les communautés au détriment des vrais enjeux : de racisme, de discrimination en emploi, au logement, de traitements inhumains dans les aéroports… et les choses comme ça, personne en parle… Ça, c'est des choses dont on a parlé un peu à la Table du Maghreb, mais ça relève essentiellement du fédéral et nous sommes une Table de concertation provinciale… […] L'accommodement raisonnable a du mal à prendre ici parce qu'il n'a été possible qu'à travers la culture juridique du Commonwealth… et ici, on est très cartésien, et droit civil… et je pense qu'il y a un cheminement à faire… mais il y a aussi un effort à faire du côté des communautés culturelles. Moi je dis aux miens que si la revendication d'un droit, par exemple la mise en place d'un lieu de culte et la libération du travail pour prier, si la réclamation de ce droit porte préjudice à la communauté, et bien je m'abstiens… si l'octroi de ce droit et sa médiatisation ont des conséquences néfastes sur ma communauté, accroît le racisme et l'islamophobie, moi je m'en passe ! Je ne veux pas de cet aménagement du temps de travail, je renonce… j'irai prier le soir chez moi, c'est permis… je ne veux pas de lieu de prière pour me faire insulter, je vais prier dans l'intimité… d'ailleurs, la prière doit être faite dans l'intimité, contrairement à ce que l'on raconte… alors, je pense qu'il y a une prise de conscience qui n'est pas là, et cela rejoint ce que je disais plus tôt sur le manque de maturité… les gens ne venant pas de culture de droits arrivent ici et demandent et exigent… minute, il faut y aller doucement… on ne peut pas sortir d'une dictature et devenir citoyen de plein droit en quelques années… c'est un cheminement, une maturité… c'est long, c'est un changement de mentalité. Et les gens ne comprennent pas, alors c'est peut-être qu'en étant assoiffés de libertés et de droits les gens commencent à réclamer n'importe quoi… doucement… Est-ce que le contexte est favorable à ça… est-ce que la lutte va porter préjudice… quel est le coût que l'on va payer globalement ? Et ça, les immigrants ne se posent pas toujours cette question-là. Ils sont dans un absolu qui n'a rien à voir avec la triste réalité… et par rapport à cela, j'ai parfois l'impression de prêcher dans le désert… (Représentant, CCIQ).

La lutte contre le racisme

La plupart des associations estiment que ce dossier est prioritaire, et même celles qui divergent dans leurs orientations idéologiques collaborent sur le dossier de la lutte au racisme. Ainsi, CAIR-CAN, la CAF, le Canadian Islamic Council, le FMC, le MCM, le CCA et le CCIQ ont abordé explicitement la question du racisme. Deux associations ont déposé des mémoires à la Commission de la culture de l'Assemblée nationale, *Vers une politique gouvernementale de lutte contre le racisme et la discrimination* (Québec), soit le CCIQ et le MCM. Il se dégage de l'ensemble des opinions exprimées par ces associations que le racisme à l'égard des musulmans n'est pas seulement une question d'ignorance, mais qu'il est quelquefois promu à un haut niveau, par certains médias et par les institutions en charge de la sécurité.

CAIR-CAN et la Canadian Muslim Civil Liberties Association ont dressé un bilan de rapports et d'initiatives qui touchent les minorités arabes et musulmanes. Ils ont fait référence au rapport de 2003 du Rapporteur spécial sur les formes contemporaines de racisme, de discrimination raciale, de xénophobie et de l'intolérance qui y est associée, qui fait état de la situation à l'échelle mondiale (Diène, 2003). Depuis les événements du 11 septembre 2001, les musulmans sont de plus en plus victimes de discrimination de la part d'acteurs privés et de l'État. Le Rapporteur spécial Doudou Diène qualifie la situation d'alarmante: «*A climate of widespread suspicion was created in which Muslims and Arab minorities around the world have been victims of malicious acts of violence for reasons of their religious beliefs and/or ethnic origins*» (Diène, 2006, p. 4). CAIR-CAN et la CMCLA notent que la Commission ontarienne des droits de la personne a inclus l'islamophobie dans sa politique de lutte contre le racisme et la discrimination. Selon la Commission ontarienne, l'islamophobie est une forme contemporaine et émergente de racisme au Canada (CAIR-CAN et CMCLA, 2006, p. 5).

Dans son rapport intitulé *Presumption of Guilt: A National Survey on Security Visitations of Canadian Muslims* (2005b), CAIR-CAN faisait état de la situation au sujet du profilage à caractère raciste à l'égard des musulmans. Selon un sondage effectué auprès de 467 musulmans, 8% des répondants (échantillon de volontaires) avaient été en contact avec des agents de la sécurité nationale et les personnes visées étaient majoritairement des jeunes hommes arabes. Le quart (24%) des personnes ciblées se sont senties harcelées et victimes de discrimination. Un nombre important (23%) des visites par les agents de sécurité ont pris place sur le lieu de travail. L'organisme souligne le stigmate qui s'ensuit et souligne que ces pratiques sont méconnues du grand public. L'étude de CAIR-CAN conclut que cette problématique remet aussi en question le rôle des institutions chargées de la sécurité. Devant assurer la sécurité de tous les Canadiens, les institutions ont paradoxalement recours à des pratiques de profilage à l'égard d'un segment de la population canadienne, ce qui remet en question leurs responsabilités en matière d'équité.

L'un des porte-parole de la Fédération canado-arabe mentionne la recrudescence des actes racistes et du profilage à caractère raciste visant les populations arabes et musulmanes. Il dénonce les mesures de sécurité dont la mise en application affecte négativement les groupes arabes et musulmans, ainsi que les représentations négatives dans les médias. Le porte-parole de la CAF témoigne :

> *Racism, after 9-11, became more racial profiling, and it became systemic, in the sense that security agencies, across the board, from CSIS, to the RCMP, to the provincial polices, to the city polices, all of a sudden, all became involved with security issues, approached our communities in a very clumsy, ignorant and abusive way. Because they, like the rest of the Canadian population, did not know our community and they have all of a sudden one million people who are potentially a threat to the country. So they went on "fishing" expeditions, spreading very wide, and naturally, under that kind of circumstances, you have a lot of innocent people getting caught… and the net should not have been spread that wide in the first place…and so, there are many examples, from the Pakistanis students who were deported because the were supposedly a security threat, and at the end there were no charges against them except immigration violations, to Maher Arar, and others like him, Canadians who were detained abroad because the Canadian security establishment involvement with… many people who were arrested were interrogated for weeks, for months…* (Représentant, CAF).

La CAF est active dans le dossier de la lutte contre le racisme : élaboration d'un plan d'action pour éliminer la haine sur l'Internet ; rencontres avec la section des crimes haineux de la police de Toronto ; rencontres avec des leaders des communautés ; participation à des forums et conférences, etc. (CAF, 2005b). De plus, en 2001, la CAF a effectué une recherche pancanadienne sur les besoins et les aspirations des Canadiens d'origine arabe. Cette étude financée par le ministère du Patrimoine canadien est intitulée « *Arabs in Canada : Proudly Canadian and Marginalized* » (avril 2002). La CAF fournit aux médias et aux écoles du matériel pour lutter contre le racisme. De même, la CAF dispose d'un bassin de personnes-ressources, prêtes à donner des séances de formation et d'information sur le monde arabe et les minorités arabes auprès de différentes institutions. Elle procure également de l'information aux médias et aux institutions juridiques sur le racisme antiarabe.

Entre 1998 et 2003, le Canadian Islamic Congress a préparé sur une base annuelle huit recherches portant sur le traitement des musulmans et de l'islam dans les médias canadiens. Une analyse de contenu de neuf journaux (*National Post, Globe and Mail, Toronto Star, Ottawa Citizen, Montreal Gazette,*

La Presse, Winnipeg Free Press, Chronicle Herald, Toronto Sun) donne lieu chaque année à la publication d'un rapport qui met en évidence la diabolisation des musulmans et de l'islam. Ces rapports souffrent de certains biais et leurs conclusions doivent être interprétées avec précaution ; ils identifient tout de même un problème sérieux et ont eu le mérite d'alerter les milieux antiracistes sur l'étendue du problème.

Le MCM et le Forum musulman canadien partagent aussi cette préoccupation quant au rôle des médias. Le MCM a dénoncé à plusieurs reprises les propos tenus à l'égard des Arabes et des musulmans et diffusés dans les journaux de la chaîne CanWest Global (2004). Dans un communiqué émis dans la foulée des événements de septembre 2001, le FMC demandait que les médias voient à « leur rôle éthique et professionnel dans la promotion et l'intégration plutôt que dans la promotion de l'exclusion en semant la méfiance et le doute à l'égard des communautés musulmanes ». Le FMC condamnait « toute tentative d'associer l'Islam et les Canadien(nes) et les Québécois(es) de foi musulmane ou d'origine arabe avec les actes terroristes » (FMC, 2001). De plus, en 2003, le FMC s'est prononcé en faveur d'une licence pour la chaîne Al-Jazeera, afin de permettre au public canadien d'avoir accès à des points de vue diversifiés sur des questions qui touchent les communautés arabes (FMC, 2003d). Cela vise à assurer une meilleure représentation dans les médias, un aspect de la lutte contre les préjugés et la discrimination.

Le Centre culturel islamique de Québec a une vision plus large de la lutte contre le racisme, et il entreprend diverses activités en ce sens qui visent la construction de relations soutenues avec le milieu et pas seulement la dénonciation d'attitudes racistes. Par exemple, le CCIQ participe à des conférences ou à des présentations dans des cours au cégep ou à l'Université Laval. De plus, des membres du CCIQ agissent souvent comme personnes-ressources pour des sujets portant sur la communauté musulmane. Ils participent à « des discussions touchant les stéréotypes envers les musulmans et la religion » (CCIQ, 2006, p. 20). Le CCIQ participe avec d'autres organismes communautaires au projet POEMM (Pont entre le milieu et les musulmans). Ce projet vise « à faciliter l'intégration et la vie au sein d'une seule et même communauté, tout en respectant les différences culturelles ». Le projet est ancré dans des objectifs de sensibilisation des acteurs du milieu et des intervenants aux réalités multiculturelles. Il vise un rapprochement concret des membres de la communauté, permettant ainsi « de faire tomber les préjugés » (CCIQ, 2006, p. 21), particulièrement à l'égard des communautés musulmanes.

Contrairement aux ONG-parapluie qui prennent position par rapport aux actions gouvernementales de lutte contre le racisme, aucun des groupes arabes ou musulmans n'a commenté le Plan d'action canadien contre le racisme. En revanche, certains ont suggéré des pistes d'action dans ce domaine.

CAIR-CAN a préparé un guide pour les Canadiens musulmans intitulé *Vos droits.* Le guide propose divers conseils pour assurer le respect des droits des musulmans dans diverses situations. Il mentionne les droits des employés, des étudiants, des passagers d'un avion. Il s'adresse aux personnes contactées par le Service canadien du renseignement de sécurité ou par la Gendarmerie royale. Il mentionne les démarches à suivre à la suite d'un crime haineux, de même que pour assurer la sécurité près des mosquées (CAIR-CAN, s. d.). CAIR-CAN présente plusieurs publications, chacune explorant un aspect particulier: *A Journalist's Guide to Islam, A Health Care Provider's Guide to Islamic Religious Practices, An Employer's Guide to Islamic Religious Practice* et *An Educator's Guide to Islamic Religious Practice* (voir <www.caircan.ca/pub_sem.php>).

Le Centre culturel algérien a, pour sa part, déposé un mémoire au Conseil des relations interculturelles, dans lequel il incite le gouvernement du Québec à adopter des moyens spécifiques de lutte contre le racisme et les préjugés:

> Offrir aux organismes communautaires les moyens nécessaires pour organiser des rencontres culturelles et sociales pour leur permettre de mieux se faire connaître. [...] une des raisons principales de la discrimination est due à une méconnaissance de ces communautés. [Permettre aux organismes de présenter leur communauté aidera à] dissiper au moins une partie des préjugés; développer une stratégie à long terme basée sur des ateliers et des formations donnés par des membres issus des communautés ethniques aux fonctionnaire de la fonction publique ainsi qu'aux compagnies privées intéressées (CCA, 2003, p. 11-12).

Les relations entre l'État et les associations arabo-musulmanes

La CAF et le Forum musulman canadien font régulièrement des représentations auprès de politiciens. Le Canadian Islamic Council présente des mémoires au gouvernement canadien et fait des recommandations dans divers dossiers dont la sécurité, etc.

Certains leaders sont consultés occasionnellement par les gouvernements (Sésame, CAF, Canadian Islamic Congress). Pourtant, Sésame qualifie son influence sur les politiques publiques et sur les décisions gouvernementales de très limitée. De la même façon, le porte-parole de la Fédération canado-arabe mentionne: «Ils nous écoutent. Non, ils nous entendent, mais ils ne nous écoutent pas encore. On a leur attention, on a des belles paroles, on n'a pas beaucoup de résultats encore» (Représentant, CAF).

Selon un porte-parole de la Fédération canado-arabe, le manque d'enracinement est en cause :

> La majorité des Canado-Arabes sont arrivés au pays après les années 1950-1960. Donc, ils ne sont pas enracinés dans le pays. La majorité ce sont des gens de la première génération qui ont peut-être un accent, qui ont trop peur de parler, qui ne sont peut-être pas très éloquents en anglais ou en français, qui ont besoin de travailler, alors ils ont d'autres chats à fouetter. [...] Donc, ils se concentrent beaucoup plus sur les études. Il faut qu'on soit dans les partis politiques, il faut qu'on fasse du bénévolat, il faut qu'on aille nettoyer les tables et distribuer les pamphlets et faire toutes sortes de petites choses, des travaux vraiment qui ne sont pas valables, mais il faut les faire avec nos enfants, les Italiens ont très bien fait ça, les Juifs ont très bien fait ça... (Représentant, CAF)

La porte-parole du Canadian Islamic Congress signale des problèmes quant au choix par le gouvernement, ou même par les médias, des interlocuteurs dans le milieu associatif. Ceux-ci ne sont pas toujours représentatifs des communautés. Selon elle, les positions politiques sur les enjeux du Moyen-Orient sont scrutées à la loupe :

> *The first one is how do they evaluate the organizations. CIC puts under the microscope many communities, one particularly, because we take a stand on Middle-Eastern issues. Our media communiqués are analyzed, our articles get read word-by-word, so the politicians also get all the materials we put out. So the politicians are well aware of who is doing what, and what kind of work is being accomplished... And who really presents, or is the voice, not of all Muslims. I think that the selection process is quite fair, in a way, but when they select who becomes the spokesperson, they always make their own choices, and those are the very people who do not represent the majority. It is like the media which seek those who have totally diverse opinions on Islam, on Muslims and everything else, and that really is an issue* (Représentante, Canadian Islamic Congress).

Le ministère de l'Immigration et des Communautés culturelles du Québec a voulu entreprendre une action de lutte contre le racisme en mettant sur pied, en 2003, un groupe de travail sur le « profilage racial ». Le Centre culturel algérien y a participé. Les recommandations du groupe de travail concernent la formation des services de sécurité, des corps policiers et des juristes ; la gestion des plaintes relatives au code de déontologie policière, la documentation et la sanction des pratiques discriminatoires, les abus de pouvoir de la sûreté, la sensibilisation et la compréhension interculturelle (CCA, <www.ccacanada.qc.ca/main-activité.htm>, consulté le 12 mars 2008).

Le CCA siège également à la Table du Maghreb du ministère de l'Immigration et des Communauté culturelles du Québec à l'instar du CCIQ qui, en plus, siège au comité sur les affaires religieuses du ministère de l'Éducation.

Le Centre culturel islamique de Québec déplore l'absence de culture de l'organisation et de l'engagement ainsi que de culture citoyenne dans les organisations arabes et musulmanes, trop souvent divisées ou absentes lorsqu'il s'agit de faire connaître leurs besoins, leurs intérêts, etc. :

> [...] il y a une absence de culture de l'organisation, une culture de l'engagement, qui est extrêmement préjudiciable alors, dans d'autres situations, il y a des dérapages... comme à la suite de l'affaire des caricatures, on a vu un imam autoproclamé, comme il y en a beaucoup, prendre une attitude condamnable, alors que la plupart des gens se disaient que l'on devait laisser passer la tempête, et que ça ne servait à rien d'hurler et que c'était contre-productif et ça ne fait qu'envenimer le racisme et l'islamophobie. Ce sont des communautés extrêmement divisées, qui manquent de maturité, et c'est un peu normal... nous venons de sociétés qui sortent d'une longue "nuit" coloniale, qui ont été matraquées par des indépendances en faillite, et par des dictatures... Nous n'avons pas la culture du droit, la culture de l'organisation, la culture citoyenne, alors par moments il y des gens qui disent : « Vous avez ce que vous méritez »... et ce n'est pas loin de la vérité... parce que je pense qu'il y a une certaine partie de la société d'accueil qui veut nous laisser dans un ghetto, mais certains membres de nos communautés se complaisent dans le ghetto et alimentent la tentation du ghetto... je trouve cela extrêmement déplorable, même si je comprends que nous sommes tout nouveaux dans ce pays, dans ce continent (Représentant, CCIQ).

Sur la question de la représentativité des communautés arabes et musulmanes, le porte-parole du Forum musulman canadien souligne la fragmentation des groupes musulmans :

> La communauté est fragmentée, il n'y a pas vraiment de plate-forme qui unit tous ces organismes communautaires, donc c'est un manquement de notre part. C'est pourquoi dans des situations un petit peu politiques, il n'y a pas vraiment de liens directs. C'est nous qui prenons l'initiative d'appeler le gouvernement (Représentant, FMC).

Le porte-parole de Sésame qualifie lui aussi, à l'instar du Canadian Islamic Council, le processus de sélection des leaders par l'État de subjectif :

> C'est subjectif. Qui aujourd'hui peut se proclamer leader de la communauté arabe ? Personne... Parce qu'il faut dire aussi que la communauté arabe ou arabo-musulmane, de par son essence même, est très très divisée. C'est une des complexités. Sur le plan social, ethnique, on a des Arabes, des Berbères. Donc, il y a un problème à la base là-dessus. Sur le plan religieux, il y a des chrétiens, des musulmans et des athées et c'est très très difficile que quelqu'un puisse parler au nom de toute la communauté arabe. C'est quasi impossible et c'est ce qui rend la tâche très très compliquée (Représentant, Sésame).

Pour le Centre culturel algérien, il n'y aurait pas de processus volontaire d'exclusion: «Il y a des associations qui ne sont pas présentes parce qu'elles ne se font pas connaître, elles ne vont pas solliciter le ministère ou le gouvernement Charest» (Représentant, CCA).

Si les associations arabo-musulmanes sont de plus en plus consultées, les résultats de ces consultations ne sont pas palpables selon plusieurs des porte-parole interrogés. L'inégalité des ressources est également un problème fondamental, comme c'est le cas pour d'autres associations de défense des minorités ethnoculturelles. On peut d'ailleurs constater que la plupart des revendications des groupes arabo-musulmans n'ont pas été prises au sérieux par le gouvernement, surtout en ce qui concerne la politique étrangère. Cela peut être vérifié dans plusieurs dossiers: l'autorisation de la chaîne Al Jazeera, la classification d'un parti politique libanais, le Hezbollah, comme groupe terroriste, le boycott du Hamas, les débats sur le vol direct Beyrouth-Montréal et, plus généralement, sur la politique étrangère canadienne. Il y a donc un sentiment très profond, parmi les groupes arabes et musulmans, d'être exclus de la politique, surtout au niveau fédéral.

CONCLUSION

L'objectif de ce chapitre a été d'effectuer une analyse des revendications et des stratégies d'action des associations arabo-musulmanes dans le domaine de l'aménagement de la diversité, en les mettant dans le contexte de la politique fédérale du multiculturalisme et de la politique québécoise de l'interculturalisme.

La conception fédérale du multiculturalisme a été comparée à une autre, celle de l'interculturalisme, favorisée par les gouvernements successifs du Québec. Le discours des deux paliers de gouvernement sur la prise en compte de la diversité a connu une nette transformation, passant de la promotion des différences (à la fin des années 1970) à la notion de citoyenneté inclusive à partir de la fin de la décennie 1990. Cependant, l'interculturalisme se distingue du multiculturalisme sur un aspect fondamental: il constitue une interpellation à l'intégration et au rapprochement interculturel, visant à consolider un sentiment d'appartenance au Québec, vu comme une nation minoritaire au sein de la fédération canadienne. Cette position de nation minoritaire implique que les «*circumstances of multiculturalism*» (Barrero-Zapata, 2007, p. 2) doivent être interprétées selon les contextes de société. En effet: «*within states there exist societies coming from minority nations that do not necessarily share the political culture of the dominant society and state, and therefore, the effects that cause the arrival and permanence of immigrants are different*» (*Ibid.*, p. 4). Cette situation contextuelle constitue la trame de fond sur laquelle se déploient les discours des associations arabo-musulmanes.

Comment ces politiques, avec leurs distinctions et leurs nuances, sont-elles perçues et évaluées par les leaders et les porte-parole des associations arabo-musulmanes ? Nous pouvons faire un retour rapide sur les six dimensions à travers lesquelles nous avons observé ces perceptions.

Alors que les porte-parole des deux associations pancanadiennes situées à Toronto font directement référence aux politiques du multiculturalisme qu'elles valorisent fortement et dont elles empruntent le vocabulaire, les associations de la capitale nationale du Québec se réfèrent plus volontiers à l'interculturalisme. Les associations de Montréal ne font pas une référence explicite aux façons dont ces politiques sont mises en œuvre mais elles insistent sur les résultats qui ne sont pas atteints en matière d'égalité et de non-discrimination.

Toutes les associations dénoncent les inégalités et les discriminations qui font obstacle à l'intégration, vue ici avant tout dans sa dimension économique, ainsi que l'inactivité des gouvernements pour corriger la situation.

La participation civique et politique est un objectif vigoureusement défendu par tous les organismes, mais seulement certains d'entre eux travaillent directement à promouvoir la participation de leurs membres aux élections, en tant qu'électeurs ou que candidats et candidates.

Toutes les associations considèrent que des discriminations affectent les musulmans dans leurs pratiques religieuses. Mais alors que les associations qui se définissent comme islamiques appuient les demandes de lieux de prière dans les établissements d'enseignement et le droit pour les femmes musulmanes de porter le foulard dans tout type d'emploi, elles n'ont pas toutes endossé les conclusions du rapport Boyd qui recommande la reconnaissance par l'État canadien des arbitrages fondés sur la *chari'a* en matière de conflits familiaux. CAIR-CAN et le Canadian Islamic Congress ont appuyé ce rapport, mais les autres ne l'ont pas fait, estimant que les lois canadiennes leur conviennent. Elles ont toutes dénoncé, cependant, les réactions de la société canadienne et surtout de la société québécoise à l'éventualité des tribunaux d'arbitrage islamiques, estimant que ces réactions relevaient de l'islamophobie, tant les conséquences de ces tribunaux ont été exagérées et perçues comme un danger.

Ces prises de position sont hautement significatives. On peut en conclure d'abord que les courants conservateurs ne font pas l'unanimité parmi les associations musulmanes. Mais on doit conclure aussi que le sentiment d'exclusion résultant de la stigmatisation est partagé par toutes les associations, au-delà des différences idéologiques et politiques que l'on trouve dans ces communautés.

L'arabophobie et l'islamophobie sont un enjeu social majeur. Certaines associations attribuent la montée de l'islamophobie au contexte international et à la « guerre à la terreur », qui rend légitimes le profilage racial et les dérives sécuritaires. Les mieux organisées préparent et fournissent du matériel d'information pour lutter contre le racisme, et elles demandent des plans d'action gouvernementaux. Les médias sont pointés du doigt pour leur rôle dans la légitimation du racisme et de l'exclusion à l'encontre des musulmans.

Aucune des associations dont les représentants ont été interviewés n'a le sentiment d'être vraiment entendue par les décideurs politiques, même si on lui prête l'oreille à l'occasion. Les leaders attribuent cette situation au caractère récent de l'immigration, ou encore au manque de culture organisationnelle parmi les groupes arabes et musulmans.

Conclusion

Les événements du 11 septembre 2001 ont amené l'État canadien et l'État québécois à recentrer leurs politiques publiques. L'articulation d'objectifs différents (approvisionnement en main-d'œuvre et tout ce qui en découle, respect des droits de la personne, intégration des minorités, maintien de l'identité nationale, etc.) a été rendue plus complexe dans le climat sécuritaire actuel et la montée du néo-conservatisme.

On parle de diversité dans la littérature scientifique, et particulièrement dans la rhétorique politicienne, que ce soit pour décrire et analyser les réalités canadienne et québécoise ou pour célébrer le caractère pluriculturel du Canada – dans le cadre d'un projet politique précis de construction de l'espace communautaire et politique (au Québec comme au Canada). Cet ouvrage présente un angle différent, en prenant en compte l'évolution des politiques publiques relatives à l'immigration, à la sécurité, au multiculturalisme, à l'interculturalisme et à la lutte contre le racisme, ce qui permet de voir comment le discours s'ancre dans une double réalité : au sein même de l'État et dans les rapports entre l'État et les groupes minoritaires. Nous avons analysé les politiques en question en nous penchant sur ces deux dimensions.

Notre étude a aussi porté sur les revendications des associations arabo-musulmanes et des ONG-parapluie qui interviennent activement dans les domaines de la protection des droits de la personne, de la lutte contre le racisme et la discrimination, et qui sont actives auprès des groupes minoritaires.

En ce qui concerne le premier volet de l'étude, soit la politique canadienne d'immigration, une révision importante de cette politique a été effectuée au courant des années 1990. Cette révision confirme la fonction économique et utilitariste que l'État canadien attribue à l'immigration. Néanmoins, un discours humanitaire demeure dans les documents gouvernementaux et les interventions publiques des politiciens. Cette tension entre utilitarisme et humanisme divise les acteurs: le milieu des affaires et l'État insistent sur la première dimension; les ONG-parapluie et les associations arabo-musulmanes qui œuvrent dans le milieu sur la seconde.

Le jugement normatif que l'on peut porter sur la Loi sur l'immigration et la protection des réfugiés (LIPR) dépend du point de vue où l'on se place, évidemment. Pour l'État et ses fonctionnaires, la loi doit répondre aux besoins économiques tout en atténuant les effets pervers des mesures sécuritaires en vue de maintenir le flux migratoire. Pour certains, l'immigration est un mal nécessaire. L'enjeu est de choisir les «bons» immigrants et de mettre en place des mesures visant à éliminer les «extrémistes» (ce sont surtout les «intégristes musulmans» qui étaient visés, implicitement ou explicitement – voir par exemple les prises de position du Fraser Institute). Dans cette perspective, l'immigration continue d'être présentée comme un privilège entraînant des responsabilités et des obligations pour les immigrants eux-mêmes, mais aussi pour ceux qui les parrainent. De cette prémisse découlent de nombreuses conséquences, dont nous avons tenté de souligner une partie seulement, celles qui concernent les politiques publiques et les revendications relatives à ces politiques. Mais les conséquences de cette prémisse sur les relations sociales qu'elle entraîne, sur le sentiment d'appartenance des immigrants et sur le quotidien des rapports sociaux et émotifs sont énormes. C'est comme si tout un éventail de relations humaines, individuelles ou collectives était relégué à un niveau utilitaire. Il faudrait se demander si ces transformations ne sont que des fluctuations passagères ou si elles sont, au contraire, le signe d'un repli qui ira en s'aggravant.

Plus spécifiquement, les événements du 11 septembre 2001 ont eu deux effets distincts sur la politique sécuritaire. On constate ainsi une recrudescence des mesures sécuritaires, mais on observe également un changement qualitatif: l'objectif central de ces mesures change, et l'accent est mis désormais sur la lutte contre le terrorisme, alors qu'avant c'était plutôt la criminalité qui était visée. De plus, on utilise la nouvelle Loi sur l'immigration et la protection des réfugiés pour remplir la fonction sécuritaire.

Du point de vue organisationnel, Citoyenneté et Immigration Canada n'est plus responsable des questions sécuritaires puisque cette responsabilité a été confiée à l'Agence de contrôle frontalier. Les pressions en vue du renforcement de l'«agenda sécuritaire» émanent maintenant autant de la société canadienne que de ses alliés externes (en particulier les États-Unis). L'obsession sécuritaire dans la société canadienne a été renforcée et confortée par une couverture médiatique très négative des Arabes et des musulmans, fréquemment associés au terrorisme qui, lui-même, a été confondu avec le conservatisme religieux.

Les derniers amendements apportés à la LIPR, datant de juin 2008, renforcent les pouvoirs du ministre et rendent les procédures moins transparentes. Les agents de l'État sont, sans grande surprise, préoccupés par des questions d'efficacité administrative. Les questions de justice sont moins importantes (il existe des processus administratifs en cas d'erreur) que les questions de coût et de rapidité dans le traitement des demandes. Les propos entendus autour de la non-application de la Section d'appel pour les réfugiés sont révélateurs à cet égard.

L'approche québécoise en matière de gestion de l'immigration ne diffère pas de celle du fédéral. On note les mêmes préoccupations utilitaristes dans la documentation gouvernementale. Les valeurs qui animent la loi québécoise coïncident avec celles que prône le fédéral. Mais les vrais pouvoirs demeurent à Ottawa.

Les ONG-parapluie se préoccupent essentiellement des problèmes vécus par les immigrants et les réfugiés et veillent à ce que la LIPR facilite la réunification des familles, l'accueil des réfugiés et qu'elle préserve les droits fondamentaux reconnus dans la Charte canadienne des droits et libertés. Elles soulignent les enjeux liés à l'accessibilité au statut d'immigrant reçu et critiquent les critères d'immigration qui sont moins « neutres » qu'il n'y paraît, puisqu'ils favorisent certaines régions du monde au détriment d'autres régions. Elles qualifient de *systémique* la situation qui prévaut dans la sélection des immigrants. Elles ont été particulièrement actives dans leur lutte pour exiger la mise en place de la Section d'appel des réfugiés (SAR). Selon les représentants de ces ONG, les pratiques canadiennes sont en porte-à-faux par rapport à l'image que le Canada veut projeter de lui-même (ouverture, protection des droits de la personne), et elles sont caractérisées par de nombreuses atteintes aux droits fondamentaux des personnes.

Les associations arabo-musulmanes sont particulièrement préoccupées par les situations où la protection des droits et la sécurité peuvent s'opposer. Plusieurs insistent sur les abus de pouvoir de l'appareil sécuritaire fédéral, qui a priorisé la sécurité au détriment des droits en prétendant que des dangers imminents rendaient cette option inévitable. Ainsi, le profilage à caractère raciste, fondé sur l'amalgame fait entre identité arabe ou islamique, d'une part, et islamisme violent, d'autre part, a été normalisé. Cet amalgame nuit à l'intégration des Arabes et des musulmans.

La logique sécuritaire s'est donc insérée plus profondément au Canada depuis le 11 septembre 2001. Diverses circonstances ont contribué à accréditer l'idée d'un « ennemi intérieur ». Le fait qu'un certain nombre de responsables des attaques contre le World Trade Center aient résidé aux États-Unis un certain temps, que les personnes arrêtées à la suite des attentats à la bombe survenus à Londres le 21 juillet 2007 aient été des citoyens britanniques de confession musulmane et le fait que les 17 présumés terroristes arrêtés à Toronto, en juin 2006, étaient tous citoyens canadiens ont apporté de l'eau au moulin de cette logique.

L'archétype de « l'ennemi intérieur » justifie le profilage à caractère raciste et la surveillance accrue de la part de la police et de l'appareil sécuritaire étatique. Il justifie aussi la fermeture des frontières, la violation des principes du droit international ainsi que des politiques plus strictes concernant les réfugiés. Ces tendances sont illustrées par l'affaire Maher Arar et par le rôle du Canada dans le transfert de prisonniers afghans aux États-Unis, pour détention à la prison de Guantanamo Bay, et plus récemment aux forces de sécurité afghanes.

De plus, parce que le Canada s'est appuyé sur ses politiques d'immigration plus que sur les lois antiterroristes pour mettre en œuvre ses objectifs sécuritaires, on peut se demander si l'agenda sécuritaire n'a pas éclipsé les préoccupations pour les droits humains et pour les libertés civiles. On peut arguer que les politiques d'immigration ont subi bien plus qu'un simple ajustement et que l'agenda sécuritaire a compromis au moins deux des objectifs poursuivis par ces politiques : celui de promouvoir la prospérité économique et celui de garantir la cohésion sociale.

Le second volet de notre étude a porté sur les politiques du multiculturalisme, de l'interculturalisme et de la lutte contre le racisme – puisque, du point de vue de l'État, il faut bien s'assurer que les immigrants et les minorités ne nuisent pas à la « cohésion sociale » et qu'ils adhèrent aux valeurs et projets politiques, canadiens ou québécois, selon le cas.

Le multiculturalisme a été associé, dès sa création en 1971, à la promotion d'une certaine définition de l'identité canadienne. Cette première mouture a été critiquée pour son potentiel de fragmentation sociale. Des transformations importantes ont eu cours vers le milieu des années 1990, Patrimoine canadien insistant sur le renforcement de l'identité canadienne, sur la participation civique et la justice sociale, et, dans la foulée de Durban, sur la lutte contre le racisme. La politique canadienne de lutte contre le racisme rendue publique en 2006 s'inscrit dans le sillage du multiculturalisme. L'évolution de la politique du multiculturalisme a été accompagnée par des compressions budgétaires draconiennes. On finance désormais les projets et non les activités traditionnelles ou l'infrastructure des associations. Une des conséquences de ces nouvelles règles de financement est non seulement une meilleure efficacité dans l'usage de ces fonds, mais surtout un contrôle plus serré de l'agenda du multiculturalisme, et une conformité plus grande des actions des associations et ONG aux orientations politiques gouvernementales. On peut donc parler dans une certaine mesure d'une volonté d'instrumentalisation des ONG dans la mise en œuvre des politiques fédérales, instrumentalisation rendue plus facile par les règles d'attribution des subventions, tout en remarquant que les ONG ne sont pas pour autant des acteurs passifs!

Les fonctionnaires fédéraux notent que les événements du 11 septembre 2001 n'ont pas influé sur l'approche canadienne du multiculturalisme, contrairement à ce qui a pu se produire dans d'autres pays, même si cela s'est traduit par des changements d'attitudes à l'endroit de certains groupes (Arabes et musulmans). Ces événements ont eu pour conséquence que le gouvernement a multiplié les consultations avec ces groupes et qu'il a soigné ses relations publiques avec eux. Néanmoins, les documents gouvernementaux établissent clairement un lien entre sécurité et diversité ethnoculturelle : parfois en des termes positifs (accroître la compréhension interculturelle), parfois en des termes négatifs (la sécurité est un problème sur lequel on doit se pencher). Pour les associations arabo-musulmanes, l'État canadien reconnaît l'existence de tensions entre politiques sécuritaires et gestion inclusive de la diversité, mais leurs représentants se demandent parfois si cette reconnaissance n'est pas simplement un stratagème pour maintenir leur adhésion.

Les ONG-parapluie et les associations arabo-musulmanes sont beaucoup plus préoccupées par des questions d'intégration économique et par la lutte contre le racisme et les discriminations que par les visions normatives du multiculturalisme canadien ou de l'interculturalisme québécois.

Cette synthèse nous permet de tirer les conclusions générales suivantes quant à la perception des politiques à la lumière du virage sécuritaire pris par l'État canadien.

Le premier constat est que le discours des associations arabo-musulmanes est centré sur les *résultats* des politiques plus que sur les idéologies politiques qui les sous-tendent. Mais ces groupes formulent leurs revendications dans le langage qui est dominant dans leur contexte : les associations pancanadiennes se réfèrent explicitement au multiculturalisme qu'elles affirment épouser ; et celles de la ville de Québec adoptent le langage et les objectifs de l'interculturalisme. D'autres ne font pas de distinction nette entre ces deux orientations, mais il n'est pas clair s'il s'agit de méconnaissance ou de stratégie politique. Les associations retiennent essentiellement la valeur symbolique des politiques qui légitiment le respect de la diversité. Aucune mention explicite n'est faite de la question nationale ou de la spécificité du Québec, même quand c'est le langage de l'interculturalisme qui est adopté. Pour une majorité des associations, le rapport à l'État québécois est donc plus instrumental qu'idéologique. Mais l'adoption de l'un ou l'autre de ces deux types de philosophie politique a des conséquences sur les visions et les moyens d'action des associations, même si leurs revendications proprement dites restent très semblables. Les associations pancanadiennes basées à Toronto ou Ottawa auront tendance à s'engager dans des dynamiques ethniques, qui ont pour conséquence l'ethnicisation de la politique, tout en participant à des coalitions plus larges, surtout au niveau de la ville. Pour leur part, les membres des associations de Québec vont s'engager dans l'action citoyenne, dans des cadres qui ne sont pas spécifiquement ethniques, en portant les préoccupations de leur milieu. Plusieurs d'entre eux sont actifs dans les mouvements souverainistes, par exemple, même si les associations elles-mêmes ne se prononcent pas sur la question.

Le deuxième constat est qu'en dépit du discours normatif de l'État aux deux paliers de gouvernement, il y a loin de la coupe aux lèvres. Le point de vue exprimé par les associations arabo-musulmanes témoigne également de ce hiatus entre la norme et son application. Les uns et les autres dénoncent le climat sécuritaire, qui est une source de tension avec la prise en compte de la diversité et qui est en partie responsable de ce hiatus. Le manque d'intégration sur le marché du travail, les failles de la participation civique et politique, les biais de représentation des Arabes et des musulmans dans les médias, la prise en compte du religieux dans la sphère publique, la discrimination basée sur l'islamophobie et l'arabophobie constituent autant d'enjeux déchirants et suscitent des inquiétudes majeures.

Le troisième constat est que c'est au plus haut niveau politique que les associations arabo-musulmanes pensent qu'il faut agir et qu'elles voient les blocages. Plusieurs des leaders ont affirmé que pour obtenir des changements véritables il fallait intervenir auprès des ministres plutôt qu'auprès des fonctionnaires qui administrent des programmes. Nous interprétons ce diagnostic de la façon suivante : en ce qui concerne les Arabes et les musulmans, les causes profondes de la marginalisation sont bien plus politiques que systémiques, ce qui n'empêche pas que des processus de type systémique les affectent aussi, au même titre que d'autres catégories de groupes issus de l'immigration.

Le quatrième constat est un peu la conséquence du deuxième : les politiques sécuritaires sont le moteur des processus discriminatoires et elles finissent par influencer la vie des immigrants arabo-musulmans au quotidien. Les hauts taux de chômage parmi les Maghrébins, par exemple, ont été accentués par des événements politiques tels que ceux du 11 septembre 2001, par les politiques sécuritaires qui en ont résulté et par le discours médiatique qui les a marginalisés.

Les prises de position des associations qui mettent la religion au centre de leur action politique renvoient au grand débat qui a cours dans les sociétés arabes et musulmanes sur le rôle de la religion dans la politique et sur les interprétations dominantes des exigences religieuses. Elles doivent être contrastées avec la voie alternative représentée par les associations laïques, qui se définissent et s'autodésignent par leurs buts sociaux et politiques ou par la culture des pays d'origine (arabe, berbère, etc.) plutôt que par la religion. Dans les associations interviewées, les deux options sont représentées, mais les clivages idéologiques ne ressortent pas dans le positionnement à l'égard des politiques de gestion de la diversité en tant que telles, mais plutôt dans les prises de position sur des questions précises, comme celle des tribunaux d'arbitrage. Cela tient au fait qu'une prémisse de ces politiques (en particulier pour celle du multiculturalisme) est que toutes les demandes faites au nom de la religion ou de l'identité sont recevables. Les associations qui les portent n'ont pas à se soumettre au crible de l'examen critique de leurs revendications, car un tel examen serait un signe de stigmatisation et d'exclusion. De plus, parmi les voix qui se sont élevées pour remettre en question certaines des revendications faites au nom de la religion, on retrouve des tendances qui visent l'inclusion et l'égalité des minorités religieuses, et d'autres qui sont inspirées par une méfiance profonde de l'altérité. Il n'est donc pas facile de mener cette critique d'une façon respectueuse et qui ne soit pas stigmatisante. Cette tâche délicate et difficile est l'un des défis auxquels doivent faire face les recherches dans le domaine de l'immigration, de l'ethnicité et de la citoyenneté.

⁂

Au-delà des analyses que l'on peut faire, il se dégage aussi de ces conclusions des éléments de type normatif, ou prescriptif, qu'il nous semble important de souligner.

La marginalisation croissante, dans l'espace canadien et québécois, de certains groupes parmi les minorités arabo-musulmanes est un phénomène qui est perçu de façon aiguë par les représentants des associations arabo-musulmanes. Cette marginalisation a des conséquences néfastes sur l'ensemble de la société, et non seulement sur ceux et celles qui la subissent en premier lieu, car elles suscitent des sentiments, des postures idéologiques et l'adoption d'identités antagonistes. L'intégration citoyenne est donc une priorité, et elle ne devrait pas faire uniquement l'objet de déclarations, mais de programmes qui ont des retombées visibles.

La réponse du Canada aux défis de l'après-11septembre 2001 est problématique et remet en question l'image du Canada comme société ouverte et démocratique. Le fait d'utiliser les politiques d'immigration pour imposer des mesures de type sécuritaire éloigne le Canada des objectifs de justice sociale, d'égalité et d'ouverture qui sont encore au cœur de ses politiques publiques. Il faut réitérer le rappel que le Canada sera bien mieux servi, à moyen terme, par une insistance sur l'égalité et l'ouverture plutôt que sur la fermeture résultant d'une logique sécuritaire et de politiques d'immigration frileuses. Les programmes de lutte contre le racisme et la promotion de l'égalité sont des éléments fondamentaux des solutions aux défis qui se posent et ils offrent de meilleures garanties pour la sécurité des Canadiens, selon les arguments avancés par Janice Gross-Stein (2005, p. 72-77).

Le Canada a répondu un peu trop vite aux demandes de coopération sécuritaire avec les États-Unis, non pas tant à cause des buts d'une telle coopération qu'à cause des façons de l'exercer. Il n'est pas nécessaire que le Canada harmonise sa politique d'immigration et d'accueil des réfugiés avec celle des États-Unis. La politique canadienne a eu tendance à être bien plus ouverte. La politique multiculturelle a été un signal fort du désir des autorités de faciliter l'insertion des nouveaux venus (Keeble, 2005, p. 366). Il faut rappeler au gouvernement les exigences de la Charte canadienne des droits et libertés. En ce sens, l'examen critique de l'Entente sur les tiers pays sûrs est nécessaire non pas en fonction des critères d'efficacité, mais au contraire du point de vue de son impact sur la fermeture des frontières pour ceux et celles qui ont désespérément besoin d'une terre d'asile (Conseil canadien pour les réfugiés, 2006c).

Il faut aussi rappeler la nécessité de mettre l'accent sur les politiques d'intégration et sur les programmes de lutte contre le racisme afin de favoriser un dialogue entre citoyens. Il faut s'assurer de la participation des nouveaux venus et des groupes racisés à tous les aspects de la vie sociale et politique, y compris la mise en œuvre de la politique sécuritaire (Keeble, 2005, p. 371), puisque ces groupes sont affectés par les politiques sécuritaires de façon différenciée. Il serait important que le Canada et le Québec mettent en œuvre sérieusement leurs plans d'action contre le racisme et qu'ils travaillent à cet effet avec les groupes cibles.

Il est aussi urgent de remettre en question l'approche canadienne concernant le terrorisme. Il faut considérer la sécurité dans le cadre d'un projet qui s'articule autour de la défense des droits humains, en dialogue avec les nouveaux venus et les citoyens.

Enfin, le paradigme de l'ennemi intérieur doit aussi être remis en question. La politique canadienne actuelle fait fi de l'obligation du Canada de protéger les prisonniers contre les abus et la torture en vertu de la Convention de Genève relative au traitement des prisonniers de guerre de 1949. Même s'il faut reconnaître que la tradition canadienne de respect du droit international, d'accueil, de promotion de la paix et de défense des droits humains est en partie imaginée (le Canada n'a pas toujours respecté ce droit d'asile, même à des moments clés dans l'histoire du XXe siècle), ces principes restent des objectifs admis, affichés et promus, et il faut pousser le gouvernement du Canada à les respecter.

Bibliographie

RÉFÉRENCES UNIVERSITAIRES

Aboud, B. (2000). « Re-reading Arab New World Immigration History: Beyond the Prewar/postwar Divide », *Journal of Ethnic and Migration Studies*, n° 26, p. 653-273.

Aboud, B. (1991). *Community Association and Their Relations with the State: the Case of the Arab Associative Network of Montreal*, Montréal, Université du Québec à Montréal, Mémoire de maîtrise présenté au Département de sociologie.

Abu-Laban, B. (1999). « Arabs », *The Encyclopedia of Canada's Peoples*, <multiculturalcanada.ca/Encyclopedia/A-Z/a21/9>, consulté le 5 mai 2008.

Abu-Laban, B. (1981). *La présence arabe au Canada*, Montréal, Cercle du livre de France.

Abu-Laban, Y. et Gabriel, C. (2003). « Security, Immigration and PostSeptember 11 Canada », dans J. Brodie et L. Trimble (dir.), *Reinventing Canada*, Toronto, Prentice Hall, p. 289-303.

Abu-Laban, Y. et Gabriel, C. (2002). *Selling Diversity: Immigration, Multiculturalism, Employment Equity and Globalization*, Canada, Broadview Press.

Aleinikoff, T.A. et Klusmeyer, D. (dir.) (2001). *Citizenship Today. Global Perspectives and Practices*, Washington, Carnegie Endowment for International Peace.

Aleinikoff, T.A. et Klusmeyer, D. (dir.) (2000). *From Migrants to Citizens. Membership in a Changing World*, Washington, Carnegie Endowment for International Peace.

Alexander, J. (1995). *Fin de siècle Social Theory*, Londres, Verso.

Antonius, R. (2008). « L'islam au Québec: les complexités d'un processus de racisation », *Cahiers de recherche sociologique*, n° 46, p. 11-27.

Antonius, R. (2002). « Un racisme "respectable" », dans J. Renaud, L. Pietrantonio et G. Bourgeault (dir.), *Les relations ethniques en question: ce qui a changé depuis le 11 septembre 2001*, Montréal, Les Presses de l'Université de Montréal.

Antonius, R. (1993). « Entre la mosaïque et la vague: l'ethnicité instrumentalisée dans le Machrek arabe », Montréal, *Cahiers de recherche sociologique*, n° 20, p. 129-156.

Asal, H. (2003). *Le Québec, une destination privilégiée des migrants arabes au Canada, Évolution des flux, 1882-2002*, Dissertation de DEA, Université de Provence Aix-Marseille I.

Bannerji, H. (1996). « On the Dark Side of the Nation : Politics of Multiculturalism and the State of Canada », *Journal of Canadian Studies*, vol. 31, nº 3, p. 103-128.

Bendriss, N. (2005). *Représentations sociales, ethnicité et stratégies identitaires : le cas des femmes arabes du Québec*, Université de Montréal, Département de sociologie, Thèse de doctorat, 511 p.

Besson, Y. (1991). *Identités et conflits au Proche-Orient*, Paris, L'Harmattan.

Bilge, S. (2004). « Ethnicité et État : les catégorisations ethniques et 'raciales' dans les recensements canadiens », *Études canadiennes/Canadian Studies*, nº 56, p. 85-109.

Borrillo, D. (dir.) (2003). *Lutter contre les discriminations*, Paris, La Découverte.

Bourque, G. et Duchastel, J. (2000). « Multiculturalisme, pluralisme et communauté politique : le Canada et le Québec », dans M. Elbaz et D. Helly (dir.), *Mondialisation, citoyenneté et multiculturalisme*, Montréal, Les Presses de l'Université Laval et L'Harmattan, p. 147-170.

Bourque, G. et Duchastel, J. (1996). « Les identités, la fragmentation de la société canadienne et la constitutionnalisation des enjeux politiques », *Revue internationale d'études canadiennes*, vol. 14, p. 77-94.

Breton, E. (2000). « Canadian Federalism, Multiculturalism and the Twenty-first Century », *Revue internationale d'études canadiennes*, nº 21, p. 155-175.

Chabry, L. et Chabry, A. (2001). *Identités et stratégies politiques dans le monde arabo-musulman*, Paris, L'Harmattan.

Chicha, M.-T. et Charest, É. (2008). « L'intégration des immigrés sur le marché du travail à Montréal », *Choix*, vol. 14, nº 2, 62 p.

Collacott, M. (2002). « Canada's Immigration Policy : The Need for Major Reform », *Public Policy Sources*, Fraser Institute, nº 64, 51 p.

Crépeau, F. et Nakache, D. (2006). « Controlling Irregular Migration in Canada, Reconciling Security Concerns with Human Rights Protection », *Choices*, vol. 12, nº 1, 42 p.

Crépeau, F., Nakache, D. et Atak, I. (2006). « Sécurité et droits de la personne au Canada et en Europe : un déséquilibre à corriger », *Options politiques*, juillet-août, p. 30-34.

Daher, A. (1999). « La construction de l'islamité et l'intégration sociale des musulmans selon la perspective des leaders musulmans au Québec », *Cahiers de recherche sociologique*, vol. 33, p. 149-180.

Day, R.J.F. (2000). *Multiculturalism and the History of Canadian Diversity*, Toronto, University of Toronto Press.

Day, R.J.F. et Sadik, T. (2002). « The BC Land Question, Liberal Multiculturalism, and the Spectre of National Aboriginal Nationhood », *BC Studies*, nº 134, p. 5-34.

Diène, D. (2006). *Le racisme, la discrimination raciale, la xénophobie et toutes les formes de discrimination. Situation des populations musulmanes et arabes dans diverses régions du monde*, Rapport soumis par le Rapporteur spécial sur les formes contemporaines de racisme, de discrimination raciale, de xénophobie et de l'intolérance qui y est associée, Haut-Commissariat des Nations Unies aux droits de l'homme (E/CN.4/2006/17).

Diène, D. (2004). *Le racisme, la discrimination raciale, la xénophobie et toutes les formes de discrimination. Mission au Canada*, Rapport du Rapporteur spécial sur les formes contemporaines de racisme, de discrimination raciale, de xénophobie et de l'intolérance qui y est associée, Haut-Commissariat des Nations Unies aux droits de l'homme (E/CN.4/2004/18/Add.2).

Diène, D. (2003). *Le racisme, la discrimination raciale, la xénophobie et toutes les formes de discrimination. Situation des populations musulmanes et arabes dans diverses régions du monde à la suite des événements du 11 septembre 2001*, Rapport du Rapporteur spécial sur les formes contemporaines de racisme, de discrimination raciale, de xénophobie et de l'intolérance qui y est associée, Haut-Commissariat des Nations Unies aux droits de l'homme (E/CN.4/2003/23).

Dench, J. et Crépeau, F. (2003). « Interdiction at the Expense of Human Rights : A Long-Term Containment Strategy », *Refuge – Canada's Periodical on Refugees*, vol. 21, nº 4, p. 2-5.

Eid, P. (2003). « Être arabe à Montréal : réceptions et réappropriations d'une identité socialement compromise » dans J. Renaud, A. Germain et X. Leloup (dir.), *Racisme et discrimination : permanence et résurgence d'un phénomène inavouable*, Québec, Les Presses de l'Université Laval, p. 148-172.

Esman, M.J. et Rabinovich, I. (dir.) (1988). *Ethnicity, Pluralism, and the State in the Middle-East*, Ithaca, New York, Cornell University Press.

Felice, W. (2002). « The UN Committee on the Elimination of All Forms of Racial Discrimination : Race, and Economic and Social Human Rights », *Human Rights Quarterly*, vol. 24, nº 1, p. 205-236.

Gagnon, A.-G. et Iacovino, R. (2003). « Le projet interculturel québécois et l'élargissement des frontières de la citoyenneté », dans A.-G. Gagnon (dir.), *Québec : État et société*, tome 2, Montréal, Éditions Québec/Amérique, p. 413-438.

Garcea, J. (2006). « Provincial Multiculturalism Policies in Canada, 1974-2004 : A Content Analysis », *Canadian Ethnic Studies/Études ethniques au Canada*, vol. 38, nº 3, p. 1-20.

Gauchet, M. (2003). *Politique et religion*, Paris, Presses universitaires de France.

Green, A.G. (2004). « The Goals of Canada's Immigration Policy : A Historical Perspective », *Canadian Journal of Urban Research*, vol. 13, nº 1, p. 102-139.

Green, A.G. (2003). « What is the Role of Immigration in Canada's Future ? », dans C.M. Beach, A.G. Green et J.G. Reitz (dir.), *Canadian Immigration Policy for the 21st Century*, Montreal-Kingston, McGill-Queen's University Press, p. 33-45.

Gross Stein, J. (2005). « Back to the Future : Global Security from 1980 to 2030 », *Policy Option*, mars-avril, p. 72-77.

Harvey, F. (1987). « La question de l'immigration au Québec. Genèse historique », dans L. Gagné (dir.), *Le Québec français et l'école à clientèle pluriethnique*, Québec, Éditeur officiel du Québec.

Harvey, F. (1986). *L'ouverture du Québec au multiculturalisme. Minorités ethnoculturelles et État*, Association française d'études canadiennes, Bordeaux, 8 mai.

Helly, D. (2004). « Flux migratoires des pays musulmans et discrimination de la communauté islamique au Canada », dans U. Manço (dir.), *L'islam entre discrimination et reconnaissance. La présence des musulmans en Europe occidentale et en Amérique du Nord*, Paris, L'Harmattan, p. 257-281.

Hollifield, J. (2005). « Émergence de l'État de migration », Communication présentée à la conférence *Débordement sécuritaire : entre ouverture économique et exclusion sociale*, Université du Québec à Montréal, Montréal, 26-28 octobre.

Hollifield, J. (1997). *L'immigration et l'État-nation à la recherche d'un modèle national*, Paris, Presses universitaires de France.

Howard-Hassman, R. (1999). « Canadian as an Ethnic Category : Implications for Multiculturalism and National Unity », *Canadian Public Policy*, vol. 25, nº 4, p. 523-537.

Ibrahim, S.E. (1996). « Diversité : bonne et mauvaise gestion. Le cas des conflits ethniques et l'édification de l'État dans le monde arabe », *Gestion des transformations sociales-MOST*, Documents de discussion, n° 10, UNESCO.

Icart, J.-C. et Labelle, M. (2007). « Tolérance, racisme et sondage », *Éthique publique*, vol. 9, n° 1, p. 181-186.

Joppke, C. (2007). « Transformation of Citizenship : Status, Rights, Identity », *Citizenship Studies* vol. 11, n° 1, p. 37-48.

Juteau, D. (2000). *Ambiguïtés de la citoyenneté au Québec*, Montréal, Conférence Desjardins, prononcée dans le cadre du Programme des études sur le Québec, Université McGill, 8 novembre.

Keeble, E. (2005). « Immigration, Civil Liberties and National-Homeland Security ». *International Journal*, vol. 60, n° 2, p. 359-372.

Khoury, R. (2003). *Arabs in Canada : Post 9/11*, Toronto, University of Toronto Press.

Khoury, R.G. (2002). *Arabs in Canada : Staunchly Canadian and Marginalized*, Final report for the study Vision and Strategy Beyond 2000, Toronto, Canadian Arab Federation.

Kobayashi, A. (2000). « Public Policy on the Margins : The Role of Minority Ethnocultural Associations in Affecting Public Policy in Canada », dans K. Banting (dir.), *The Non-profit Sector in Canada*, Montreal-Kingston, McGill-Queen's University Press, p. 229-261.

Kymlicka, W. (2008). « La diversité ethnoculturelle dans un État libéral. Donner sens au(x) modèle(s) canadien(s) », dans S. Gervais, D. Karmis et D. Lamoureux (dir.), *Du tricoté serré au métissé serré ? La culture publique commune au Québec en débats*, Québec, Les Presses de l'Université Laval, p. 109-140.

Kymlicka, W. (2007). « Tester les limites du multiculturalisme libéral ? Les cas des tribunaux religieux en droit familial », *Éthique publique*, vol. 9, n° 1, p. 27-39.

Kymlicka, W. (2005). « The Uncertain Futures of Multiculturalism », *Diversité canadienne*, vol. 4, n° 1, p. 82-85.

Kymlicka, W. (2003). *La voie canadienne. Repenser le multiculturalisme*, Montréal, Boréal (traduction).

Labelle, M. (2008). « De la culture publique commune à la citoyenneté : ancrages historiques et enjeux contemporains », dans S. Gervais, D. Karmis et D. Lamoureux (dir.), *Du tricoté serré au métissé serré ? La culture publique commune au Québec en débats*, Québec, Les Presses de l'Université Laval, p. 19-43.

Labelle, M. (2000). « La politique de la citoyenneté et de l'interculturalisme au Québec : défis et enjeux », dans H. Greven et J. Tournon (dir.), *Les identités en débat : intégration ou multiculturalisme*, Paris, L'Harmattan, p. 269-293.

Labelle, M. (1988). « La gestion fédérale de l'immigration internationale au Canada : 1963-1984 », dans D. Brunelle et Y. Bélanger (dir.), *L'ère des libéraux. Le pouvoir fédéral de 1963 à 1984*, Québec, Presses de l'Université du Québec, p. 313-342.

Labelle, M., Antonius, R. et Leroux, G. (dir.) (2005). *Le devoir de mémoire et les politiques du pardon*, Québec, Presses de l'Université du Québec.

Labelle, M., Field, A.-M. et Icart, J.-C. (2007). *Les dimensions d'intégration des immigrants, des minorités ethnoculturelles et des groupes racisés au Québec*, Montréal, Commission de consultation sur les pratiques d'accommodement reliées aux différences culturelles, août.

Labelle, M. et Icart, J.-C. (2007). « Une lecture du débat en cours sur l'accommodement raisonnable et le racisme au Québec », *Globe. Revue internationale d'études québécoises*, automne, vol. 10, n° 1, p. 121-136.

Labelle, M., Larose, S. et Piché, V. (1983). « Politique d'immigration et immigration en provenance de la Caraïbe anglophone au Canada et au Québec, 1900-1979 », *Canadian Ethnic Studies*, vol. 15, n° 2, p. 1-24.

Labelle, M. et Marhaoui, A. (2001). « Intégration et multiculturalisme : discours et paradoxes », dans Y. Resch (dir.), *Définir l'intégration*, Actes du colloque de l'Association internationale d'études québécoises et Institut d'études politiques, Montréal, XYZ éditeur, p. 19-31.

Labelle, M. et Marhaoui, A. (2002). « Citoyenneté et transnationnalisme : multiciplicité des identités et des pratiques dans un contexte de double appartenance » dans M. Seymour (dir.), *États-nations, multinations et organisations supranationales*, Montréal, Liber, p. 353-367.

Labelle, M. et Rocher, F. (2006). « Pluralisme national et souveraineté au Canada : luttes symboliques autour des identités collectives », dans J. Palard, A.G. Gagnon et B. Gagnon, *Diversité et identités au Québec et dans les régions d'Europe*, Bruxelles et Sainte-Foy, P.I.E.-Peter Lang et Les Presses de l'Université Laval, p. 145-168.

Labelle, M. et Rocher, F. (2004). « Debating Citizenship in Canada : The Collide of Two Nation-Building Projects », dans P. Boyer, L. Cardinal et D. Headon (dir.), *From Subjects to Citizens. A Hundred Years of Citizenship in Australia and Canada*, Ottawa, University of Ottawa Press, p. 263-286.

Labelle, M., Rocher, F. et Rocher, G. (1995). « Pluriethnicité, citoyenneté et intégration : de la souveraineté pour lever les obstacles et les ambiguïtés », *Cahiers de recherche sociologique*, n° 25, p. 213-245.

Labelle, M. et Salée, D. (2000). « Gérald Godin : entre la nation et l'altérité », dans L. Beaudry, R. Comeau et G. Lachapelle (dir.), *Gérald Godin : Un poète en politique*, Montréal, l'Hexagone, p. 99-118.

Labelle, M. et Salée, D. (1999). « La citoyenneté en question. L'État canadien face à la diversité », *Sociologie et sociétés*, vol. 31, n° 2, p. 125-144.

Lebnan, K. (2002). *Itinéraires identitaires chez les immigrants libanais de Montréal : le cas de l'identité confessionnelle*, Montréal, Université de Montréal, Mémoire présenté au Département d'histoire.

Lenoir-Achdjian, A. *et al.* (2007). « The Professional Insertion of Immigrants Born in the Maghreb : Challenges and Impediments for Intervention », *Journal of International Migration and Integration*, vol. 8, n° 4, p. 391-409.

Lewis, B. (1999). *The Multiple Identities of the Middle East*, Toronto, Mc Arthur and Co.

Li, P.S. (2003). *Destination Canada : Immigration Debates and Issues*, Toronto, Oxford University Press.

Li, P.S. (1998). *Ethnic Inequality in a Class Society*, Toronto, Thompson Educational Publishing.

Lochak, D. (2002). *Les droits de l'homme*, Paris, La Découverte.

McRoberts, K. (1997). *Misconceiving Canada, The Struggle for National Unity*, Toronto, Oxford University Press.

Moens, A. et Collacott, M. (2008a). « Immigration, National Security, and Canadian American Relations », *Fraser Forum*, décembre-janvier, p. 20-22.

Moens, A. et Collacott, M. (2008b). *Immigration Policy and Immigration Threat in Canada and the United States*, Vancouver, Fraser Institute.

Moodley, K. (1983). « Canadian Multiculturalism as Ideology », *Ethnic and Racial Studies*, vol. 6, n° 3, p. 320-331.

Modood, T. (2007). « Rebâtir le multiculturalisme en Grande-Bretagne après les attentats du 7 juillet 2005 », *Éthique publique*, vol. 9, n° 1, p. 40-49.

Naber, N. (2005). « Muslim First, Arab Second : A Strategic Politics of Race and Gender », *The Muslim World*, vol. 95, n° 4, p. 479-495.

Nakache, D. (2003). *Migration et sécurité : une priorité dans la mise en place de la zone de libre-échange des Amériques* (ZLÉA). Notes pour une allocution donnée dans le cadre du colloque *Construire les Amériques*, 23 novembre, <www.er.uqam.ca/nobel/ieim/article.php3?id_article=1187>, consulté le 20 mars 2006.

Otis-Dionne, G. (2004). « Des immigrants à la défense de leurs cours de français », *Le Devoir*, 19 avril, p. A1.

Oueslati, B., Labelle, M. et Antonius, R. (2006). *Incorporation citoyenne des Québécois d'origine arabe : conceptions, pratiques et défis*, Montréal, Université du Québec à Montréal (UQAM), Cahiers du Centre de recherche sur l'immigration, l'ethnicité et la citoyenneté, n° 30, 170 p.

Parant, M. (2001). *La politique d'immigration du Canada : stratégies, enjeux et perspectives*, Centre d'études et de recherches internationales, Science Po, <www.ceri-sciencespo.com/publica/etude/etude80.pdf>, consulté le 8 décembre 2006.

Parkin, A. et Mendelsohn, M. (2003). « Un nouveau Canada : le temps de la diversité », *Les Cahiers du CRIC*, octobre, 19 p.

Patel, D. (2007). « Public Policy and Racism. Myths, Realities and Challenges », dans S.P. Hier et B.S. Bolaria (dir.), *Race and Racism in 21st Century Canada*, Toronto, Broadview Press, p. 257-274.

Pellerin, H. (2004). « Intégration économique et sécurité. Nouveaux facteurs déterminants de la gestion de la migration internationale », *Choix*, vol. 10, n° 3, avril, 30 p.

Reitz, J.G. (2004). « Canada : Immigration and Nation-Building in the Transition to a Knowledge Economy » dans W.A. Cornelius *et al.* (dir.), *Controlling Immigration : A Global Perspective*, 2e éd., Stanford, Stanford University Press, p. 97-133.

Reitz, J.G. et Banerjee, R. (2007). « Racial Inequality, Social Cohesion and Policy Issue in Canada », dans K. Banting *et al.* (dir.), *Belonging? Diversity, Recognition and Shared Citizenship in Canada*, Montréal, Institute for Research on Public Policy/Institut de recherche en politiques publiques, p. 489-545.

Rekai, P. (2002). *US and Canadian Immigration Policies. Marching Together to Different Tunes*, C.D. Howe Institute, The Border Papers.

Roach, K. (2005). « Canada's Response to Terrorism », dans V. Ramraj, M. Hor et K. Roach (dir.), *Global Anti-terrorism Law and Policy*, Oxford, Cambridge University Press, p. 511-533.

Roach, K. (2003). *September 11 : Consequences for Canada*, Montreal-Kingston, McGill-Queen's University Press.

Rocher, F. *et al.* (2007). *Le concept d'interculturalisme en contexte québécois : généalogie d'un néologisme*, Montréal, Commission de consultation sur les pratiques d'accommodement reliées aux différences culturelles, décembre, 64 p.

Rodinson, M. (1979). *Les Arabes*, Paris, Presses universitaires de France.

Satzewich, V. et Wong, L. (2003). « Immigration, Ethnicity and Race : The Transformation of Transnationalism, Localism and Identities », dans W. Clement et L. Vosko (dir.), *Changing Canada : Political Economy as Transformation*, Montreal-Kingston, McGill-Queen's University Press, p. 363-391.

Schmitter Heisler, B. (2000). « The Sociology of Immigration », dans C. Brettell et J. Hollifield (dir.), *Migration Theory*, New York, Routledge.

Schnapper, D. (2002). *La démocratie providentielle. Essai sur l'égalité contemporaine*, Paris, NRF Gallimard.

Seymour, M. (1999). *La nation en question*, Montréal, Éditions de l'Hexagone, p. 45-60.

Simmons, A. (1999). « Immigration Policy : Imagined Futures », dans S. Halli et L. Driedger (dir.), *Immigrant Canada : Demographic, Economic and Social Challenges*, Toronto, University of Toronto Press, p. 21-50.

Stavenhagen, R. (2002). « Reflections on racism and public policy », The United Nations Research, <www.unrisd.org/unrisd/website/document.nsf/(httpPublications)/3428647F2CB1A854C1257030002DEC4F?OpenDocument>, consulté le 17 juillet 2005.

Steinberg, S. (dir.) (2000). *Race and Ethnicity in the United States, Issues and Debates*, Malden, Blackwell Publishers.

Stevenson, G. et Nguyen, M. (2008). « Immigration Reform and the United States : A Comparative Analysis », communication présentée au congrès annuel de l'Association canadienne de science politique, 47 p.

Verbeeten, D. (2007). « The Past and Future of Immigration in Canada », *Journal of International Migration and Integration*, vol. 8, n° 1, p. 1-10.

Waller, H.M. (2002). « Security vs. Immigration in Canada (After September 11) », *The New Leader*, janvier, p. 12-14.

Warburton, R. (2007). « Canada's Multicultural Policy », dans S.P. Hier et B.S. Bolaria (dir.), *Race and Racism in 21st Century Canada*, Toronto, Broadview Press, p. 275-290.

Weintraub, S. (2004). « Migration, Trade, and Security : Big Issues Come in Combinations », *Options politiques*, juin-juillet, p. 2-4.

Whitaker, R. (2003a) « More or Less than Meets the Eye ? The New National Security Agenda », dans G.B. Doern (dir.), *How Ottawa Spends 2002-2003 : The Security Aftermath and National Priorities*, Ontario, Oxford University Press, Don Mills, p. 44-58.

Whitaker, R. (2003b) « Keeping Up with the Neighbours ? Canadian Responses to 9/11 in Historical and Comparative Context », *Osgood Hall Law Journal*, vol. 41, nos 2-3, p. 241-265.

Woroby, T. (2005). « Should Canadian Immigration Policy be Synchronized with US Immigration Policy ? Lessons Learned at the Start of Two Centuries », *The American Review of Canadian Studies*, vol. 35, no 2, p. 247-264.

Young, M. (2004). *L'immigration : l'Accord Canada-Québec*, Ottawa, Bibliothèque du Parlement, Canada.

Zapata-Barrero, R. (2007). « Setting a Research Agenda on the Interaction between Cultural Demands of Immigrants and Minority Nations », *Journal of Immigrant and Refugee Studies*, vol. 5, n° 4, p. 1-25.

RÉFÉRENCES GOUVERNEMENTALES

Boyd, M. (2004). *Dispute Resolution in Family Law : Protecting Choice, Promoting Inclusion*, report presented to the Attorney General of Ontario, décembre, <www.attorneygeneral.jus.gov.on.ca/french/about/pubs/boyd>, consulté le 14 avril 2006.

Burstein, M. (2004). *Élaboration de l'analyse de rentabilisation du multiculturalisme*, Direction de l'action directe et promotion. Direction générale du multiculturalisme et des droits de la personne, Ottawa, ministère du Patrimoine canadien.

Canada (2004a). *Projet de loi C-476. Loi visant à éliminer le profilage racial*, 12 février, <www2.parl.gc.ca/HousePublications/Publication.aspx?Language=F&Parl =37&Ses=3&Mode=1&Pub=Bill&Doc=C-476_1>, consulté le 14 avril 2006.

Canada (2004b). *Historique du projet de loi C-271 : Loi modifiant la Loi sur la citoyenneté (révocation de citoyenneté)*, Ottawa, Bibliothèque du Parlement, 2 février, <parl.gc.ca/LEGISINFO/index.asp?Lang=F&Chamber=N&StartList=A&End>, consulté le 23 mars 2005.

Canada (2002a). *Examen de la Loi sur l'équité en matière d'emploi : Réponse du gouvernement du Canada*, <www.rhdcc.gc.ca/asp/passerelle.asp?hr=/fr/pt/ot/ntemt/emt/examen/reponse/index-eme.shtml&hs=wzp>, consulté le 19 septembre 2005.

Canada (2002b). *Loi sur l'immigration et la protection des réfugiés*, <lois.justice.gc.ca/fr/I-2.5/index.html>, consulté le 1er juin 2006.

Canada (2002c). *Règlement sur l'immigration et la protection des réfugiés*, <lois.justice.gc.ca/fr/I-2.5/DORS-2002-227/index.html>, consulté le 1er juin 2006.

Canada (1995a). *Loi constituant le ministère du Patrimoine canadien et modifiant ou abrogeant certaines lois*, <lois.justice.gc.ca/fr/1995/11/661.html>, consulté le 27 mars 2005.

Canada (1995b). *Loi sur l'équité en matière d'emploi*, <lois.justice.gc.ca/fr/E-5.401/39094.html>, consulté le 13 septembre 2005.

Canada (1985a). *Loi sur le multiculturalisme canadien*, <lois.justice.gc.ca/fr/C-18.7/texte.html>, consulté le 26 mars 2005.

Canada (1985b). *Loi canadienne sur les droits de la personne*, <lois.justice.gc.ca/fr/H-6/36274.html>, consulté le 13 septembre 2005.

Canada (1985c). *Loi sur la citoyenneté. Chapitre C-29*, <lois.justice.gc.ca/fr/C-29/texte.html>, consulté le 20 décembre 2005.

Canada. Bureau du Conseil privé (2005a). *Protéger une société ouverte : un an après. Rapport d'étape sur la mise en œuvre de la politique canadienne de sécurité nationale*, Ottawa, Bureau du Conseil privé, avril.

Canada. Bureau du Conseil privé (2005b). *Fiche d'information : Comité parlementaire sur la sécurité nationale*, communiqué, 24 novembre, <www.pco.bcp.gc.ca>, consulté 30 novembre 2005.

Canada. Bureau du Conseil privé (2004). *Protéger une société ouverte : la politique canadienne de sécurité nationale*, Ottawa, Bureau du Conseil privé, avril.

Canada. Chambre des communes (2008). *Débats*, 3 avril, <www2.parl.gc.ca/HousePublications/Publication.aspx?Language=F&Mode=1&Parl=39&Pub=hansard &Ses=2&DocId=3384998&File=0#SOB-2394044>, consulté le 14 juillet 2008.

Canada. Chambre des communes (2007). *Débats*, 29 janvier, <www2.parl.gc.ca/HousePublications/Publication.aspx?Pub=Hansard&Doc=98&Language=F&Mode=1&Parl=39&Ses=1#SOB-1856774>, consulté le 2 avril 2007.

Canada. Chambre des communes (2005a). *Projet de loi C-76. Loi modifiant la Loi sur la citoyenneté (adoption)*, première session, trente-huitième législature, 17 novembre.

Canada. Chambre des communes (2005b). *Projet de loi C-77. Loi modifiant la Loi sur la citoyenneté (interdictions)*, première session, trente-huitième législature, 17 novembre.

Canada. Chambre des communes (2004). *Projet de loi C-476. Loi visant à éliminer le profilage racial*, troisième session, trente-septième législature, 12 février.

Canada. Chambre des communes (2002a). *Historique du projet de loi C-18. Loi sur la citoyenneté*, deuxième session, trente-septième législature, 31 octobre, <parl.gc.ca/LEGISINFO/index.asp?Lang=F&Chamber=N&StartList=A&End>, consulté le 23 mars 2005.

Canada. Chambre des communes (2002b). *Projet de loi C-18. Loi sur la citoyenneté*, deuxième session, trente-septième législature, 31 octobre.

Canada. Chambre des communes (2002c). *Projet de loi C-271. Loi modifiant la Loi sur la citoyenneté*, deuxième session, trente-septième législature, 29 octobre.

Canada. Chambre des communes (2002d). *Débats*, 17 novembre.

Canada. Chambre des communes (2002e). *Débats*, 8 novembre.

Canada. Chambre des communes (2002f). *Débats*, 7 novembre.

Canada. Chambre des communes (2001a). *Historique du projet de loi S-36. Loi concernant la citoyenneté canadienne*, première session, trente-septième législature, 4 décembre, <parl.gc.ca/LEGISINFO/index.asp?Lang=F&Chamber=N&StartList=A&End=Z &Session=>, consulté le 30 mars 2005.

Canada. Chambre des communes (2001b). *Débats*, 26 février.

Canada. Chambre des communes. Comité permanent de la sécurité publique et nationale. Sous-comité sur la revue de la Loi antiterroriste (2007a). *Droits, restrictions et sécurité : un examen complet de la loi antiterroriste et des questions connexes*, Rapport final, mars, <cmte.parl.gc.ca/Content/HOC/committee/391/secu/reports/rp2798914/sterrp07/sterrp07-f.pdf>, consulté le 3 avril 2007.

Canada. Chambre des communes, Comité permanent de la citoyenneté et de l'immigration (CIMM) (2005a). *La révocation de la citoyenneté : une question d'application régulière de la loi et de respect de la charte des droits*, Rapport du Comité permanent de la citoyenneté et de l'immigration, juin.

Canada. Chambre des communes, Comité permanent de la citoyenneté et de l'immigration (CIMM) (2005b). *Moderniser la Loi sur la citoyenneté : il est temps d'agir*, Rapport du Comité permanent de la citoyenneté et de l'immigration, octobre.

Canada. Chambre des communes, Comité permanent de la citoyenneté et de l'immigration (CIMM) (2005c). *Actualiser la loi sur la citoyenneté*, communiqué de presse, 30 novembre, <www.parl.gc.ca/committeePublication.aspx?COM=8975&SourceI D=93>, consulté le 23 mars 2005.

Canada. Chambre des communes, Comité permanent de la citoyenneté et de l'immigration (CIMM) (2005d). *Loi sur la citoyenneté*, communiqué de presse, 28 février, <www.parl.gc.ca/committeePublication.aspx?COM=8975&SourceID=10>, consulté le 23 mars 2005.

Canada. Chambre des communes, Comité permanent de la citoyenneté et de l'immigration (CIMM) (2004a). *Actualiser la loi sur la citoyenneté : Questions à traiter*, Rapport du comité permanent de la citoyenneté et de l'immigration, novembre.

Canada. Chambre des communes, Comité permanent de la citoyenneté et de l'immigration (CIMM) (2004b). *Une nouvelle loi sur la citoyenneté*, communiqué de presse, 20 décembre, <www.parl.gc.ca/committeePublication.aspx?COM=8975&SourceI D=96>, consulté le 23 mars 2005.

Canada. Chambre des communes, Comité permanent sur la citoyenneté et l'immigration (CIMM) (2002). *Le règlement sur les tiers pays sûrs : rapport*, Rapport du comité permanent de la citoyenneté et de l'immigration, décembre.

Canada. Chambre des communes, Comité spécial sur les minorités visibles dans la société canadienne (1984). *L'égalité ça presse !*, Ottawa, Chambre des communes.

Canada. Citoyenneté et Immigration Canada (CIC) (2007a). *Rapport sur les plans et priorités 2007-2008*, Ottawa, ministre des Travaux publics et Services gouvernementaux.

Canada. Citoyenneté et Immigration Canada (CIC) (2007b). *Rapport annuel au Parlement sur l'immigration 2007*, Ottawa, ministre des Travaux publics et Services gouvernementaux.

Canada. Citoyenneté et Immigration Canada (CIC) (2006a). *Fiches de renseignements sur les questions liées aux réfugiés*, décembre, <www.cic.gc.ca/francais/politiques/reponses.html>, consulté le 2 avril 2007.

Canada. Citoyenneté et Immigration Canada (CIC) (2006b). *Partenariat pour la protection, Examen de la première année,* novembre, <www.cic.gc.ca/francais/politiques/partenariat/index.html>, consulté le 8 mai 2007.

Canada. Citoyenneté et Immigration Canada (CIC) (2005a). *Rapport ministériel sur le rendement*, Ottawa, ministre des Travaux publics et Services gouvernementaux.

Canada. Citoyenneté et Immigration Canada (CIC) (2005b). *Rapport annuel au Parlement sur l'immigration 2005*, Ottawa, ministre des Travaux publics et Services gouvernementaux.

Canada. Citoyenneté et Immigration Canada (CIC) (2005c). *Rapport sur les plans et les priorités, budget des dépenses 2005-2006*, Ottawa, ministre des Travaux publics et Services gouvernementaux.

Canada. Citoyenneté et Immigration Canada (CIC) (2005d). *Les premières statistiques compilées dans le cadre de l'Entente Canada–États-Unis sur les tiers pays sûrs*, <www.cic.gc.ca/francais/politiques/pays-surs-stats.html>, consulté le 1er juin 2006.

Canada. Citoyenneté et Immigration Canada (CIC) (2005e). *Pour mieux connaître: l'immigration et la citoyenneté*, Ottawa, ministre des Travaux publics et Services gouvernementaux.

Canada. Citoyenneté et Immigration Canada (CIC) (2005f). Notes for an Address by the Honourable Joe Volpe, Minister of Citizenship and Immigration before a Meeting of the Standing Committee on Citizenship and Immigration on Supplementary Estimates, Ottawa, Ontario, 1er novembre, <www.cic.gc.ca/english/department/media/speeches/2005/sup-estimates2005.asp>, consulté le 8 mai 2007.

Canada. Citoyenneté et Immigration Canada (CIC) (2004a). *Regard sur le Canada*, Direction générale de l'intégration, Division de la promotion, ministère des Travaux publics et Services gouvernementaux Canada.

Canada. Citoyenneté et Immigration Canada (CIC) (2004b). *Sécurité publique et antiterrorisme: Rapport final de l'évaluation de Citoyenneté et Immigration Canada de septembre 2003*, Ottawa, ministre des Travaux publics et Services gouvernementaux Canada.

Canada. Citoyenneté et Immigration Canada (CIC) (2004c) *Fiche de renseignements: Entente sur les tiers pays sûrs*, <www.cic.gc.ca/francais/politiques/pays-surs-faits.html>, consulté le 1er juin 2006.

Canada. Citoyenneté et Immigration Canada (CIC) (2003a). *La transition à Citoyenneté et Immigration Canada*, communiqué, 12 décembre, <www.cic.gc.ca/francais/ministere/changement-cic.html>, consulté le 23 mars 2005).

Canada. Citoyenneté et Immigration Canada (CIC) (2003b). *Réponse du gouvernement au Rapport du Comité permanent de la citoyenneté et de l'immigration, règlement sur les tiers pays sûrs*, <www.cic.gc.ca/francais/pub/pays-surs.html>, consulté le 1er juin 2006.

Canada. Citoyenneté et Immigration Canada (CIC) (2002a). *Dépôt aujourd'hui du projet de loi sur la citoyenneté*, communiqué, 31 octobre, <www.cic.gc.ca/francais/nouvelles/02/0238-f.html>, consulté le 23 mars 2005.

Canada. Citoyenneté et Immigration Canada (CIC) (2002b). *Rôle de CIC dans le domaine de la sécurité publique*, fiche d'information, 5 septembre, <www.cic.gc.ca/francais/pub/11sept.html>, consulté le 13 décembre 2005.

Canada. Citoyenneté et Immigration Canada (2001). *Communiqué d'Elinor Caplan : Dépôt du projet de loi sur l'immigration et la protection des réfugiés*, Ottawa, mars, <www.cic.gc.ca/francais/nouvelles/01/0103-f.html>, consulté le 10 novembre 2005.
Canada. Citoyenneté et Immigration Canada (CIC) (2000). *Accord entre le Canada et les États-Unis sur leur frontière commune*, Direction générale des communications, ministère des Travaux publics et Services gouvernementaux Canada.
Canada. Citoyenneté et Immigration Canada (CIC) (1998a). *De solides assises pour le XXIe siècle. Nouvelles orientations pour la politique et la législation relatives aux immigrants et aux réfugiés*, Ottawa, ministère des Travaux publiques et Services gouvernementaux Canada.
Canada. Citoyenneté et Immigration Canada (CIC) (1998b). *Au-delà des chiffres : l'immigration de demain au Canada*, Ottawa, ministère des Travaux publiques et Services gouvernementaux Canada.
Canada. Citoyenneté et Immigration Canada (CIC) (s. d.). *Fiche de renseignements 22, la carte de résident permanent*, <www.cic.gc.ca/francais/lipr/fiche-carte.html>, consulté le 24 avril 2006.
Canada. Citoyenneté et Immigration Canada (CIC) (s. d.). *Les cours de langue de niveau avancé aide les immigrants à utiliser leurs compétences et leurs titres de compétences*, <www.cic.gc.ca/francais/nouvelles/04/0411-f.html>, consulté le 24 avril 2006.
Canada. Citoyenneté et Immigration Canada (CIC) (s. d.). *Mandat, vision et mission de CIC*, <www.cic.gc.ca/francais/ministere/mission.html>, consulté le 22 mars 2006.
Canada. Citoyenneté et Immigration Canada (CIC) (s. d.). *Projet de loi C-11, Loi sur l'immigration et la protection des réfugiés, aperçu*, <www.cic.gc.ca/francais/lipr/c11-apercu.html>, consulté le 5 avril 2006.
Canada. Citoyenneté et Immigration Canada (CIC) (s. d.). *Projet de loi C-11, Loi sur l'immigration et la protection des réfugiés, ce qu'il y a de nouveau dans la Loi sur l'immigration et la protection des réfugiés proposée*, <www.cic.gc.ca/francais/lipr/c11-nouveau.html>, consulté le 24 avril 2006.
Canada. Citoyenneté et Immigration Canada (CIC) (s. d.). *Renforcement des mesures en matière d'immigration pour lutter contre le terrorisme*, <www.cic.gc.ca/francais/nouvelles/01/0119-f.html>, consulté le 24 avril 2006.
Canada. Citoyenneté et Immigration Canada (CIC) (s. d.). *Section d'appel des réfugiés : document d'information*, <www.cic.gc.ca/francais/refugies/sar-information.html>, consulté le 3 mai 2006.
Canada. Citoyenneté et Immigration Canada (CIC) (s. d.). *Section d'appel des réfugiés : fiche de renseignements*, <www.cic.gc.ca/francais/refugies/sar-fiche.html>, consulté le 3 mai 2006.
Canada. Citoyenneté et Immigration Canada (CIC) (s. d.). *Un système d'immigration pour le XXIe siècle*, <www.cic.gc.ca/francais/nouvelles/05/0509-f.html>, consulté le 24 avril 2006.
Canada. Citoyenneté et Immigration Canada (CIC) (s. d.). *Version définitive du règlement d'application de la nouvelle Loi sur l'immigration et la protection des réfugiés*, <www.cic.gc.ca/francais/nouvelles/02/0218-f.html>, consulté le 24 avril 2006.
Canada. Commission d'enquête portant sur les actions des responsables canadiens relativement à Maher Arar (2006). *La Commission Arar publie ses conclusions sur le traitement du dossier de Maher Arar*, communiqué, 18 septembre.
Canada. Ministère des Affaires étrangères et du Commerce international (MAECI) (2005). *L'Énoncé de politique internationale du Canada. Fierté et influence : notre rôle dans le monde*, Ottawa, Service des renseignements.

Canada. Ministère des Affaires étrangères et du Commerce international (MAECI) (2004). *Plan d'action pour une frontière intelligente : rapport d'étape*, communiqué, 17 décembre, <www.dfait.gc.ca/can-am/main/border/status-fr.asp?lang=fr&lang= fr&>, consulté le 9 décembre 2005.

Canada. Ministère des Affaires étrangères et du Commerce international (MAECI) (s. d.). *Coopération sur la frontière. Plan d'action en 32 points*, <www.dfait.gc.ca/can-am/main/border/32_point_action-fr.asp>, consulté le 9 décembre 2005.

Canada. Ministère des Finances (2008). *Le discours du budget de 2008. Un leadership responsable*, Ottawa, Travaux publics et Services gouvernementaux Canada.

Canada. Ministère des Finances (2007). *Plan budgétaire 2007. Viser un Canada plus fort, plus sécuritaire et meilleur*, Ottawa, ministère des Finances, 19 mars, <www.budget.gc.ca/2007/pdf/bp2007f.pdf>, consulté le 2 avril 2007.

Canada. Ministère des Travaux publics et Services gouvernementaux Canada (2002). *Fiche de renseignement 11 : Accord Canada-Québec*, <www.cic.gc.ca/francais/lipr/fiche-quebec.html>, consulté le 27 février 2006.

Canada. Multiculturalisme Canada (1984). *Stratégie nationale des relations interraciales*, Ottawa, Direction du multiculturalisme.

Canada. Patrimoine canadien (2008). *Rapport annuel sur l'application de la Loi sur le multiculturalisme canadien 2006-2007*, Ottawa, ministre des Travaux publics et Services gouvernementaux Canada.

Canada. Patrimoine canadien (2007). *Rapport annuel sur l'application de la Loi sur le multiculturalisme canadien 2005-2006*, Ottawa, ministre des Travaux publics et Services gouvernementaux Canada.

Canada. Patrimoine canadien (2006) (document inédit).

Canada. Patrimoine canadien (2005a). *Rapport annuel sur l'application de la Loi sur le multiculturalisme canadien 2003-2004*, Ottawa, ministre des Travaux publics et Services gouvernementaux Canada.

Canada. Patrimoine canadien (2005b). *Plan d'action canadien contre le racisme. Un Canada pour tous – une vue d'ensemble*, Ottawa, 21 mars, ministre des Travaux publics et Services gouvernementaux Canada.

Canada. Patrimoine canadien (2005c). *Plan d'action canadien contre le racisme. Un Canada pour tous*, Ottawa, 21 mars, ministre des Travaux publics et Services gouvernementaux Canada.

Canada. Patrimoine canadien (2005d). *Guide des programmes d'appui financier de Patrimoine canadien*, Ottawa, ministre des Travaux publics et Services gouvernementaux Canada, mars.

Canada. Patrimoine canadien (2005e). *Rapport interministériel sur le rendement pour la période se terminant le 31 mars 2005*, Ottawa, ministre du Patrimoine canadien et ministre responsable de la Condition féminine.

Canada. Patrimoine canadien (2005f). *Servir la population multiculturelle du Canada de demain. Forum stratégique*, Documents de discussion, Gatineau, 22-23 mars.

Canada. Patrimoine canadien (2005g). *Le gouvernement du Canada présente Un Canada pour tous : Plan d'action contre le racisme*, communiqué, 21 mars.

Canada. Patrimoine canadien (2005h). *Deuxième rencontre de la Table ronde transculturelle sur la sécurité à Vancouver*, communiqué, 24 mai.

Canada. Patrimoine canadien (2004a). *Rapport annuel sur l'application de la loi sur le multiculturalisme canadien 2002-2003*, Ottawa, ministre des Travaux publics et Services gouvernementaux Canada.

Canada. Patrimoine canadien (2004b). *Qu'est-ce que le multiculturalisme?*, <www.patrimoinecanadien.gc.ca/progs/multi/what-multi_f.cfm?nav=2>, consulté le 20 décembre 2005.

Canada. Patrimoine canadien (2004c). *Programme des droits de la personne*, <pch.gc.ca/progs/pdp-hrp/index_f.cfm?nav=2>, consulté le 14 avril 2005.

Canada. Patrimoine canadien (2004d). *Budget des dépenses 2003-2004: rapport sur les plans et les priorités*, Ottawa, ministre des Travaux publics et Services gouvernementaux Canada.

Canada. Patrimoine canadien (2003a). *Rapport annuel sur l'application de la Loi sur le multiculturalisme canadien 2001-2002*, Ottawa, ministre des Travaux publics et Services gouvernementaux Canada.

Canada. Patrimoine canadien (2003b). *Plan stratégique sur la diversité et la culture*, 27 juin, Ottawa, Patrimoine canadien.

Canada. Patrimoine canadien (2002a). *Rapport annuel sur l'application de la Loi sur le multiculturalisme canadien 2000-2001*, Ottawa, ministre des Travaux publics et Services gouvernementaux Canada.

Canada. Patrimoine canadien (2002b). *Budget des dépenses: Rapport sur le rendement*, Ottawa, Ministre des Travaux publics et Services gouvernementaux Canada.

Canada. Patrimoine canadien (2001). *Rapport annuel sur l'application de la Loi sur le multiculturalisme canadien 1999-2000*, Ottawa, ministre des Travaux publics et Services gouvernementaux Canada.

Canada. Patrimoine canadien (2000). *Rapport annuel sur l'application de la Loi sur le multiculturalisme canadien 1998-1999*, Ottawa, ministre des Travaux publics et Services gouvernementaux Canada.

Canada. Patrimoine canadien (1999). *10e Rapport annuel sur l'application de la Loi sur le multiculturalisme canadien 1997-1998*, Ottawa, ministre des Travaux publics et Services gouvernementaux Canada, février.

Canada. Patrimoine canadien (1998). *Evaluation Framework for the Multiculturalism Program*. Rapport final, Corporate Review Branch Department of Canadian Heritage, Ottawa, juillet.

Canada. Patrimoine canadien (1997a). *Le Programme du multiculturalisme: le contexte du renouvellement*, fiche d'information, Ottawa, Patrimoine canadien (multiculturalisme).

Canada. Patrimoine canadien (1997b). *Le programme renouvelé du multiculturalisme entre en vigueur*, communiqué, 15 avril.

Canada. Patrimoine canadien (s. d.). *Diversité canadienne, respecter nos différences*, <www.pch.gc.ca/progs/multi/respect_f.cfm>, consulté le 21 mars 2007.

Canada. Patrimoine canadien, Secrétariat canadien de la CMCR (s. d.). *Conférence mondiale contre le racisme*, document d'information, <www.pch.gc.ca/progs/multi/wcar/res/bkgrnd/bg-hba_f.shtml>, consulté le 26 mars 2005.

Canada. Sa Majesté la Reine c. Conseil canadien pour les réfugiés *et al.* (27 juin 2008) 2008 CAF 229, <decisions.fca-caf.gc.ca/fr/2008/2008caf229/2008caf229.html>.

Canada. Secrétariat de la commission des nominations publiques (SCNP) (2007). *Processus de nomination par le gouverneur en conseil: Commission de l'immigration et du statut de réfugié du Canada*, <www.cic.gc.ca/francais/pdf/pub/cisr-annexes.pdf>, consulté le 2 avril 2007.

Canada. Sécurité publique et Protection civile Canada (SPPCC) (2005a). *La Loi constituant le ministère de la Sécurité publique et de la Protection civile entre en vigueur*, communiqué, 4 avril.

Canada. Sécurité publique et Protection civile Canada (SPPCC) (2005b). *Première réunion de la Table ronde transculturelle sur la sécurité*, communiqué, 7 mars.

Canada. Sécurité publique et Protection civile Canada (SPPCC) (2005c). *Sécurité publique et Protection civile Canada*, 4 avril, <www.psepc-sppcc.gc.ca/publications/news/2005/20050404-1_f.asp>, consulté le 16 mai 2005.

Canada. Sécurité publique et Protection civile Canada (SPPCC) (s. d.). *Table ronde transculturelle sur la sécurité*, <www.psepc.gc.ca/world/site/includes/print.asp?lang=fr&print=1>, consulté 17 novembre 2005.

Canada. Sénat (2004a). *Débats*, 5 octobre.

Canada. Sénat (2004b). *Discours du trône et de la Chambre des communes*, (texte intégral), 5 octobre, <www.pm.gc.ca/fra/sft-ddt.asp>, consulté le 26 mars 2005.

Canada. Sénat (2002). *Débats*, 21 février.

Canada. Sénat (2001). *Projet de loi S-36. Loi concernant la citoyenneté canadienne*, première session, trente-septième législature, 4 décembre.

Commission canadienne des droits de la personne (2001). *Discrimination fondée sur la race, la couleur, l'origine nationale ou ethnique, Recueil de décisions*, Ottawa, ministre des Travaux publics et Services gouvernementaux Canada.

Courchesne, M. (2004). *L'immigration : un levier pour l'économie montréalaise*, Allocution de la ministre des Relations avec les citoyens et de l'Immigration, Chambre de commerce du Montréal métropolitain, 18 novembre, <www.ccmm.qc.ca/asp/contenu.asp?GrSection=&lang=1&rubrique=6069&data=5533>, consulté le 14 mars 2005.

Dolin, B. et Young, M. (2004). *Étude générale. Le programme canadien d'immigration*, Ottawa, Bibliothèque du Parlement, Direction de la recherche parlementaire.

Dolin, B. et Young, M. (2002). *Résumé législatif. Projet de loi C-18. Loi sur la citoyenneté*, Ottawa, Bibliothèque du Parlement, Direction de la recherche parlementaire, 1er novembre.

Gabor, Y. (2004). *La Loi antiterroriste et ses effets : point de vue d'universitaires canadiens*, Ottawa, Division de la recherche et de la statistique, Justice Canada, mars.

Jouste, E. (1998). Allocution du sous-ministre adjoint aux relations civiques, Colloque *Mondialisation, multiculturalisme et citoyenneté*, Musée des beaux-arts, Montréal, 29 mars.

Knowles, V. (2000). *Les artisans de notre patrimoine : la citoyenneté et l'immigration au Canada de 1900 à 1977*, Ottawa, Citoyenneté et Immigration Canada.

Larocque, J (2004). Allocution, colloque *Servir la population multiculturelle du Canada : des approches pratiques pour les fonctionnaires*, 14 et 15 avril, <www.pch.gc.ca/progs/multi/spmc-scmp/conference/01_f.cfm>, consulté le 15 janvier 2006.

Leman, M. (1999). *Le multiculturalisme canadien*, Ottawa, Bibliothèque du Parlement, Division des affaires publiques et sociales.

Lindsay, C. (2007). « The Arab Community in Canada, 2001 », *Profiles of Ethnic Communities, no 009*, Ottawa, Statistics Canada.

Québec (2000a). *Loi sur l'accès à l'égalité en emploi dans des organismes publics et modifiant la Charte des droits et libertés de la personne*, section III, <www.cdpdj.qc.ca/fr/commun/docs/loi_143.pdf>, consulté le 17 mai 2005.

Québec (2000b). *Loi sur la fonction publique*, <www2.publicationsduquebec.gouv.qc.ca/dynamicSearch/telecharge.php?type=2&file=/F_3_1_1/F3_1_1.html>, consulté le 17 mai 2005.

Québec (1978). *La politique québécoise du développement culturel*, Québec, Éditeur officiel du Québec.

Québec (1994). *Loi sur l'immigration au Québec,* Lois et Règlements du Québec, chapitre I-0.2., <www2.publicationsduquebec.gouv.qc.ca/home.php#>, consulté le 13 mars 2006.

Québec, Site officiel du premier ministre du Québec, *Discours inaugural du premier ministre du Québec, M. Lucien Bouchard, lors de l'ouverture de la 6e législature à l'Assemblée nationale,* <www.premier.gouv.qc.ca/general/discours/archives_discours/1999/mars. d.iscours_1999_mars.htm>, consulté le 16 août 2005.

Québec. Assemblée nationale (2005a). *Projet de loi nº 53: Loi modifiant la Loi sur l'immigration au Québec.*

Québec. Assemblée nationale (2005b). *Projet de loi nº 101: Loi sur le ministère de l'Immigration et des Communautés culturelles.*

Québec. Assemblée nationale (2004a). *Débats,* 13 mai.

Québec. Assemblée nationale (2004b). *Débats,* 27 mai.

Québec. Assemblée nationale (2004c). *Débats,* 16 juin.

Québec. Assemblée nationale (2001a). *Projet de loi nº 18: Loi modifiant la Loi sur l'immigration au Québec.*

Québec. Assemblée nationale (2001b). *Débats,* 14 novembre.

Québec. Assemblée nationale (2001c). *Débats,* 18 décembre.

Québec. Commission des droits de la personne et droits de la jeunesse (CDPDJ) (2007). *De l'égalité juridique à l'égalité sociale: vers une stratégie nationale de lutte contre l'homophobie,* Rapport de consultation du Groupe de travail mixte contre l'homophobie, Montréal, CDPDJ, mars.

Québec. Commission des droits de la personne et des droits de la jeunesse du Québec (CDPDJ). (2005) *Rapport triennal 2001-2004 sur l'accès à l'égalité en emploi dans des organismes publics,* Montréal, CDPDJ.

Québec. Commission des droits de la personne et des droits de la jeunesse du Québec (CDPDJ) (2002). *Charte des droits et libertés de la personne du Québec,* <www.cdpdj.qc.ca/fr/commun/docs/charte.pdf>, consulté le 17 mai 2005.

Québec. Direction générale de l'immigration sociale et humanitaire (DGISH) (2004). *L'immigration au Québec,* Montréal, Direction des affaires publiques et des communications et Direction des affaires juridiques.

Québec. Ministère des Communautés culturelles et de l'Immigration (MCCI), ministère de la Justice du Québec et Emploi et Immigration Canada (1991). *Accord Canada-Québec relatif à l'immigration et à l'admission temporaire des aubains,* Montréal, ministère des Communautés culturelles et de l'Immigration.

Québec. Ministère des Communautés culturelles et de l'Immigration (MCCI) (1990). *Au Québec pour bâtir ensemble. Énoncé de politique en matière d'immigration et d'intégration,* Montréal, Direction des communications.

Québec. Ministère des Communautés culturelles et de l'Immigration (MCCI) (1981). *Autant de façons d'être Québécois. Plan d'action à l'intention des communautés culturelles,* Montréal, Direction des communications.

Québec. Ministère de l'Immigration et des Relations interculturelles (MICC) (2008a). *La diversité: une valeur ajoutée. Politique gouvernementale pour favoriser la participation de tous à l'essor du Québec,* Montréal, Direction des affaires publiques et des communications.

Québec. Ministère de l'Immigration et des Relations interculturelles (MICC) (2008b). *La diversité: une valeur ajoutée. Plan d'action gouvernemental pour favoriser la participation de tous à l'essor du Québec 2008-2013,* Montréal, Direction des affaires publiques et des communications.

Québec. Ministère de l'Immigration et des Relations interculturelles (MICC) (2008c). *Pour enrichir le Québec : Affirmer les valeurs communes de la société québécoise*, Montréal, Direction des affaires publiques et des communications.

Québec. Ministère de l'Immigration et des Communautés culturelles (MICC) (2007). *Plan d'immigration du Québec pour l'année 2008*, Montréal, Direction des affaires publiques et des communications.

Québec. Ministère de l'Immigration et des Communautés culturelles (MICC) (2006a). *Vers une politique gouvernementale de lutte contre le racisme et la discrimination : document de consultation*, Montréal, Direction des affaires publiques et des communications, juin.

Québec. Ministère de l'Immigration et des Communautés culturelles (MICC) (2006b). *Rapport du Groupe de travail sur la pleine participation à la société québécoise des communautés noires*, Montréal, Direction des affaires publiques et des communications.

Québec. Ministère de l'Immigration et des Communautés culturelles (MICC) (2006c). *Plan d'immigration du Québec pour l'année 2007*, Montréal, Direction des affaires publiques et des communications.

Québec, Ministère de l'Immigration et des Communautés culturelles (MICC) (2006d). *Projets visant à faciliter l'accès aux professions et métiers réglementés mis en œuvre par le ministère de l'Immigration et des Communautés culturelles (MICC) et ses partenaires*, édition juillet 2006, Montréal, Direction des affaires publiques et des communications.

Québec. Ministère de l'Immigration et des Communautés culturelles (MICC) (2005a). *Plan stratégique 2005-2008*, Montréal, Direction de la planification et de la modernisation.

Québec. Ministère de l'Immigration et des Communautés culturelles (MICC) (2005b). *Plan d'immigration du Québec pour l'année 2006*, Montréal, Direction des affaires publiques et des communications.

Québec. Ministère de l'Immigration et des Communautés culturelles (MICC) (2005c). *Fiche thématique sur le Programme d'aide à l'intégration des immigrants et des minorités visibles à l'emploi* (PRIIME).

Québec. Ministère de l'Immigration et des Communautés culturelles (MICC) (2005d). *La pleine participation à la société québécoise des communautés noires*, document de consultation, Montréal, Direction des affaires publiques et des communications.

Québec. Ministère de l'Immigration et des Communautés culturelles (MICC) (2005e). *Rapport annuel de gestion 2004-2005*, Montréal, Direction des affaires publiques et des communications.

Québec. Ministère de l'Immigration et des Communautés culturelles (MICC) (s. d.). *Lutte contre le racisme, les actions du ministère de l'Immigration et des Communautés*, <www.micc.gouv.qc.ca/52_2.asp?pid=civiques/fr/206>, consulté le 13 mars 2006.

Québec. Ministère de l'Immigration et des Communautés culturelles (MICC) (s. d.). *Programme d'accompagnement des nouveaux arrivants*, <www.immigration-quebec.gouv.qc.ca/francais/partenaires/programme-pana.html>, consulté le 13 mars 2006.

Québec. Ministère de l'Immigration et des Communautés culturelles (MICC) (s. d.). *Programme régional d'intégration*, <www.immigration-quebec.gouv.qc.ca/francais/partenaires/programme-pri.html>, consulté le 13 mars 2006.

Québec. Ministère de l'Immigration et des Communautés culturelles (MICC) (s. d.). *Programme d'appui aux relations civiques et interculturelles*, <www.mrci.gouv.qc.ca/civiques/fr/207_2.asp>, consulté le 13 mars 2006.

Québec. Ministère des Relations avec les citoyens et de l'Immigration (MRCI) (2004a). *Des valeurs partagées, des intérêts communs : pour assurer la pleine participation des Québécois des communautés culturelles au développement du Québec. Plan d'action 2004-2007,* Québec, Direction des affaires publiques et des communications.

Québec. Ministère des Relations avec les citoyens et de l'Immigration (MRCI) (2004b). *Fiche thématique destinée aux communautés culturelles. Ouverture et rapprochement pour favoriser la pleine participation de tous.*

Québec. Ministère des Relations avec les citoyens et de l'Immigration (MRCI) (2004c). *Fiche thématique destinée aux employeurs. Une main-d'œuvre diversifiée : une richesse pour votre entreprise.*

Québec. Ministère des Relations avec les citoyens et de l'Immigration (MRCI) (2004d). *Fiche thématique destinée aux femmes. Immigration au féminin : des défis et des services particuliers.*

Québec. Ministère des Relations avec les citoyens et de l'Immigration (MRCI) (2004e). *Fiche thématique destinée aux jeunes. Des forces vives pour bâtir le Québec de demain.*

Québec. Ministère des Relations avec les citoyens et de l'Immigration (MRCI) (2004f). *Fiche thématique sur les plans d'action de la Capitale nationale, de la métropole et des régions. Un atout à l'autonomie et au développement local et régional.*

Québec. Ministère des Relations avec les citoyens et de l'Immigration (MRCI) (2004g). *Rapport annuel de gestion 2003-2004,* Québec, Direction des affaires publiques et des communications.

Québec. Ministère des Relations avec les citoyens et de l'Immigration (MRCI) (2004h). *Planification triennale de l'immigration 2005-2007,* Québec, Direction des affaires publiques et des communications, mai.

Québec. Ministère des Relations avec les citoyens et de l'Immigration (MRCI) (2004i). *Planification triennale de l'immigration 2005-2007,* Québec, Direction des affaires publiques et des communications, mai.

Québec. Ministère des Relations avec les citoyens et de l'Immigration (MRCI) et Ministère de l'Emploi, de la Solidarité sociale et de la Famille (MESSF) (2004). *Fiche thématique sur l'Entente interministérielle pour favoriser l'intégration au marché du travail des immigrants et des personnes appartenant aux minorités visibles.*

Québec. Ministère des Relations avec les citoyens et de l'Immigration (MRCI) (2003). *Planification triennale de l'immigration 2005-2007 : consultation,* Québec, Direction de la population et de la recherche.

Québec. Ministère des Relations avec les citoyens et de l'Immigration (MRCI) (2001a). *Plan stratégique 2001-2004,* Québec, Direction de la planification stratégique.

Québec. Ministère des Relations avec les citoyens et de l'Immigration (MRCI) (2001b). *Planification triennale de l'immigration 2001-2003 : faits saillants,* <www.immigration-quebec.gouv.qc.ca/francais/plan/nouveautes-triennale.html>, consulté le 16 mars 2006.

Québec. Ministère des Relations avec les citoyens et de l'Immigration (MRCI) (2000). *L'immigration au Québec 2001-2003 : un choix de développement,* Québec, Direction de la planification stratégique.

Sinha, J. et Young, M. (2002). *Résumé législatif. Projet de loi C-11 : Loi sur l'immigration et la protection des réfugiés,* Ottawa, Bibliothèque du Parlement, Direction de la recherche parlementaire.

Thibault, M. (2005). « Dossier : Loi assurant l'exercice des droits des personnes handicapées en vue de leur intégration scolaire, professionnelle et sociale. Une loi qui responsabilise », *Bulletin L'intégration,* vol. 14, nº 2, p. 3-8.

Young, M. (2004). *Immigration – L'accord Canada-Québec (Étude générale BP-252F)*, Ottawa, Bibliothèque du Parlement, Direction de la recherche parlementaire.

Young, M. (1999). *Historique du projet de loi C-63 : Loi sur la citoyenneté au Canada*, Ottawa, Division du droit et du gouvernement, 5 janvier, <parl.gc.ca/common/Bills_ls.asp?lang=F&Parl=36&Ses=1&ls=C63&source=>, consulté le 4 août 2005.

RÉFÉRENCES DES ONG-PARAPLUIE ET DES ASSOCIATIONS ARABO-MUSULMANES

Canadian Arab Federation / Fédération canado-arabe (CAF) (2006). *Arab and Muslim Voters : Growing Political Influence*, Toronto, CAF, février, 22 p.

Canadian Arab Federation / Fédération canado-arabe (CAF) (2005a). *L'immigration et l'avenir du Canada*, dossier des conférenciers, Toronto, 22 et 23 novembre.

Canadian Arab Federation / Fédération canado-arabe (CAF) (2005b). *Activity Report, April 2004-March 2005*, <www.caf.ca/NewsInfo.aspx>, consulté le 4 mai 2006.

Canadian Arab Federation / Fédération canado-arabe (CAF) (2003a). *Rapport de principe : Citoyenneté et Immigration Canada*, Toronto, CAF, avril.

Canadian Arab Federation / Fédération canado-arabe (CAF) (2003b). *Rapport de principe : multiculturalisme et droits civiques*, Toronto, CAF, avril.

Canadian Arab Federation / Fédération canado-arabe (CAF) (2003). *Policy Statement : Multiculturalism and Civil Rights*, Toronto, CAF, avril.

Canadian Arab Federation / Fédération canado-arabe (CAF) (2002). *Arabs in Canada : Proudly Canadian and Marginalized*, Report on the findings and recommendations of the study *Arab Canadians : Charting the Future*, Toronto, CAF, avril.

Canadian Arab Federation / Fédération canado-arabe (CAF) (1999). *A Profile of Arabs in Canada*, Toronto, Canadian Arab Federation and Arab Community Centre of Toronto and CERIS.

Canadian Arab Federation / Fédération canado-arabe (CAF) (s. d.). *CSIS and Your Rights : An Arab-Canadian Guide*, Toronto, CAF.

Canadian Arab Federation (CAF) et Canadian Council on American-Islamic Relations (CAIR-CAN) (2005). *Brief on the Review of the Anti-Terrorism Act*, Mémoire présenté au Comité permanent de la justice et des droits de la personne, septembre.

Canadian Arab Federation (CAF), Canadian Council on American-Islamic Relations (CAIR-CAN) et Canadian Muslim Lawyers Association (CMLA) (2005). *Joint Statement of Principles and Recommendations for Real Security*, communiqué, 20 septembre, <www.caircan.ca/downloads/ATA_SOP.pdf>, consulté le 19 septembre 2006.

Canadian Arab Federation (CAF) et Conseil national des relations canado-arabes (CNRCA) (2006). *Vote 2006 : Guide to the Federal Election*, <www.nccar.ca/Vote2006-CAF&NCCARElectionGuide.pdf>, consulté le 20 novembre 2006.

Canadian Council on American-Islamic Relations (CAIR-CAN) (2006a). *Defending Civil Liberties : Keeping Canada Strong and Free : 2006 CAIR-CAN Annual Review*, Ottawa, CAIR-CAN.

Canadian Council on American-Islamic Relations (CAIR-CAN) (2006b). *Quebec Human Rights Commission finds denial of prayer accommodation discriminatory*, communiqué, 22 mars, <www.caircan.ca/itn_more.php?id=2395_0_2_0_C>, consulté le 4 avril 2006.

Canadian Council on American-Islamic Relations (CAIR-CAN) (2006c). *CAIR-CAN, CMCLA Ask Supreme Court to Uphold Both Rights and Security*, communiqué, 16 juin, <www.caircan.ca/aa_more.php?id=A2532_0_3_0_M>, consulté le 15 juillet 2008.

Canadian Council on American-Islamic Relations (CAIR-CAN) (2005a). *Brief on the Review of the Anti-Terrorism Act*, Special Senate Committee on the Anti-terrorism Act, juin, <www.caircan.ca/downloads/SS-ATA-06132005.pdf>, consulté le 4 avril 2006.

Canadian Council on American-Islamic Relations (CAIR-CAN) (2005b). *Presumption of Guilt : A National Survey on Security Visitations of Canadian Muslims*, <www.caircan.ca/downloads/POG-08062005.pdf>, consulté le 4 avril 2006.

Canadian Council on American-Islamic Relations (CAIR-CAN) (2005c). *CAIR-CAN Release Results of Security Survey, Calls on Minister to Investigate Improper Tactics*, communiqué, 8 juin, <www.caircan.ca/itn_more.php?id=P1677_0_2_0_C>, consulté le 4 avril 2006.

Canadian Council on American-Islamic Relations (CAIR-CAN) (2005d). *Canadian Arab and Muslim Groups Release Framework for Real Security*, communiqué, 20 septembre, <www.caircan.ca/itn_more.php?id=P1976_0_2_0_C>, consulté le 6 avril 2006).

Canadian Council on American-Islamic Relations (CAIR-CAN) (2005e). *CAIR-CAN Demands Withdrawal of Quebec Resolution Banning Islamic Arbitration*, communiqué, 15 septembre, <www.caircan.ca/itn_more.php?id=A1972_0_2_0_M>, consulté le 6 avril 2005.

Canadian Council on American-Islamic Relations (CAIR-CAN) (2005). *Le port du voile : un droit à la liberté d'expression des croyances religieuses*, communiqué de presse, <www.cfmc-fmc.org/CdP-%20Le%20port%20du%20voile.html>, consulté le 24 avril 2005.

Canadian Council on American-Islamic Relations (CAIR-CAN) (s. d.). *Vos droits : guide de poche pour les Canadiens musulmans*, Ottawa, CAIR-CAN.

Canadian Council on American-Islamic Relations (CAIR-CAN) et Canadian Muslim Civil Liberties Association (CMCLA) (2006). *Factum of the Interveners : Adil Charkaoui v. Minister of Citizenship and Immigration and Minister of Public Safety and Emergency Preparedness*, Supreme Court of Canada, court file nos 30762, 30929 et 31178.

Canadian Islamic Congress (2006a). *Executive Summary of A Position Paper Regarding Bill 27*, Family Statute Law Amendment Act, 2005, to the Standing Committee on General Assembly, communiqué, 17 janvier.

Canadian Islamic Congress (2006b). *Friday Bulletin*, vol. 9, n° 45, 20 mars, <www.canadianislamiccongress.com/fb/friday_bulletin.php?fbdate=2006-03>, consulté le 26 mars 2006.

Canadian Islamic Congress (2005a). *Let Canada Lead the World toward Security with Rights*, Toronto, Canadian Islamic Congress, septembre.

Canadian Islamic Congress (2005b). *Towards Smart Integration : The Choice of Canadians Muslims*, communication présentée à la 10e conférence internationale de Metropolis, Toronto, 19 octobre, <www.canadianislamiccongress.com/ar/smart.php>, consulté le 26 mars 2006.

Canadian Islamic Congress (2005c). *Islamic Congress Criticizes Right Wing Liberals for Rejecting Repeal of Anti-Terrorism Act*, communiqué, 17 novembre.

Canadian Islamic Congress (2005d). *Islamic Congress Makes Submission to Federal Parliamentary Committee – Calls for Charter Values to Be Reflected in Canadian Citizenship Laws*, communiqué, 21 février.

Canadian Islamic Congress (2005e). *Islamic Congress Endorses House Committee Recommendations on Citizenship Revocation and Rejects B'nai Brith Criticism*, communiqué, 11 juin.

Canadian Islamic Congress (2005f). *Islamic Congress Supports Boyd Report on Faith-Based Meditation and Arbritation*, communiqué, 7 septembre.

Canadian Islamic Congress (2004a). *National President Gives Invited Lecture on « Islam and Muslims in Canada ». Attended by 200 CSIS Staff*, communiqué, 1er avril.

Canadian Islamic Congress (2004b). *Islamic Congress Praises Achievements of Andrew Telegdi and Citizenship Reform Committee*, communiqué, 13 décembre.

Canadian Islamic Congress (s. d.). *Site Internet de Canadian Islamic Congress*, <www.canadianislamiccongress.com>, consulté le 26 mars 2006.

Carrefour culturel Sésame de Québec (CCSQ) (s. d.). *Site Internet du Carrefour culturel Sésame de Québec*, <www.ccsq.org>, consulté le 4 décembre 2006.

Centre culturel algérien (CCA) (2003). *Vers un nouveau rôle de l'État? Orientations et pratiques en matière d'accueil, d'intégration des immigrants et de pleine participation des Québécois de toutes origines*, Mémoire présenté au Conseil des relations interculturelles, Montréal, CCA, 15 septembre.

Centre culturel algérien (CCA) (s. d.). *Site Internet du Centre culturel algérien*, <www.ccacanada.qc.ca/main-activité.htm>, consulté le 12 mars 2006.

Centre culturel islamique de Québec (CCIQ) (2006). *Rapport moral 2005-2006*, Québec, CCIQ.

Centre culturel islamique de Québec (CCIQ) (2005). *Rapport moral 2004-2005*, Québec, CCIQ.

Centre culturel islamique de Québec (CCIQ) (2001). *Échos*, Bulletin d'information du CCIQ, novembre.

Centre culturel islamique de Québec (CCIQ) (s. d.). *Site Internet du Centre culturel islamique de Québec*, <www.cciq.org>, consulté le 17 avril 2006.

Coalition pour la surveillance internationale des libertés civiles (CSILC) (2005). *Mémoire préparé dans le cadre de l'examen de la Loi antiterroriste*, Montréal, LDL, avril.

Comité de la femme musulmane canadienne du Forum musulman canadien (FMC) (2005a). *Le port du voile : un droit à la liberté d'expression des croyances religieuses*, communiqué de presse, février, <www.cfmc-fmc.org/CdP-%20Le%20port%20du%20voile.html>, consulté le 24 avril 2005.

Comité de la femme musulmane canadienne du Forum musulman canadien (FMC) (2005b). *Le déni d'arbitration musulmane est discriminatoire et propagandiste islamophobe*, communiqué de presse, 7 juin, <www.cfmc-fmc.org/Publications-fr.html>, consulté le 24 avril 2006.

Conseil canadien pour les réfugiés (CCR) (2008). *Lettre à propos du projet de loi C-50 – amendements à la LIPR*, 8 avril, <www.ccrweb.ca/documents/c50lettre.htm#signatories>, consulté le 15 juillet 2008.

Conseil canadien pour les réfugiés (CCR) (2006a). *Non-Citizens in Canada : Equally Human, Equally Entitled to Rights*, Report to the UN Committee on Economic, Social and Cultural Rights on Canada's compliance with the International Covenant on Economic, Social and Cultural Rights, Montréal, CCR, mars.

Conseil canadien pour les réfugiés (CCR) (2006b). *La chronique du Conseil canadien pour les réfugiés*, vol. 1, no 7 (novembre).

Conseil canadien pour les réfugiés (CCR) (2006c). *La révision gouvernementale sur les tiers pays sûrs pose les mauvaises questions*, communiqué, 16 novembre, <www.web.net/~ccr/communnov06.html>, consulté le 18 décembre 2006.

Conseil canadien pour les réfugiés (CCR) (2006d). « Governmental Safe Third Review Asks Wrong Questions », media release, 16 novembre, <www.ccrweb.ca/eng/media/mediaroom.htm>, consulté le 18 décembre 2006.

Conseil canadien pour les réfugiés (CCR) (2005a). *L'appel des réfugiés : Mais est-ce que personne n'écoute ?*, Montréal, CCR, 31 mars.

Conseil canadien pour les réfugiés (CCR) (2005b). *Closing the Front Door on Refugees : Report on the First Year of the Safe Third Country Agreement*, Montréal, CCR, décembre.

Conseil canadien pour les réfugiés (CCR) (2005c). *Des vies en suspens : les ressortissants de pays visés par un moratoire vivent dans un vide juridique*, Montréal, CCR, juillet.

Conseil canadien pour les réfugiés (CCR) (2005d). *Refugees and Non-Citizens in Canada : Key Concerns Regarding Canada's Compliance with the Covenant on Civil and Political Rights (CCPR), Submission to the Human Rights Committee of the United Nations*, Montréal, CCR, 16 septembre.

Conseil canadien pour les réfugiés (CCR) (2005e). *Anti-Terrorism Act Review*, Brief to the House of Commons Subcommittee on Public Safety and National Security of the Standing Committee on Justice, Human Rights, Public Safety and Emergency Preparedness, Montréal, CCR, 8 septembre.

Conseil canadien pour les réfugiés (CCR) (2005f). *Le CCR commente les dispositions antiterroristes*, communiqué, 20 septembre.

Conseil canadien pour les réfugiés (CCR) (2004a). *Impact de la Loi sur l'immigration et la protection des réfugiés sur les enfants*, Montréal, CCR, novembre.

Conseil canadien pour les réfugiés (CCR) (2004b). *Le temps se refroidit. Discrimination envers les Arabes et les musulmans*, dépliant, Montréal, CCR, octobre.

Conseil canadien pour les réfugiés (CCR) (2004c). *Restructuration du gouvernement : la nouvelle agence frontalière*, Montréal, CCR, janvier.

Conseil canadien pour les réfugiés (CCR) (2000). *Rapport sur le racisme systémique et la discrimination dans les politiques canadiennes sur l'immigration et les réfugiés*, Montréal, CCR, novembre, <www.web.net/%7Eccr/arrapport.htm>, consulté le 8 mai 2006.

Conseil canadien pour les réfugiés (CCR) (s. d.). *Site Internet du Conseil canadien pour les réfugiés*, <www.crr.ca/>, consulté le 19 juin 2005.

Conseil canadien pour les réfugiés *et al.* c. Sa Majesté la Reine (29 novembre 2007) 2007 CF 1262, <decisions.fct-cf.gc.ca/fr/2007/2007cf1262/2007cf1262.html>, consulté le 23 octobre 2008.

Fondation canadienne des relations raciales (FCRR) (2005a). *La FCRR demande au Service de police d'Ottawa de modifier son approche et d'admettre l'existence du profilage racial*, communiqué, 5 juillet, <www.crr.ca/Load.do?section=5&subSection=7&id=429&type=2>, consulté le 4 avril 2006.

Fondation canadienne des relations raciales (FCRR) (2005b). *Décision rendue par une cour du Québec en matière de profilage racial*, communiqué, 2 février, <www.crr.ca/Load.do?section=5&subSection=7&id=219&type=2>, consulté le 4 avril 2006.

Fondation canadienne des relations raciales (FCRR) (2005c). *La FCRR se réjouit des démarches entreprises par le gouvernement fédéral à l'égard du projet de loi C-333*, communiqué, 10 novembre, <www.crr.ca/Load.do?section=5&subSection =7&id=478&type=2>, consulté le 4 avril 2006.

Fondation canadienne des relations raciales (FCRR) (2003a). *Le refus continuel d'admettre l'existence du profilage racial est inquiétant. Il faudrait plutôt mettre l'accent sur les solutions et leur mise en application*, communiqué, 21 février, <www.crr.ca/Load.do?section=5&subSection=7&id=138&type=2>, consulté le 4 avril 2006.

Fondation canadienne des relations raciales (FCRR) (2003b). *La Fondation canadienne des relations raciales appuie une demande de réparation*, communiqué, 9 mai, <www.crr.ca/Load.do?section=5&subSection=7&id=125&type=2>, consulté le 4 avril 2006.

Fondation canadienne des relations raciales (FCRR) (2001). *Examen de l'identité raciale des futurs enseignants et des répercussions sur le processus d'apprentissage de l'enseignement*, rapport, juillet, <www.crr.ca/Load.do?section=60&subSection=68&id=328&type=2>, consulté le 4 avril 2006.

Fondation canadienne des relations raciales (FCRR) (s. d.). *La fondation appuie le rapport de la CODP sur le profilage racial*, communiqué, 10 décembre, <www.crr.ca/Load.do?section=5&subSection=7&id=116&type=2>, consulté le 4 avril 2006.

Forum musulman canadien (FMC) (2005a). *Le port du voile: un droit à la liberté d'expression des croyances religieuses*, communiqué de presse, <www.cfmc-fmc.org/CdP-%20Le%20port%20du%20voile.html>, consulté le 24 avril 2005.

Forum musulman canadien (FMC) (2005b). *Le déni d'arbitration musulmane est discriminatoire et propagandiste islamophobe*, communiqué, 7 juin, <www.cfmc-fmc.org/Publications-fr.html>, consulté le 24 avril 2006.

Forum musulman canadien (FMC) (2004). *FMC dénonce la déportation de M. Mohamed Cherfi / CMF decries the deportation of Mr. Mohamed Cherfi*, communiqué, 10 mars.

Forum musulman canadien (FMC) (2003a). *CMF Filed Complaint against Global TV's Anti-Muslim and Anti-Arab Program*, communiqué, 30 avril.

Forum musulman canadien (FMC) (2003b). *Charkaoui's Treatment Insult to Canadian Values*, communiqué, 30 mai.

Forum musulman canadien (FMC) (2003c). *Politique étrangère canadienne: Les recommandations du Forum musulman canadien* (FMC), communiqué, 28 avril.

Forum musulman canadien (FMC) (2003d). *CMF Support the Request to Include Aljazeerah TV Channel to the Digital Cable Network in Canada*, communiqué, 28 avril.

Forum musulman canadien (FMC) (2001). *FMC dénonce la préparation à l'invasion de l'Afghanistan par l'Alliance*, communiqué, 8 octobre.

Forum musulman canadien (FMC) (s. d.). *Site Internet du Forum musulman canadien*, <fmc-cmf.com/index.php?option=com_content&task=view&id=1&Itemid=2>, consulté le 2 juin 2008.

L'Hirondelle. (s. d.). *Site Internet de L'Hirondelle*, <www.hirondelle.qc.ca>, consulté le 22 juin 2006.

Ligue des droits et libertés (LDL) (2006). *Rapport social*, Montréal, LDL, mars.

Ligue des droits et libertés (LDL) (2005a). *La Loi antiterroriste de 2001 : une loi trompeuse, inutile et... dangereuse*, Mémoire présenté au Comité spécial du Sénat sur la Loi antiterroriste et au sous-comité de la sécurité publique et nationale du Comité sur la justice, les droits de la personne, la sécurité publique et la protection civile de la Chambre des communes, 9 mai, <www.liguedesdroits.ca/documents/surveillance/c36/ldl_c36.doc>, consulté le 22 février 2006.

Ligue des droits et libertés (LDL) (2005b). *Pour une véritable éradication au Canada de la torture et des traitements cruels, inhumains et dégradants*, Mémoire présenté au Comité contre la torture des Nations Unies, Montréal, LDL, 2 avril.

Ligue des droits et libertés (LDL) (2005c). *Rapport alternatif de la Ligue des droits et libertés du Québec* présenté aux Membres experts du Comité des droits de l'homme suite au dépôt du cinquième Rapport périodique du Canada (1995-2004), CCPR/C/CAN/2004/5, 19 septembre.

Ligue des droits et libertés (LDL) (2005d). *L'ONU interpelle le Canada, responsable de plusieurs violations des droits et libertés : La Ligue des droits et libertés presse les gouvernements de respecter leurs obligations*, communiqué, 3 novembre, <www.liguedesdroits.ca/documents/communiques/comm_ldl_10dec05.doc>, consulté le 22 février 2006.

Ligue des droits et libertés (2004). *Nous ne sommes pas plus en sécurité ; nous sommes moins libres*, rapport, Montréal, LDL, janvier.

Ligue des droits et libertés (2003). *Le projet de carte d'identité : un changement majeur dans les rapports entre le citoyen et l'État*, Montréal, LDL, octobre.

Muslim Council of Montreal (MCM) (2006). *Muslim Council of Montreal Issues Election Guidelines*, communiqué, 21 janvier, <www.muslimcouncil.org/en/2004/04/suggested_voting_guidelines.html#more>, consulté le 8 mars 2006.

Muslim Council of Montreal (MCM) (2004). *Muslim Council of Montreal denounces CANWEST's article*, communiqué, 8 mars.

Muslim Council of Montreal (MCM) (2003a). *Muslim Council of Montreal Advises Muslims Not to Cooperate with CSIS*, communiqué, 29 juin, <www. muslimcouncil.org/en/press_releases/>, consulté le 9 mars 2006.

Muslim Council of Montreal (MCM) (2003b). *Montreal Muslims File Complaint with Quebec Human Rights Commission against École de technologie supérieure*, communiqué, 31 mars.

National Anti-Racism Council of Canada (NARCC) (2005a). *Racialized Communities in Canada : The Status of Compliance by the Canadian Government with the International Covenant on Civil and Political Rights. Report submitted to the Human Rights Committee of the United Nations*, Toronto, NARCC, octobre.

National Anti-Racism Council of Canada (NARCC) (2005b). *Commentary on A Canada For All : Canada's Action Plan against Racism*, Toronto, NARCC, octobre.

National Anti-Racism Council of Canada (NARCC) (2002). *Racial discrimination in Canada : The Status of Compliance by the Canadian Government with the International Convention on the Elimination of All Forms of Racial Discrimination. Report Submitted to the United Nations' Committee on the Elimination of Racial Discrimination*, <action.web.ca/home/narcc/attach/RACIAL%20DISCRIMINATION%20IN%20CANADA %20-%20CERD%20Shadow%20Report%20-%20July%2C%202004%5B1%5D1.doc>, consulté le 24 mai 2006.

National Anti-Racism Council of Canada (NARCC) (s. d.). *NARCC'S Day of Dialogue*, <action.web.ca/home/narcc/statements.shtml?x=90727>, consulté le 14 septembre 2006.

National Anti-Racism Council of Canada (NARCC) (s. d.). *Site Internet du National Anti-Racism Council of Canada*, <action.web.ca/home/narcc/contacts.shtml>, consulté le 25 mai 2006.

Présence musulmane (s. d.). Site Internet de Présence musulmane, <www.presencemusulmane.org/philosophie.html>, consulté le 14 avril 2006.

Table de concertation des organismes au service des personnes réfugiées et immigrantes (TCRI) (2006a). *Rapport d'activités 2005-2006*, Montréal, TCRI, <www.tcri.qc.ca/Pdf/Rapport%202005-2006.pdf#search=%22TCRI%202005-2006%22>, consulté le 11 septembre 2006.

Table de concertation des organismes au service des personnes réfugiées et immigrantes (TCRI) (2006b). *Vers une politique gouvernementale de lutte contre le racisme et la discrimination*, mémoire présenté à la Commission de la culture de l'Assemblée nationale du Québec, TCRI, septembre.

Table de concertation des organismes au service des personnes réfugiées et immigrantes (TCRI) (2005a). *Rapport d'activités 2004-2005*, Montréal, TCRI.

Table de concertation des organismes au service des personnes réfugiées et immigrantes (TCRI) (2005b). *Cap sur l'intégration,* Montréal, TCRI, <www.tcri.qc.ca/Pdf/plateforme%20TCRI.pdf#search=%22TCRI%20cap%20sur%20l'int%C3%A9gration%22>, consulté le 12 septembre 2006.

Table de concertation des organismes au service des personnes réfugiées et immigrantes (TCRI) (2005c). *Le gouvernement du Québec frappé par l'immobilisme en matière d'intégration des immigrants,* communiqué, 5 décembre, <www.tcri.qc.ca/tcri/TCRI_nouveautes.html#CommDec2005>, consulté le 14 mars 2006.

Table de concertation des organismes au service des personnes réfugiées et immigrantes (TCRI) (2004). *Mémoire relatif aux niveaux d'immigration de 2005 à 2007 au Québec,* Montréal, TCRI, février, <www.tcri.qc.ca/tcri/TCRI_nouveautes.html#Projet_soc>, consulté 14 mars 2006.

Table de concertation des organismes au service des personnes réfugiées et immigrantes (TCRI) (1999). *Déclaration de principes adoptée à l'Assemblée générale de la TCRI, Montréal, TCRI,* juin, <www.tcri.qc.ca/Pdf/declaration.pdf>, consulté le 8 septembre 2006.

Table de concertation des organismes au service des personnes réfugiées et immigrantes (TCRI) et Conseil canadien pour les réfugiés (CCR) (2004). *L'entente Canada-É.U. sur le tiers pays sûr claque la porte aux réfugiés,* communiqué, 2 décembre, <www.tcri.qc.ca/tcri/TCRI_nouveautes.html#CommDec2004>, consulté 14 mars 2006.

James Arthur Cameron est titulaire d'un baccalauréat en Beaux-Arts (avec honneurs) de l'Université du Manitoba (Winnipeg). Artiste polyvalent, il maîtrise plusieurs disciplines artistiques dont le dessin, la gravure, la photographie, la sculpture (bois, céramique, bronze). Il a à son actif plusieurs expositions individuelles et collectives. Sa démarche artistique actuelle se distingue par un processus de juxtaposition où il intègre divers artefacts à ses propres dessins, images photographiques et aquarelles. Sous plusieurs aspects, ses œuvres constituent un véritable témoignage du passé et expriment sa quête vers la vérité.

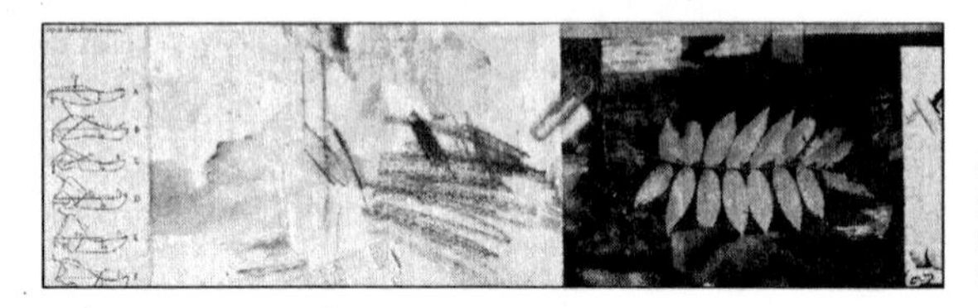

Sans titre, 2007, bois, papier, graphite, aquarelle, trombone sur papier arche.
Collection *Vincent et moi*

Vincent et moi est un programme d'accompagnement en soutien aux artistes atteints de maladie mentale mis sur pied en mai 2001 au Centre hospitalier Robert-Giffard – Institut universitaire en santé mentale. *Vincent et moi* innove en mettant au premier plan la valeur artistique d'œuvres réalisées par des personnes qui, au-delà de la maladie, s'investissent dans un processus de création en arts visuels à l'égal de tout autre artiste. À cette fin, le programme favorise la diffusion de leurs œuvres, crée des événements et expose leurs créations. Ainsi, il fait connaître et reconnaître leur contribution artistique et culturelle.

L'exposition annuelle du programme se déroule au centre hospitalier chaque automne, en association avec les Journées de la culture. Ce moment privilégié permet aux artistes de connaître la consécration de leur démarche en arts visuels et favorise la réappropriation de leur dignité grâce, entre autres, à la reconnaissance de leur statut d'artiste. L'exposition se veut un espace de rencontre contribuant à l'abolition des mythes et des préjugés, invitant la communauté à changer le regard qu'elle porte sur les personnes souffrant de maladie mentale. En complément, tout au long de l'année, le programme présente des expositions thématiques itinérantes dans des lieux culturels et institutionnels, lesquelles permettent à un vaste public d'être touché par des œuvres rarement accessibles.

Vincent et moi, c'est aussi une collection unique ! Dons des artistes au programme, les œuvres de la collection forment un patrimoine artistique exceptionnel. Constituée exclusivement d'œuvres originales conservées et mises en valeur selon les normes muséales, la collection s'enrichit au fil des années. Un système de prêt permet au personnel du centre hospitalier, à des institutions ou des entreprises d'emprunter des œuvres ou de les parrainer.

Galerie virtuelle : www.rgiffard.qc.ca
Courriel : vincentetmoi@ssss.gouv.qc.ca
Téléphone : 418-663-5321, poste 6440